Roxanne
Neschino

AGRIPPA

LES FLOTS DU TEMPS

Mario Rossignol
Jean-Pierre Ste-Marie

www.quebecloisirs.com

UNE ÉDITION DU CLUB QUÉBEC LOISIRS INC.
© Avec l'autorisation des Éditions Michel Quintin
© Copyright 2007
Révision linguistique : Sylvie Lallier, Éditions Michel Quintin
Dépôt légal — Bibliothèque et Archives nationales du Québec, 2008
ISBN Q.L. : 978-2-89430-861-5
Publié précédemment sous ISBN : 978-2-89435-350-9

Imprimé au Canada

En vain mes bras se dressent pour te saisir, chère ombre :
Des flots du temps passé, je ne peux pas te rompre.

Mihai Eminescu

NOTE DES AUTEURS

Détermination.

En un mot, voilà ce qui caractérise de la façon la plus précise possible le récit passionnant que vous vous apprêtez à découvrir.

Du début à la fin, des hommes prêts à tout pour concrétiser leurs projets mèneront une croisade sans merci contre ceux qui s'opposeront à leurs idéaux ou ce qu'ils croiront être juste.

Rien au monde n'est plus fort que ce qui motive une idée.

On peut faire le mal pour le bien d'une multitude, en croyant fermement bien faire.

Et penser bien faire, pour le plus grand malheur de ceux que l'on retient.

On ne peut aujourd'hui, depuis notre monde prétendument civilisé, juger du bien-fondé du concept de la « conquête ». Et force est de constater que rien n'a jamais vraiment changé. Le Québec n'est-il pas l'exemple vivant d'un peuple combatif jamais assimilé par le conquérant?

On dit qu'on ne peut empêcher les citoyens, dans une société libre et démocratique, de profiter des « libertés fondamentales » : liberté de conscience et de religion, liberté de penser, de croire, de s'exprimer et d'émettre des opinions, liberté de réunion et d'association…

On dit par exemple que le communisme a privé de ses droits un monde libre. Le monde libre a ensuite provoqué la chute du communisme. La pensée reste une arme en soi. Comme elle l'est depuis la naissance du premier homme. La pensée change les choses et les êtres, peu importe la façon dont elle est employée. Que ce soit pour influencer ou manipuler, pour discourir ou créer, il n'en reste pas moins qu'elle est à la fois l'outil et l'arme.

Depuis la nuit des temps, les hommes se sont fait la guerre, déterminés à conquérir des terres, à augmenter leur pouvoir, à asservir des peuples ou à imposer leur loi.

Des empires se sont effondrés, des villes ont été anéanties, des trésors inestimables ont été perdus à jamais. Pour obtenir ce qu'ils voulaient, les hommes ont cru en n'importe qui et en n'importe quoi. Quand la force et les offrandes aux dieux n'arrivèrent plus à suffire, ils se tournèrent alors vers d'autres hommes qu'ils avaient toujours souhaité éviter. Mais la recherche de « l'arme absolue » l'emporta sur la peur ou le doute. Pour ce faire, des mages, enchanteurs, devins, auspices, oracles, occultistes et géomanciens furent sollicités et consultés.

Pour leur pensée.

Cette pensée qui crée les langues et trace les écrits. Qui ordonne à quiconque et à toute chose. Qui peut construire des machines de guerre.

Bien que vous croyiez, en ce moment précis, tenir entre vos mains un récit de pure fiction, sachez qu'il n'en est rien. Ce livre est un recueil, un atlas, un dictionnaire, un manuel d'histoire et une compilation de recherches exhaustives.

Nous y racontons l'Histoire des villes et villages du Québec ainsi que celle des hommes qui s'y rattachent.

Nous y racontons l'Histoire d'autres pays et royaumes.

Nous y racontons l'Histoire de la magie à travers les âges.

Nous y racontons les légendes et les aventures de personnages oubliés, arrachés aux livres les plus anciens.

Puissiez-vous faire bon voyage.

PROLOGUE

*Il est dit de certaines entités qu'elles ne peuvent pas mourir.
Et je suis l'une d'elles.*

*Retenu prisonnier par la main de l'Homme, je suis l'un de
ces grimoires anciens, fortement enchaîné, recouvert de poussière
et de moisissure.*

Un livre qui ne peut pas mourir.

*Je suis magique et secret. On ne peut me garder sous
peine d'infortune. Du fond de ma prison de fer et de pierre, je
peux encore percevoir et me manifester. L'homme qui se croit
supérieur ou différent parce qu'il sent le fluide magique couler
dans ses veines n'a rien d'extraordinaire. Les opérations de
magie font appel à des éléments psychiques tout à fait normaux,
des données inconscientes de l'âme, ou du collectif tout entier,
stimulés dans l'hypnose et la suggestion. Ainsi l'Homme accède-
t-il aux transformations d'envergure et aux portes de l'Autre
Monde. Mais est-il prêt?*

*Au-delà des pierres de taille, des insectes aveugles et des
relents fétides de la terre moisie, j'éprouve de loin le contact d'un
pauvre fou qui est à la recherche de l'inaccessible. Il est si loin!
J'entends à peine l'écho de ses appels à travers le temps.*

Et le temps est justement mon allié le plus féroce.

*L'homme s'imagine savoir ce qu'est le temps parce qu'il peut
lire l'heure. Mais en fait, il parle du temps comme un aveugle
parle des couleurs. Le temps est un phénomène mystérieux. Il ne*

s'écoule que dans un seul sens, même dans des dimensions tout à fait différentes.

L'Homme a bien sûr conscience que le temps passe, mais il ne peut pas le « sentir » passer, car il ne possède aucun organe sensoriel ayant cette capacité. Tandis que moi…

Dans l'Antiquité, on se représentait le temps comme une roue. Les jours se succédaient, tout comme les saisons, puis les années. Tout finissait toujours par recommencer. J'affirme encore que le temps ne peut s'écouler que dans un sens, de façon linéaire et non cyclique. Ce qui m'a mené à une découverte fascinante dont je ne pourrai jamais me lasser : l'expression de terreur qui se dégage du visage d'un homme sachant qu'il va mourir. Au dernier moment, les regrets l'emportent sur la peur; il sait qu'il perdra tout sans aucune possibilité de retour.

Le temps constant est une illusion. Il est élastique. Il peut se contracter, se dilater, donc être manipulé.

On a fait grand état jadis du seul homme parvenu à cette conclusion. Un natif de la Germanie. Mais malgré la justesse de sa grande théorie de la relativité, il mourra sans jamais expérimenter le pouvoir réel du temps. Ainsi vécut-il lui aussi de lourds regrets au moment de pousser son dernier souffle.

Bien enserrées entre mes couvertures de cuir imputrescibles, les pages de vélin dont j'ai la garde, et qui me donnent vie, renferment le moyen d'expérimenter le temps. J'ai été conçu dans ce but unique. C'est dans le temps que réside mon pouvoir à moi! Je suis l'un des livres qui commandent l'asservissement. Je suis l'Agrippa!

Le pauvre fou dont je peux sentir le contact et auquel je donnerai les moyens de me retrouver, me tirera bientôt de ma prison. *Il viendra, j'en suis convaincu. Il livrera père et mère pour acquérir la maîtrise du temps, aussi bien pour lui seul que pour perdre des armées. Grisé par l'ambition et pour se couvrir de gloire, il voudra montrer à son prince le moyen d'écraser ses ennemis.*

Et je serai libre.

1

*Ruines du palais de Târgoviște, province de Valachie,
Roumanie.*
Avant les premières lueurs de l'aube, le lundi 6 mai 1928.

Une lumière aveuglante chassa les ténèbres d'entre les
murs en ruine du palais.

Elle se répandit loin tout autour, portée par un léger
brouillard suspendu entre la chaleur de la terre et la fraîcheur de l'air.

Un vieux loup solitaire qui chassait dans les parages eut
un mouvement de recul et laissa échapper un glapissement.
Il courut aussitôt vers la lisière de la forêt et disparut dans
les fourrés.

La nuit reprit sans plus attendre ses droits sur la nature,
ne permettant que le coassement des grenouilles et le cri des
insectes nocturnes.

Le loup avait fait demi-tour. Il approcha de la lisière mais
demeura tapi derrière le tronc d'un gros chêne pour éviter
d'être repéré. Ses yeux s'agrandirent en fixant les ruines,

comme pour en distinguer avec plus de précision le relief qui se détachait du ciel étoilé. Un choc sourd lui fit dresser les oreilles alors qu'une lueur délicate et diaphane révélait une fois de plus l'architecture abandonnée, plusieurs fois centenaire.

L'animal recula doucement sur quelques pas jusqu'à ce que sa queue tendue touche le tronc d'un jeune frêne derrière lui. Après s'être retourné, il s'enfonça dans la forêt en trottinant, sans même chercher à savoir ce qui émergerait éventuellement des murs de pierre bâtis par l'homme. La sagesse animale acquise par l'âge et les cicatrices se mesurait pour lui en termes de longévité. Et son instinct primitif lui disait qu'il valait mieux éviter ce qu'il n'avait encore jamais vu.

Le palais oublié de Târgoviște gisait là, pareil au cadavre d'un homme tué sur un champ de bataille. La cour des grands voïvodes[1] avait depuis longtemps cédé la place aux herbes hautes et aux animaux de la forêt.

Entre les murs de briques rougeâtres encore debout se tenait un homme de grande taille aux larges épaules. Visiblement affecté à la vue de ce qui l'entourait, il s'appuyait sur un long bâton en bois dur de châtaignier au bout duquel était fixé par des attaches d'argent une pierre d'astérie qui brillait d'une lumière teintée de violet. Cet homme à l'air farouche, aux yeux profonds d'un noir intense et à la mâchoire taillée à la hache, avançait lentement, le pas chancelant, sur une partie surélevée en pierre de ce qui avait dû être une salle

---

1. Princes régnants de Roumanie.

impressionnante. Il s'arrêta près d'un escalier et souleva son bâton afin d'illuminer toute l'étendue de la salle. D'un regard intense, il fixa un instant la pierre enchâssée au bout du bâton de châtaignier. Celle-ci augmenta en luminosité, propageant dans le brouillard léger des reflets violacés.

Octavian était un homme déterminé. Il avait été introduit à la magie dès l'âge de treize ans par un parrain vieux et malade n'ayant personne d'autre à qui faire la passation de ses connaissances. Le jeune garçon avait été un élève docile, suivant avec attention les enseignements du vieil homme, apprenant la musique, le chant, la littérature, la philosophie, la kabbale et la magie, le combat rapproché ainsi que l'escrime. Il avait développé un physique imposant dès l'adolescence, s'entraînant chaque jour comme si celui-ci devait être le dernier.

Assidu et multitalentueux, Octavian avait rapidement gagné l'affection du maître duquel il ne se séparait plus. Septième garçon d'une famille de dix enfants, son père avait été presque heureux de le voir quitter la maison.

La gemme d'astérie qui ornait son bâton lui procurait suffisamment de lumière pour embrasser du regard l'ensemble des murs de la salle dans laquelle il se trouvait. Un ciel étoilé semblable à celui qu'il connaissait bien ornait la voûte céleste de cette nuit sans vent. Octavian prit un instant pour apprécier la lumière que lui procurait la belle astérie brute. Il avait besoin de se raccrocher à quelque chose. Quelque chose de rassurant. Les étapes de préparation de la pierre lui revinrent en mémoire sans le vouloir. Il lui avait suffi de faire tremper le corindon dans du vinaigre pendant plusieurs jours avant de le placer dans un bocal contenant du vin et du jus de citron. La pierre s'était aussitôt mise à tourner sur elle-même. C'est le potassium qu'elle renferme qui avait créé le mouvement rotatif avant de produire une flamme violette en de petites explosions. Octavian s'était emparé de la pierre avec des pinces de forgeron et l'avait enfouie dans la glace. Une incantation soigneusement choisie au moment du choc thermique lui avait conféré le pouvoir sur la gemme, lui octroyant la capacité d'en rappeler la lumière lorsque nécessaire.

Il posa prudemment un pied sur la première marche de pierre afin de s'assurer de sa solidité. Il descendit ainsi jusqu'au sol dallé de marbre, avant de mettre un genou à terre pour le toucher de sa main libre. La froideur qu'il ressentit acheva de le convaincre. Tout cela était bien réel. Après s'être relevé, il traversa rapidement la salle en ruine jusqu'au mur du fond. Le blason de pierre fixé au mur ne faisait aucun doute. C'était bien celui de son maître, Vlad Basarabi!

— Mais où diable ai-je donc été entraîné? dit-il à voix basse pour lui-même alors que ces yeux se tournaient vers l'astérie.

Il fit demi-tour et dirigea ses pas vers l'autre extrémité de la salle, ayant du mal à mettre de l'ordre dans ses idées. Il avait beau être déterminé, il se retrouvait désormais dans une situation qu'il ne contrôlait pas totalement. Il tournait en rond sur le marbre froid en essayant d'élaborer un plan. Du coup, il décida que le seul plan à suivre était celui qu'il s'était fixé avant le départ : il devait retrouver l'entité qui l'avait contacté et la ramener avec lui. C'était très simple au fond.

Mais il fallait d'abord se calmer, réfléchir, agir froidement avec circonspection, une étape à la fois.

En premier lieu, contacter l'entité.

D'un pas décidé, Octavian vint se placer au centre de la salle. Cette salle des chevaliers qu'il avait, quelques minutes auparavant, connue magnifique, dans les logis seigneuriaux du palais. Mais maintenant, tout n'était que ruine et désolation.

Il détacha son long manteau de cuir souple qui l'étouffait. Il ne percevait pas la fraîcheur de la nuit. Il ne sentait que la sueur qui lui coulait dans le dos. Il n'y avait pas beaucoup d'explications possibles face à ce qui lui arrivait présentement. Soit l'entité l'avait attiré dans un monde parallèle qui reproduisait en partie ses souvenirs, soit elle lui avait fait faire un bond dans le temps. Quoique terrifiante, cette dernière hypothèse lui sembla la plus plausible. Il n'avait pas la moindre idée de l'année où il avait pu aboutir. Mais pour que le palais ait atteint un tel niveau d'abandon, il fallait que le bond dans le temps eût été assez important.

Octavian ferma les yeux et chercha à se centrer sur lui-même. Il fit contact avec le sol et sentit aussitôt ses jambes s'alourdir, imaginant ses pieds transformés en roches métamorphiques capables de se fusionner au marbre. Il provoqua le vide et imagina devant lui un long tunnel qui s'étirait à l'infini. Puis il chercha la chose.

Le choc de la réponse le fit vaciller. Il n'avait dressé aucune muraille mentale, le contact avec cette chose ayant toujours été d'une extrême faiblesse. Mais cette fois c'était différent, elle était toute proche.

Où m'as-tu emmené? Où es-tu?

Je suis là, tout près. Et très loin à la fois, car tu ne me tiens toujours pas entre tes mains.

Dis-moi, sous quelle forme te présentes-tu? Es-tu un démon?

Pauvre mage insignifiant… Je suis l'Agrippa! Le Livre qui commande aux démons. Je suis le Messager. Je suis la Porte. Je suis le Temps.

Le temps… Bien sûr! Tu m'as donné la solution de la porte de transplanation[1] pour m'emmener ici à travers le temps!

Le contact était trop faible pour que je me perde avec toi en de vaines explications. Sors du château!

Octavian sursauta lorsque le contact se rompit. Il rassembla ses esprits dans le but de créer une pensée cohérente, puis marcha à pas mesurés vers l'ouverture qui avait jadis abrité les doubles portes bardées de fer qui gardaient la salle. Il remarqua que les gonds étaient encore fichés dans la pierre lorsqu'il dépassa le mur pour se retrouver hors des logis seigneuriaux, dans la cour intérieure du château.

Le spectacle qui s'offrit à lui était désolant. La galerie qui courait tout le long de la façade des logis avait également perdu une partie de sa toiture. Les deux hautes colonnes de pierre contre lesquelles elle venait autrefois s'appuyer étaient encore debout. La cour était envahie par les herbes sauvages et les arbres qui en avaient pris possession. Il suivit des yeux un putois qui s'éloignait en trottinant vers ce qui restait de la tour d'entrée située plein sud, plus loin à gauche.

---

1. Porte permettant à certains initiés de voyager vers d'autres lieux, mondes ou époques.

Sous le choc, Octavian descendit les quelques marches tout en parcourant du regard l'ensemble de ruines impressionnantes qui l'entourait. Il passa devant la tour Chindia qui se tenait toujours droite, quoiqu'en très mauvais état, et constata avec stupéfaction que la *Biserica Paraclis*, l'église du palais, élevée juste derrière la tour, était complètement effondrée.

Le mage aimait se retirer seul dans l'église du palais pour réfléchir, méditer et espérer sa propre rédemption, tout en admirant les peintures, les icônes magnifiques, les boiseries et les dorures qui s'y trouvaient. Plus que tout, c'était le silence du lieu qui lui faisait le plus de bien. La base massive de la tour Chindia qui constituait le passage vers l'entrée de l'église bloquait formidablement tout bruit de l'extérieur.

Quand l'homme arriva devant ce qui restait d'une seconde tour qui gardait la seule entrée à la cour du château, l'entité le contacta de nouveau.

Ne t'arrête pas! Passe la tour d'entrée et traverse la douve asséchée. Une fois remonté de l'autre côté, prends à gauche sur le chemin qui se trouvera devant toi et marche jusqu'au monastère Stelea. Tu entreras dans le cimetière qui se trouve plus loin en bordure de la forêt, vis-à-vis ce monastère.

Mais...

Silence! Pars maintenant! Ou alors tu mourras dans ce monde!

Octavian se sentait mal. Les contacts mentaux de l'*Agrippa* lui martelaient le crâne chaque fois. Lui qui, habituellement, conservait un calme et un contrôle qui exaspéraient même son prince, voyait maintenant trembler la pierre précieuse au bout de son bâton.

Il passa les ruines de la tour d'entrée et entreprit de descendre dans la grande douve qui avait été creusée à bras d'hommes pour cerner l'ensemble du palais. Arrivé au fond du grand fossé asséché, il reconnut quelques vestiges du pont de bois qui l'enjambait jadis ainsi qu'une partie de la herse permettant d'interdire l'entrée par la tour. Il remonta du côté opposé sans trop de mal, s'aidant de branchages pour se tirer vers le haut. Lorsqu'il parvint en bordure du chemin, Octavian frappa le sol de son bâton pour étouffer la brillance de son astérie. Il emprunta la route en direction de la cité, plusieurs lumières éclairant autour de lui des bâtiments à l'architecture qu'il ne reconnaissait point. Le calme de la nuit mêlé à cette Târgoviște qui lui était inconnue augmentait son malaise. Il franchit une intersection. Peu de temps après, une affiche lui indiqua qu'il se trouvait sur la route Nicolae Bălcescu. Ce nom ne lui disait rien.

Le putois trottinait toujours un peu plus loin devant lui, tel un guide intrépide gardant ses distances.

Le cœur d'Octavian battait de plus en plus vite. Il n'avait jamais pu se résoudre à utiliser sa magie pour faire des incursions dans l'Autre Monde. Pourtant, il venait de faire un bond dans le temps, chose à laquelle il n'aurait jamais songé à peine quelques semaines auparavant. L'entité lui avait filé des indices.

L'Agrippa… *Le Livre qui commande aux démons…*

Le nom résonnait dans sa tête comme l'écho d'une cloche d'église.

Il inspira profondément pour oxygéner son cerveau. Un léger mal de tête le tourmentait comme pour s'ajouter aux multiples images confuses qui se bousculaient dans son esprit émoussé.

C'était à la suite d'une colère mémorable de son prince, qui lui avait intimé l'ordre de découvrir une arme qui pourrait lui assurer la suprématie, qu'il avait entrepris des recherches sur le temps. C'est lors d'une de ses expériences qu'il avait pris contact avec l'entité invisible. Un esprit qui refusait de se montrer. C'était lui qui l'avait instruit sur le moyen de créer la porte de transplanation qui l'avait amené jusqu'ici. Octavian s'était imposé le silence quant à ses expérimentations de peur de soulever l'ire du voïvode ou de certains sujets de la cour – telle cette Sânziana, la géomancienne tzigane qui se trouvait dans les bonnes grâces du prince et qui lui mettait toujours des bâtons dans les roues.

Il voulait avant tout être certain de ce qu'il découvrirait et la chose lui avait promis un pouvoir incommensurable sur le temps.

Le terme incommensurable était vraiment trop tentant.

À partir de ce moment, rien n'aurait pu l'arrêter. Il avait créé une courte incantation qui, le moment venu, lui servirait à ouvrir la brèche dans l'espace pour venir libérer l'entité. Quelques jours plus tôt, il s'était ramené en pleine nuit dans la salle des chevaliers pour appliquer secrètement sur le mur situé à l'extrémité sud un enduit transparent composé d'un mélange d'huiles de pin, de cèdre, de cyprès, de verveine, de myrrhe, de mousse de chêne, de trois larmes et d'une goutte

de son sang. Les larmes avaient été l'ingrédient le plus difficile à produire. Il ne pleurait jamais. Le mage n'avait trouvé
d'autre moyen que de se mettre la figure dans les volutes de
la fumée qui s'échappait d'un brasero où brûlaient charbons
et encens afin d'arracher quelques larmes à ses yeux rougis
qu'il avait recueillies sur une lamelle de verre avant de les
mélanger à son propre sang. L'enduit avait séché pendant la
nuit sur les pierres sans laisser de trace. L'odeur avait pu être
camouflée par l'encens d'oliban alors qu'il conjurait la porte
en chuchotant pour que personne ne l'entende.

— Hécate, je t'appelle! De ta puissance habite ces huiles.
Pour qu'elles m'ouvrent à travers ces pierres la porte des
ombres et du temps! Car c'est là que tu règnes pour l'éternité!
Ainsi soit-il!

Puis de son index il avait touché le mur. Il avait commandé
et avait été obéi.

Le valaque usait toujours de son index dans ses travaux de
magie. Pour lui, l'index était le doigt qui commandait, l'outil
ultime permettant de diriger l'énergie.

Octavian était planté au milieu de la route et faisait face
au monastère. Des torches brûlaient à l'extérieur, faisant
danser les ombres sur ses murs pâles. Ce qui semblait être
une voiture montée sur quatre roues attira l'attention du
mage. Elle était garée dans l'entrée du monastère et ne
possédait aucune structure à l'avant pour faciliter l'attelage
des chevaux. Il fit quelques pas dans cette direction mais

s'arrêta net, s'empêchant d'être détourné du but de sa mission.

Après avoir fait demi-tour, il se retrouva face à trois hommes qui l'examinaient curieusement. Octavian resta figé sur place, incapable de dire un mot. Rien ne devait être provoqué pour influencer le temps. Autant que possible.

— Tu portes un bien beau manteau, l'ami, dit l'un des trois, découvrant, par son sourire douteux, une dentition fort abîmée.

— Et tu te balades bien tard, non? reprit son compagnon sur le même ton provocateur.

Passant sa main libre dans ses longs cheveux noirs, Octavian sentit venir les embrouilles. La langue était un peu différente, mais il en comprenait très bien le sens. Il recula doucement alors que les trois hommes avançaient sur lui.

— Laissez-moi passer, messieurs, dit le mage. Je ne vous céderai rien. Il serait inutile d'aller plus loin.

— Quel beau patois tu nous chantes là! Mais il ne te sera pas nécessaire de céder, car nous allons prendre! Je veux ton manteau! Et l'aumônière à ta ceinture!

— Il a peur, il recule!

— Je n'ai point peur. Vous n'auriez aucune chance, voilà tout.

Les trois hommes échangèrent quelques mots dans un langage qu'Octavian reconnut comme celui des Tziganes; le rromani ou encore le Boyash[1]. Il agrippa fermement son

---

1. Le rromani est la langue des Tziganes. Les linguistes modernes la rattachent au dialecte du Pothohar, qui est parlé au Pakistan et dans le nord-ouest de l'Inde. Le Boyash, quant à lui, est un dialecte roumain avec des emprunts au hongrois et au rromani.

bâton à deux mains, se campa sur ses jambes et se prépara à l'affrontement qui lui semblait inévitable.

Le premier homme à se jeter sur lui rencontra le bois de châtaignier avant même espérer l'atteindre. Il s'écroula en tenant son nez brisé. Octavian se baissa aussitôt afin d'éviter le coup de poing du second, puis frappa ce dernier sans attendre d'un mouvement vif et puissant à l'extérieur du genou droit avec la pointe du bâton. Un craquement sec se fit entendre, suivi d'un cri désespéré du Tzigane qui s'écroulait. Entraîné par son élan, le mage tourna sur lui-même tout en reculant et s'arrêta sur une position offensive, en toisant d'un regard noir l'homme qui restait encore debout.

— Tu te défends bien, étranger, il faut l'admettre. Je me permettrai donc d'insister davantage.

L'homme porta la main au-dessus de son épaule droite et tira une courte épée d'un fourreau caché derrière son dos, retenu par une courroie en bandoulière.

— Je te le répète une fois de plus, dit Octavian. Nous n'avons pas à en venir là.

— C'est trop tard…

Le Tzigane attaqua avec force et brutalité dans un cri de fureur. Octavian accepta la confrontation en gonflant la poitrine et en vidant son esprit. Il évita sans mal un premier coup de taille ainsi que son retour. Ses longs membres lui donnèrent tout de suite l'avantage sur son adversaire. Il avança rapidement et frappa l'intérieur du bras qui tenait l'épée, à la hauteur de l'articulation. L'homme parut surpris par la soudaineté de la riposte et Octavian vit passer le doute dans son regard. Les deux hommes s'étudièrent un moment, cherchant à savoir qui porterait le prochain coup. Aucune parole n'était nécessaire. La hargne contenue dans le regard du Tzigane parlait d'elle-même. Le calme dans celui d'Octavian inspirait le respect.

Le brigand chargea de nouveau.

Mais il commit l'erreur de vouloir frapper d'estoc en visant les parties vitales de façon trop prévisible. Octavian se déplaça au dernier moment sur sa droite et laissa passer la pointe de l'épée courte entre son corps et son bras gauche. Une fois certain que la lame fut passée, il fonça sur l'homme et bloqua son bras armé dans une clé d'une vigueur surprenante. Son bâton n'avait même pas quitté sa main droite.

Le Tzigane gémit et laissa tomber son épée en sentant son épaule sur le point de se démettre. Il était immobilisé et chaque mouvement lui arrachait des cris de douleur.

— Garde ton manteau, l'étranger, gémit-il. Tu as tendance à briser les os trop facilement…

— Mais c'est évident que je vais garder mon manteau, il n'y a aucun doute là-dessus. Je t'avais averti, mais tu n'as pas voulu tenir compte de ce que je te disais. Et maintenant, je suis en colère et, en plus, j'ai mal à la tête.

— Lâche-moi, bâtard!

— Je ne crois pas que cela puisse être aussi facile. Tu as tenté de me tuer et je ne peux laisser passer pareille offense. J'espère que tu me comprends.

Et d'un mouvement d'une violence inattendue, le mage disloqua l'épaule de l'homme avant de le laisser choir sur la terre battue.

Ce dernier gisait au sol, la bouche ouverte, sans qu'aucun son ne puisse s'en échapper. Ses yeux s'embuèrent de larmes sous l'effet de la douleur.

— Que ceci te serve de leçon, continua Octavian. J'ai agi ainsi pour ton bien, pour que tu puisses te souvenir…

— Je ne t'oublierai pas, cracha l'autre… Tu me le paieras…

— Bien sûr… Je n'en attendais pas moins d'un homme d'honneur comme toi.

Les Tziganes quittèrent les lieux à grand-peine sous le regard neutre d'Octavian. Ils se dirigèrent vers la ville.

Le putois sortit des fourrés et traversa la route sans porter la moindre attention à Octavian. Il se glissa ensuite, en une habile contorsion, sous les grilles qui gardaient l'entrée du cimetière.

Décidément, il me suit partout, celui-là…

Octavian souleva le loquet de la porte de fer forgé et jeta un dernier regard derrière lui avant de refermer silencieusement.

Dis-moi céans où je puis te trouver, esprit…

Marche droit devant jusqu'au fond du cimetière, dans sa partie la plus ancienne. Tu trouveras un caveau au pied d'un grand chêne.

Le choc sourd du bâton de châtaignier sur une pierre fit réapparaître la lumière bleutée. Une aura fantomatique s'empara des lieux et Octavian avança prudemment sur la terre sacrée recouverte d'un fin brouillard immobile.

L'homme, qui sentait la solitude l'envahir de plus en plus en ces lieux, s'inquiéta pour la première fois de son retour au château.

Non seulement devrait-il y revenir dans peu de temps suivi d'un démon dont il ne connaissait absolument rien, mais il devrait aussi le faire à travers le temps. L'an 1444 lui semblait bien loin et il craignait de ne jamais pouvoir retourner à son époque.

Il marchait au cœur de ce cimetière ancien, protégé par des arbres centenaires couverts de mousse et de lichens, qui n'existait pas en son temps. Il s'arrêta quelques instants afin de retrouver son calme et se surprit à chercher le putois entre les arbres et les caveaux. De sa main libre, il se massa les tempes puis se remémora la dernière colère de Vlad Basarabi Dracul.

Les couverts en étain avaient volé dans un fracas assourdissant dans la salle des chevaliers, conséquence de l'explosion de rage du puissant et impressionnant voïvode.

— Qui donc va m'aider dans cette entreprise insurmontable? avait-il crié à la volée. Ne suis-je donc entouré que d'exécutants? Que d'incapables? Dois-je donc prendre toutes les décisions seul et trouver moi-même les solutions qui éloigneront le péril de ce royaume?

Octavian avait baissé la tête et fixé son regard sur un joint entre les pierres du plancher. Il ne pouvait croiser le regard de son prince. Il savait que celui-ci avait raison. La situation du royaume était fragile et les idées manquaient. Mais nul homme, parmi tous ceux qui étaient présents ce soir-là, n'aurait toutefois osé affirmer que si la Valachie se retrouvait en équilibre précaire sur une corde raide tendue entre le royaume de Hongrie et l'Empire ottoman[1], c'était justement à cause de Vlad Basarabi Dracul.

---

1. L'Empire ottoman, fondé par les Turcs, exista entre 1299 et 1922. Au faîte de sa puissance, l'Empire s'étendait sur toute l'Anatolie, les Balkans, le pourtour de la mer Noire, la Syrie, la Palestine, la Mésopotamie, la péninsule arabique et l'Afrique du Nord.

Mais lui, Octavian, ne serait pas un exécutant. Il avait pris la décision – l'initiative plutôt – d'aider son prince et de sauver le royaume valaque. Peu lui importait s'il y perdait la vie. Il avait donné un nouveau sens à son destin. Il entrerait dans l'Histoire. Il avait entrepris une quête, celle de produire une arme qui mettrait d'abord les Turcs en déroute, puis ensuite les Hongrois. La Valachie n'avait pas à être le vassal d'un autre royaume. Ensuite, il faudrait rallier la Moldavie et la Transylvanie pour recréer le pays originel : la *Ţara Românească*[1].

Le cimetière était plus grand qu'il n'y paraissait. Il s'apparentait même plus à une forêt qu'à un cimetière, les grands arbres partageant la terre avec les tombeaux, de façon tout aussi immobile.

Octavian s'enfonçait dans cette forêt de morts sans parvenir à ralentir son rythme cardiaque. Son cœur oppressé cognait contre sa poitrine, comme s'il tentait désespérément d'en sortir. Le souffle court, le mage jeta un regard à la ronde pour sonder cet environnement lugubre chargé de l'esprit des strigoï[2] et des vârcolacs[3].

Le grand chêne lui apparut, spectral et massif, son écorce torturée par l'âge et le temps. Et devant lui, il y avait un caveau couvert de mousse, à demi effondré, envahi de ronces et de racines.

---

1. Le pays roumain. (Roum.)
2. Dans la mythologie roumaine, les strigoï sont des âmes damnées qui restent liées à leur propre tombeau. Fantômes destructeurs, ils sortent durant la nuit pour s'attaquer aux vivants et leur soutirer leur énergie vitale.
3. Le vârcolac est une entité astrale qui, survivant à la dépouille mortelle de certains individus, en retarde indéfiniment la désagrégation moléculaire. Il reste relié au cadavre par un lien subtil et peut le ramener à la vie pour l'arracher à son propre tombeau.

Octavian s'approcha lentement, comme pour ne pas risquer de réveiller de leur sommeil éternel tous ceux qui l'entouraient.

Il chercha un endroit entre les racines où son bâton pourrait tenir debout, puis tira d'une poche intérieure de son manteau une paire de gants de cuir. Il s'attaqua d'abord aux ronces qui recouvraient le devant du caveau de pierres et parvint à en dégager l'accès. De larges fissures fracturaient le pourtour de la porte scellée. Mais sans un objet assez solide pour briser ce qui restait du joint de mortier et pour faire bras de levier, il semblait impossible de pouvoir l'arracher.

Octavian sentit le désespoir s'emparer de lui.

Presse-toi! Nous y sommes presque! Trouve quelque chose!

L'*Agrippa* avait de nouveau frappé contre le mur de son esprit, augmentant d'un cran l'intensité de sa migraine.

Sans répondre à l'entité, l'homme se retourna. C'est alors qu'il aperçut dans la pénombre le charnier, construit de pierres et de tuiles d'ardoise. Saisissant son bâton au passage, il courut vers la porte et l'ouvrit sans mal. L'éclairage violacé laissa apparaître les outils du fossoyeur : pelles, pics et une pince – barre de fer au bout aplati qui pourrait servir de levier. Une odeur fétide lui arracha un haut-le-cœur, mais il retint son souffle et s'empara de l'outil.

De retour devant le caveau, il entreprit de frapper le contour de la pierre taillée avec la pince pour la desceller. Puis, s'en servant comme d'un levier, il la fit basculer.

L'ouverture du caveau laissa apparaître dans la lumière bleutée l'extrémité d'un cercueil. Octavian s'approcha pour saisir le câble faisant office de poignée et tira d'une traite la boîte oblongue hors de sa prison.

Il s'octroya un moment pour respirer et jeta un nouveau coup d'œil à la volée. De là, il pouvait voir les lumières du monastère au-delà des grilles à l'autre bout du cimetière.

Il entendit d'abord de lointains aboiements.

Des chiens.

Puis ce fut des cris d'hommes.

Les Tziganes! Ils vont remettre ça!

Le mage se pencha sur le cercueil et laissa glisser sa main sur le côté. Deux anneaux de fer soudés à chaud condamnaient autant de mécanismes de fermeture afin que le couvercle ne puisse être ouvert. On ne voulait définitivement pas que ce qui se trouvait dans ce cercueil puisse en être retiré. Mais le bois était partiellement pourri et les rivets pourraient être arrachés. Octavian se saisit de la pince et se mit à frapper comme un forcené sur la première fermeture. Elle sauta assez facilement. Puis il s'attaqua à la seconde avec l'énergie du désespoir. Il y était presque! Il enfila avec force le côté plat de la pince sous la plaque de fer à demi arrachée sur le couvercle, pour la soustraire sans ménagement.

Il jeta la pince au sol, récupéra son bâton et revint près du cercueil. Il poussa la base du bâton dans une anfractuosité du sol et s'assura qu'il puisse tenir afin de bien éclairer la longue boîte de bois. Sa poitrine se gonflait en mouvements saccadés à la suite de l'effort et à cause de sa nervosité grandissante.

Les cris et les aboiements se rapprochaient.

Je suis là, projeta-t-il en pensée pour l'*Agrippa*. Mais il n'obtint que le silence comme réponse.

Sans plus attendre, Octavian fit lentement basculer le couvercle. Ses gonds rouillés grincèrent tout en opposant de la résistance.

Malgré lui, le mage eut un mouvement de recul face au spectacle macabre qui s'offrit à lui.

Un livre noir, d'une dimension qu'il évaluait à environ vingt-cinq centimètres sur trente-cinq, gisait là, entouré de chaînes soudées ensemble à chaude portée.

Et le cadavre d'un homme le tenait dans ses bras, serré contre sa poitrine.

Octavian expira en un long souffle tout l'air qu'il avait dans ses poumons. Il s'obligea au calme et prit quelques instants pour jauger la situation.

L'homme au fond du cercueil, qui tenait contre lui le livre noir enchaîné, devait avoir été emmuré dans le caveau plusieurs années auparavant. L'état de semi-pourriture du cercueil et l'effondrement partiel de son lieu d'enfouissement ne laissaient aucun doute là-dessus.

Néanmoins, un détail ne collait pas.

L'état de décomposition du cadavre paraissait très peu avancé.

En fait, son état de conservation était fort surprenant.

L'homme devait avoir environ quarante-cinq ans et n'était pas très grand. Ses yeux, toujours apparents dans leurs orbites, fixaient la voûte du ciel étoilé dans une expression d'effroi. Son nez avait été brisé et du sang séché apparaissait encore le long de ses joues creusées. Sa bouche se révélait tordue comme dans un cri perdu et quelques dents noircies restaient toujours attachées aux gencives violacées. Il serrait avec force le livre épais sur sa poitrine à demi affaissée. Son genou gauche était visiblement déboîté et ses vêtements loqueteux étaient déchirés en maints endroits.

Octavian approcha la source lumineuse du couvercle retourné du cercueil. Les marques qu'il portait à l'intérieur ne laissaient aucun doute quant au destin de l'occupant du tombeau. Il avait été enterré vivant avec son livre.

Prends-moi!

Les mots projetés de façon impérative firent reculer Octavian d'un pas. Il se retourna pour jeter un coup d'œil vers l'entrée du cimetière; les cris et les aboiements se rapprochaient. Mais rien n'était encore à portée de vue.

Il n'y avait plus une minute à perdre. S'il voulait quitter les lieux avant l'arrivée de ses poursuivants, il se devait d'agir tout de suite. Il se pencha sur le corps torturé et lui saisit les poignets pour libérer le livre noir.

Le contact le paralysa.

De violentes poussées de pression lui montaient à la tête sans qu'il puisse parvenir à ouvrir les mains. Il serrait avec force les poignets du cadavre, ses doigts puissants s'enfonçant dans la chair brunâtre à demi putréfiée.

Les images commencèrent soudain à affluer dans son esprit. Sa vision se troubla et il se retrouva à la queue d'un groupe de paysans en train d'incendier une maison. Se trouvant en retrait des hommes, il pouvait les observer à loisir, alors qu'aucun d'eux ne semblait le remarquer. Le feu se propageait maintenant au toit de la masure avec une vitesse surprenante et sa rage à détruire les matériaux se traduisait en un crépitement agressant.

C'est à ce moment qu'il aperçut le type au livre noir. Une chaîne enserrait son cou et était retenue en ses extrémités par deux autres hommes qui l'obligeaient ainsi à avancer sans aucune possibilité de fuite. Il tenait son livre serré contre lui. Ses cris et ses protestations ne semblaient émouvoir personne.

Ses tortionnaires l'emmenèrent assez loin du brasier puis tirèrent violemment sur les chaînes pour qu'il tombe à genoux. Il rompit son équilibre en chutant et mordit la poussière plutôt que de lâcher le livre noir et se protéger de ses mains. Lorsqu'il leva les yeux, deux hommes austères, l'un chauve, l'autre colossal, se trouvaient devant lui. Un prêtre et un forgeron.

Ce n'était pas bon signe.

Octavian recouvra ses esprits et se rappela qu'il n'avait pas sa place dans ce tableau.

Lâcher prise. Lâcher les poignets de l'homme mort. C'est ce qu'il devait faire, mais il s'en sentait incapable. Il avait beau chercher le moyen de se libérer de cette emprise inconnue, il ne le trouvait pas.

Le prêtre récitait maintenant une suite de courtes invocations qu'Octavian entendait à peine. Il tentait de se forcer à s'arracher aux poignets de l'homme au livre noir, mais il ne savait plus comment faire pour donner l'ordre à ses doigts de se relâcher.

La scène, transposée dans un cimetière, s'intensifiait de plus en plus. Alors que le prêtre chauve continuait ses litanies, un homme en costume noir distribuait les accusations de sorcellerie tel un juge en pleine cour de justice. L'accusé, toujours à genoux, tentait de crier sa défense tandis que ses bourreaux resserraient les chaînes sur son cou en lui crachant dessus.

Seul le forgeron, massif de corps, à la barbe et aux cheveux longs et aussi sales que ses mains noircies de charbon, restait neutre et sans mot dire, actionnant machinalement un soufflet planté dans le côté d'une cuve de fer faisant office de forge. Une fumée verdâtre s'échappait encore de son feu de charbons frais, pour aller se mêler un peu plus loin à celle de la maison en flammes.

— Je suis prêt, dit-il simplement, en jetant encore un coup d'œil à la grosse pierre contre laquelle il avait installé sa forge transportable. À défaut d'enclume, la roche fera l'affaire.

Le prêtre avança vers le prisonnier et le somma de se taire.

— Écoute-moi! Et cesse de gémir, cela ne te mènera à rien! Ce n'est pas de toi dont nous voulons nous débarrasser, mais du livre.

— Vous avez brûlé mon logis! Vous m'avez battu! Vous voulez me prendre mon livre! répliqua l'autre en criant de toutes ses forces.

Le silence était tombé parmi les hommes présents. Seuls les crépitements du feu qui dévorait lentement le charbon et la respiration occasionnelle du soufflet de forge produisaient un fond sonore à cette sinistre scène.

— Tout cela est vrai, lui répondit le prêtre. Tu portes quelques marques, ta maison brûle et nous allons te prendre le livre. Mais c'est pour ton propre bien et notre bien à tous aussi! Que voudrais-tu faire de ce livre infernal? Maintenant que ton père est mort… Tu ne sais pas t'en servir. Si tu avais arrêté de crier tout à l'heure, tu aurais compris que nous tenons de toute façon à te le rendre.

— Non, je ne vous crois pas! Vous dites que vous voulez vous en débarrasser et maintenant vous affirmez que vous allez me le rendre. Vous mentez!

Les hommes resserrèrent leur emprise sur leur prisonnier en augmentant la tension dans les chaînes enroulées autour de son cou. Celui-ci s'étouffa et s'efforça de ne pas trop bouger afin de démontrer un peu de bonne volonté.

— Je vais te dire ce que tu vas faire, poursuivit le médecin des âmes. Tu vas tenir ton livre contre la pierre pour que l'on puisse le fermer à jamais. Et lorsque ce sera fait, tu auras le droit de partir avec lui, car tu seras bien sûr éconduit et banni de ce pays. Si tu refuses, je ne pourrai rien pour ton âme. Tu mourras, tout simplement, ici, ce soir. Me suis-je bien fait comprendre?

Ne voyant pour l'instant d'autre issue que le bannissement, l'homme s'avança vers le forgeron qui tenait les bouts d'une chaîne dans le feu avec deux paires de tenailles. Le colosse lui intima des yeux de venir près du gros rocher. L'autre s'exécuta sans rien dire en jetant de fuyants regards à la dérobée. Il appuya le livre sur le rocher sans rompre le contact visuel avec le forgeron. Ce dernier s'approcha sans perdre un instant avec les deux bouts de chaîne rougeoyants et s'activa à en entourer le livre le plus vite possible jusqu'à ce qu'il parvienne à enfiler son maillon ouvert dans un autre. Sans ménagement, il jeta une paire de tenailles par terre, s'empara de son marteau qui l'attendait à ses côtés et frappa à coups forts et rapides sur le maillon, le soudant à chaude portée sur le rebord du rocher.

Octavian, fasciné par le spectacle qui s'offrait à lui, avait abandonné toute tentative pour s'arracher à ses visions. Il continuait d'observer le puissant forgeron entourer le livre noir d'une seconde chaîne, au beau milieu d'un cimetière, alors que les hommes gardaient le silence. Mais bien qu'il sût posséder une certaine connaissance de la psychométrie[1], jamais il n'avait été accroché si brutalement par un événement directement relié à un objet. Il devait habituellement se concentrer de longues minutes pour y parvenir.

Mais l'*Agrippa* était là, devant ses yeux, victime ou artisan de cette reconstitution arrachée à une autre époque perdue. Octavian devait savoir.

— Je n'ai plus rien, vous m'avez tout pris. Vous avez enchaîné le livre. Relâchez-moi, je vous en conjure. Laissez-moi partir.

L'homme à l'agrippa avait retrouvé son calme et affichait maintenant une mine suppliante. Il avait repris possession de son grimoire alourdi par les chaînes, évitant d'approcher ses mains des maillons soudés encore chauds.

Le prêtre, vers qui il avait adressé sa supplique, se détourna et s'éloigna lentement.

— Je ne peux plus rien pour toi… furent ses dernières paroles.

---

1. On utilise le terme *psychométrie* lorsqu'une personne, rien qu'en touchant un objet, a le don de décrire certains événements auquel ils se rattachent. Une des hypothèses qui expliquent ce don est ce qu'on appelle « l'imprégnation ». Il serait en effet possible que chaque événement laisse des traces sur les objets et le milieu où il se produit.

— Non! Vous m'aviez dit que je pourrais garder le livre, que je pourrais l'emporter avec moi! Vous m'avez menti!

Les chaînes autour de son cou se raidirent avec violence et l'homme fut traîné par en avant.

Le gros forgeron lança deux solides anneaux de fer ouverts dans le feu. Il commença à activer le soufflet lorsque les autres passèrent derrière lui pour contourner le rocher. De l'autre côté, l'individu fut saisi de panique. Il tenta de se débattre, agité d'une hystérie incontrôlable, mais ses cris désespérés furent étouffés par le resserrement des chaînes autour de son cou, résultat de la pression appliquée par ses deux gardiens.

Un grossier cercueil de bois franc bardé de fer l'attendait.

Pour une raison qu'Octavian ne saisissait pas, personne n'osait toucher à l'individu au livre noir. Les hommes le tirèrent et le frappèrent avec les chaînes, lui firent perdre pied avec des bâtons, le poussèrent dans les côtes avec des épées bâtardes, sans qu'aucun d'eux ose s'en approcher.

On abaissa à grand-peine le couvercle du cercueil en écrasant les doigts du prisonnier, jusqu'à ce qu'on puisse enfin refermer les attaches en fer. Six hommes montèrent aussitôt sur la grande boîte de bois afin d'empêcher toute poussée possible de l'intérieur.

Le forgeron s'approcha avec un premier anneau rougi entre les mâchoires de ses tenailles et l'enfila habilement dans l'attache en fer. Un grand type, maigre et malpropre, glissa une plaque de fer épaisse derrière l'anneau pour l'appuyer contre le bois. Quelques coups de marteau retentirent et le sort des deux fermetures fut scellé, dans le temps et dans le fer.

Agrippa

Les cris et les coups de l'homme emprisonné dans son sarcophage de bois cessèrent d'être entendus lorsqu'on le glissa dans un caveau de pierres déjà vieux au pied d'un jeune chêne.

Visiblement intimidé, le maçon mit peu de temps à sceller l'ouverture. Lorsqu'il recula de quelques pas pour considérer son travail, il ne doutait pas que le type au livre noir emmuré vivant viendrait hanter ses cauchemars dans les semaines à venir.

Sa chute le ramena du même coup à la réalité.

Octavian s'était arraché au cadavre en un dernier effort de volonté.

Assis par terre, il pouvait voir l'un des bras décharnés pendre au bord du cercueil de bois. Il avait donc libéré le livre! En un bond, il fut au-dessus du corps. Il avait les bras ouverts et le livre était libre d'être récupéré.

Je suis tien! Prends-moi maintenant! lui intima encore la voix dans sa tête en se répercutant violemment contre les parois de son crâne.

Il se saisit du livre alourdi par le poids des chaînes qui le ceinturaient, et se retourna prestement pour s'emparer de son bâton, planté entre des racines mêlées hors de terre, et dont la pierre continuait d'irradier de lumière bleutée la scène lugubre au milieu de laquelle il se trouvait.

C'est alors que les premières lueurs apparurent à l'entrée du cimetière.

Pas un souffle de vent. Un léger brouillard immobile et une nuit juste assez fraîche pour répercuter les sons en échos clairs et indiscrets.

Octavian était figé. Il regardait les hommes plus loin passer la grille. Des chiens, flairant sa trace, se mirent aussitôt à aboyer en tirant sur leur laisse. Ce ne sont pas les chiens qui furent lâchés en premier, mais plutôt ces mots portés par la nuit qui le frappèrent comme un coup de massue.

— Vârcolac! C'est un vârcolac! Il s'est arraché à sa tombe! Tuons-le!

En constatant l'accélération des dogues, le mage sut que ceux-ci venaient d'être lâchés. Il recula de quelques pas en bredouillant.

— Non… Vous vous trompez, je ne suis pas un vârcolac!

Ce n'est pas de la part des hommes qui couraient vers lui que vint la réponse. Mais d'une voix caverneuse juste derrière lui.

— Moi si…

Les yeux d'Octavian s'agrandirent alors qu'un frisson nullement causé par la fraîcheur de la nuit lui parcourait l'échine. Il se retourna lentement comme pour se donner le temps d'élaborer un plan de fuite vers les ruines du château.

Le choc du coup porté fut si violent qu'Octavian, littéralement soulevé de terre, alla s'écraser dans un enchevêtrement de racines un peu plus loin. Portant d'une main l'agrippa et de l'autre son bâton, son dos avait accusé la chute de façon brutale.

— Moi, je suis un vârcolac, lança le mort-vivant de sa voix d'outre-tombe, et tu vas me rendre mon livre!

— Je ne crois pas, dit simplement Octavian en levant sa tête, toujours martelée par la migraine.

Les aboiements de chiens se rapprochaient de façon inquiétante, tout comme le cadavre, animé par la fureur de son âme damnée. Le mage évalua au son la distance des chiens à environ une dizaine de mètres. Il n'y avait plus une seconde à perdre. Les choses dégénéraient et ça ne lui plaisait pas du tout.

Alors que le vârcolac s'avançait toujours vers lui, il s'imagina l'air autour de son être devenir aussi étanche que la coque d'un navire, et ses corps énergétiques se fusionner en une unique barrière.

Le cadavre animé était presque sur lui et, dans son dos, il entendait les chiens se rapprocher dangereusement.

Le premier molosse bondit par-dessus lui pour sauter aussitôt à la gorge du vârcolac qui ne l'avait visiblement pas vu venir, trop occupé qu'il était à tenter de récupérer son livre. Deux autres chiens noirs passèrent de chaque côté d'Octavian, toujours étendu sur le dos, pour attaquer à leur tour, tous crocs dehors. Alors que les chiens s'acharnaient sur le mort-vivant qui se défendait tant bien que mal, Octavian sauta sur ses pieds pour se préparer à recevoir un premier adversaire. Lorsqu'il prit conscience de la distance le séparant encore des hommes, il fonça vers la forêt pour se donner un peu d'avance. Il tenait à éviter autant que possible tout contact avec les humains de peur d'affecter cette époque qui n'était pas la sienne. Il vit un chien s'effondrer dans un cri, le cou rompu. Arrivé en bordure de la forêt, au fond du cimetière, il jeta d'une main son capuchon sur sa tête. Puis il se laissa tomber à genoux et se recroquevilla sur lui-même.

Telle la pierre, on passe sans me voir… et sans percevoir mon odeur…

Tête baissée, son regard restait voilé. Et il ne voyait pas ce qui se passait.

Il entendait les cris du vârcolac que les hommes étaient en train de décapiter et de démembrer. Ils le brûleraient sûrement ensuite. Le vârcolac étant une créature primitive animée par la seule volonté de son âme encore captive de ce monde, il était rare qu'il puisse s'en sortir face à un groupe d'hommes. On racontait par contre que plusieurs vârcolacs réunis avaient déjà attaqué des humains. En bandes, ils arrivaient assurément à faire plus de dégâts.

Les bruits de pas se faisaient entendre tout autour d'Octavian. Il était aux pieds des hommes et ces derniers ne le voyaient pas.

— Il nous a échappé.

— Il ne peut être loin! Séparons-nous et faisons une battue. Ratissons la forêt en direction du château. On le retrouvera!

Le rusé mage conserva sa position immobile, telle une pierre à demi enfoncée dans le sol par le poids des ans. Il pouvait entendre les voix qui faiblissaient à mesure que les Tziganes entraient plus profondément dans la forêt. Restés sur place, deux hommes s'apprêtaient à disposer par le feu des restes du vârcolac, alors que les chiens encore en vie lui arrachaient des morceaux de chair noircie.

D'un côté la forêt, avec un nombre inconnu d'individus partis à sa recherche. De l'autre, la sortie vers la route, mais avec deux hommes et deux chiens qui barraient le passage. Octavian se trouvait gêné par le livre noir qu'il devait transporter. Un regard à son bâton couché sur le sol telle une racine crevant la terre l'aida à prendre sa décision. Il passerait par la forêt en restant derrière ses poursuivants. Une fois arrivé aux ruines, il les affronterait si nécessaire et rejoindrait de force la porte de transplanation. Il fallait foncer, voilà tout. Et au diable si ces imbéciles se mettaient en travers de son chemin.

Il détacha doucement sa ceinture pour la faire passer derrière les chaînes retenant l'*Agrippa*.

Ne peux-tu pas m'aider? À quoi sers-tu? Suis-je en train de risquer ma vie pour rien?

Octavian questionnait agressivement le livre noir. Sa frustration l'emportait sur sa patience qui s'effritait graduellement. La réplique fut prompte à venir.

Garde ton souffle pour nous ramener, faible créature. Ne vois-tu pas que je suis enchaîné? Ne vois-tu pas que je ne puis être ouvert ni être lu! Quand tu comprendras l'étendue de mes ressources et que tu posséderas le moyen de les utiliser, ta mésaventure d'aujourd'hui te semblera bien insignifiante. En route, maintenant!

En se massant les tempes pour amortir son mal de tête, ce solide gaillard à la carrure imposante qui reposait accroupi sur le sol humide d'un cimetière roumain eut presque honte.

Que diable! Il était mage et conseiller du voïvode Vlad Basarabi Dracul. Que dirait son prince en le voyant ainsi caché et à terre? Que craignait-il donc? N'était-ce pas là son propre pays? Ce pays où il était connu, craint et respecté?

Octavian serra sa ceinture d'un coup sec et assura l'*Agrippa* à sa taille, juste devant lui. Il étira le bras pour prendre son bâton puis se releva de toute sa hauteur. Il ne lui suffit que d'un seul pas pour faire craquer une branche morte sous ses pieds.

Le premier dogue tourna subitement la tête en direction d'Octavian avant de montrer les dents. L'autre bête s'acharnait toujours sur l'épaule du vârcolac sous les coups inutiles de son maître qui tentait vainement de lui faire lâcher prise. Aussi étrange que cela puisse paraître, le monstre bougeait toujours.

Il ne restait qu'une ou deux secondes au mage pour se décider. Les deux hommes devant lui ne tarderaient pas à se rendre compte de sa présence. Toujours indécis, Octavian cala son bâton derrière son bras gauche et se campa solidement sur ses pieds.

Le premier à l'apercevoir cria de toutes ses forces.

— Il est ici! L'autre vârcolac est ici!

Les deux chiens foncèrent aussitôt dans la direction du mage.

Octavian courut à leur rencontre, poussé par une subite impulsion. Il se concentra sur le vent arraché à l'air ambiant tout autour de lui, qui l'enveloppait dans sa course. L'air se déplaça de plus en plus rapidement en tournoyant près de son corps, entraînant le mage encore plus vite, en soulevant poussière et feuilles mortes pour créer une véritable petite tornade.

Les chiens s'écartèrent pour éviter le violent tourbillon et s'enfoncèrent dans la forêt.

Quand Octavian arriva à la hauteur des deux hommes – figés de stupeur –, il émergea de la tornade qui s'évanouit aussitôt.

Il frappa le premier quidam d'un coup de bâton au visage et toucha le second aux côtes en tournant sur lui-même. Il passa rapidement derrière ce dernier et l'immobilisa d'une puissante clé de bras, lui broyant presque le pharynx pour l'empêcher de crier.

— Je ne suis pas un vârcolac, lui dit-il à l'oreille, les dents serrées dans un accès de rage. Peux-tu comprendre ça, pauvre fou ? Je ne suis pas un vârcolac !

— Moi si…

Le cadavre à demi démembré l'avait agrippé à la jambe de son seul bras encore restant.

D'un geste brutal, Octavian brisa la nuque de l'homme qu'il tenait jusque-là immobilisé. Il le laissa choir au sol en fulminant, répugné à la fois d'avoir failli à sa promesse de ne tuer personne et aussi par le vârcolac qui tentait maintenant de lui mordre le mollet. Il frappa la créature plusieurs fois à la tête avec le bout de son bâton jusqu'à ce qu'il sente celui-ci s'enfoncer dans le crâne de sa victime, à qui il parvint finalement à faire lâcher prise.

Ses réflexes aiguisés le firent se pencher vivement en avant lorsqu'il perçut un mouvement derrière son dos. L'autre individu avait tenté de le frapper d'un coup de tranche à la hauteur du cou avec une vieille épée rouillée. Emporté par son élan, l'homme fut impuissant à parer la riposte d'Octavian qui le percuta avec le poids d'une locomotive à vapeur. Le pauvre s'effondra en crachant dents et sang.

Les autres revenaient. Dans peu de temps, il aurait toute la bande de Tziganes sur le dos. Il s'élança vers l'entrée du cimetière qui devait se trouver à une soixantaine de mètres plus loin. Il lui fallait mettre le plus de distance possible entre lui et les hommes qui sortiraient bientôt de la forêt. Sans ralentir sa course, il porta la main gauche à l'agrippa toujours suspendu à sa taille et frappa le sol de son bâton pour faire jaillir la lumière violacée de l'astérie. La voûte formée par les branches solides et étendues qui cachaient le ciel à son regard réfléchissait la lumière pour éclairer sa course.

Les cris du vârcolac, plus loin derrière lui, achevèrent de glacer son sang dans ses artères. Jamais il n'avait entendu pareille plainte. Une volée de mortier sec attira son attention à mesure qu'il progressait vers la grille d'entrée.

Puis il y eut des borborygmes inquiétants.

Deux autres morts-vivants venaient de s'extirper d'un grand caveau.

Ils devaient sans nul doute répondre à l'appel du premier. Si on pouvait trouver de la solidarité chez les hommes de mauvaise foi, on en trouvait sûrement aussi parmi les âmes damnées.

Les Tziganes débouchèrent dans le cimetière et attendirent leur chef.

Et Octavian s'arrêta net.

Il prit le temps d'évaluer les forces en présence et de reprendre son souffle.

D'un côté, au fond du cimetière, seize hommes et deux chiens. De l'autre, deux vârcolacs à l'allure plutôt défraîchie lui barraient l'accès à la grille d'entrée.

La décision du mage fut instantanée. Il devrait passer sans abîmer les vârcolacs. Ceux-ci retarderaient ensuite une partie de ses poursuivants. Et puis sa migraine le rendait nerveux et impatient. Il ne souhaitait plus qu'une chose, se retrouver dans son laboratoire alchimique, se faire une tisane, s'asseoir dans son fauteuil, ouvrir l'*Agrippa*... Ce maudit livre...

Mais l'instant n'était pas aux regrets ou aux lamentations. Il devait sortir de ce foutu cimetière. Maintenant.

Il fonça droit sur les vârcolacs après que les hommes se furent lancés à ses trousses. Il avait réfréné sa magie trop longtemps. Au diable les conséquences pour tous ces fous qui voulaient attenter à sa vie sans même savoir qui il était! Il les éliminerait un par un s'il le fallait jusqu'à ce qu'il atteigne les ruines du château.

Il donna de l'épaule de toutes ses forces dans les créatures maladroitement animées qui furent projetées un peu plus loin dans l'herbe du cimetière. Lui-même perdit pied et s'affala de tout son long. Il mit peu de temps à se relever et tira d'un fourreau fixé à sa cuisse droite un long poignard à double tranche. Il s'en servit pour accueillir son premier assaillant alors que les vârcolacs se jetaient sur ceux qui venaient ensuite.

Un combat indescriptible s'amorça.

Octavian rendait coup pour coup à son adversaire qui se défendait bien, armé de ce qui ressemblait à un petit sabre recourbé. Il gardait un œil tout autour, alors que les hommes et les chiens s'acharnaient principalement sur ce qu'ils craignaient le plus, soit les vârcolacs. Il parvint à se dégager et courut encore pour enfin réussir à passer la grille restée entrouverte. Il poussa la porte de fer avec force et le loquet s'enclencha. Il frappa à plusieurs reprises sur la poignée du loquet avec le pommeau de son grand poignard afin de la rendre inutilisable et d'en bloquer le mécanisme.

Il leva sans perdre une seconde les yeux au ciel et fixa un nuage sombre.

Les Tziganes se ruèrent, mais ils n'essayèrent même pas d'ouvrir la grille. Ils commencèrent plutôt à l'escalader, ne voulant pas perdre une minute à tenter de dégager le loquet brisé par l'étranger.

Octavian, debout sur le bord de la route, densifiait l'air autour du nuage sombre. Il l'isolait. Il creusait un canal entre lui et la terre sous la clôture de fer.

Ceux qui le traquaient étaient tous agrippés au grillage lorsque l'éclair zébra le ciel en utilisant le fer de la clôture comme conducteur. Ils furent projetés loin en arrière dans le cimetière par la force de la décharge électrique.

Aussitôt, les vârcolacs se jetèrent sur deux Tziganes pour leur déchirer d'un coup la jugulaire, de leurs dents ébréchées.

Octavian courait à en perdre haleine sur la route menant aux ruines du palais. Deux individus l'avaient pris en chasse hors les murs du cimetière pendant que les autres avaient toujours maille à partir avec les monstres arrachés à la terre. La main toujours plaquée sur le livre noir accroché à sa ceinture, Octavian sondait du regard le chemin qui le conduirait aux douves asséchées. Arrivé devant l'entrée de la cour, il se laissa glisser jusqu'au fond du grand fossé avant d'amorcer son ascension du côté opposé. Alors qu'il était occupé à grimper le long de la paroi, un couteau de jet vint se planter dans la terre sur sa droite. Ses poursuivants descendaient déjà à leur tour; ils ne montraient décidément aucun signe d'abandon…

Octavian se tira hors des douves en s'agrippant à des racines mortes depuis longtemps déjà. Elles cédèrent sous son poids juste au moment où il roulait sur la partie haute. Il avait traversé les douves, rien ne l'empêcherait plus de rejoindre la salle des chevaliers.

Il courut vers la tour d'entrée à demi effondrée et s'engouffra dans l'arche.

Un coup de bâton le frappa en pleine poitrine et le souleva dans les airs, entraîné qu'il était par sa course. Il en perdit tout : son bâton, sa grande dague et ses moyens.

Presque trois mètres plus loin, il atterrit lourdement sur son dos déjà meurtri et glissa encore dans la poussière. L'impact avait été aussi violent qu'inattendu. Le Tzigane qui venait de l'attaquer repoussa la dague d'un coup de pied avant de s'approcher d'Octavian et de lui écraser le poignet d'une lourde botte.

— Ça ne sert à rien de te sauver comme si tu avais le diable à tes trousses, l'étranger, dit l'homme. Le diable a été plus vite que toi. Et il te regarde dans les yeux présentement.

— Peut-être bien qu'on ne se fait pas la même idée du diable, toi et moi, articula Octavian encore sous le choc.

— Qu'as-tu volé dans le cimetière? C'est ce vieux livre, pas vrai? Et pourquoi cherchais-tu tant à ramener ton cul dans les ruines du palais?

Octavian tourna la tête pour apercevoir deux autres Tziganes se hisser du fond des douves. Ayant recouvré tous ses esprits, il saisit de la main droite la cheville qui lui immobilisait le bras gauche au sol et serra de toutes ses forces.

— Désolé, dit-il entre ses dents comme il avait l'habitude de le faire lorsqu'il sentait la rage s'emparer de lui, mais l'amicale discussion s'achève ici.

Les traits du Tzigane se modifièrent radicalement lorsqu'il fut lancé contre le mur de pierre. Octavian sauta sur ses pieds puis avança le bras en direction de l'homme. La peur se lisait aussi clairement qu'une calligraphie de moine bénédictin sur le visage de l'autre. Le mage concentra l'air en une sphère solide au creux de sa main et en simulant de repousser le Tzigane, il le plaqua de nouveau avec force contre le mur avant de le voir s'écraser au sol.

En reculant de deux pas, Octavian enfila le bout de sa botte sous la lame de sa grande dague et la souleva d'un habile mouvement jusqu'à ce qu'elle trouve le fond de sa main. Il la projeta aussitôt pour frapper l'un des attaquants en pleine poitrine.

Profitant de l'indécision du dernier Tzigane devant la tournure des événements, il ramassa son bâton et fonça vers le fond de la cour où se trouvait l'entrée de la salle des chevaliers dans le logis seigneurial.

Octavian entendait l'autre qui avait repris la poursuite. Il jeta un coup d'œil par-dessus son épaule pour le voir s'arrêter et le mettre en joue avec ce qui lui sembla être un bâton à feu[1]. Quand le mage plongea à travers l'ouverture de la porte, la pierre vola en éclats sous la détonation juste au-dessus de sa tête.

Visiblement affecté, ce dernier se releva péniblement avant de gagner le fond de la salle en boitant légèrement. Puis il gravit les escaliers de pierre pour atteindre la partie surélevée.

Il s'appuya le dos au mur rassurant qui le ramènerait chez lui via la porte de transplanation qu'il y avait créée. Il ferma les yeux pour retrouver l'incantation dans son esprit et pour reprendre le contrôle de sa respiration. Lorsqu'il les rouvrit, son ultime poursuivant se tenait dans l'embrasure de la porte de la salle en ruine et foulait une balle au fond du canon de son arme.

— Tu es coincé, l'étranger, cracha ce dernier en retirant la tige de métal qui lui avait servi à pousser son projectile. Cette fois, tu n'iras nulle part!

---

1. Utilisé entre 1300 et 1450, le bâton à feu était une sorte de petit canon inséré au bout d'un long manche. La mise à feu s'effectuait au début par un morceau de métal, rougi dans un brasero, que l'on présentait dans un canal rempli de poudre.

Octavian inspira bruyamment pour charger d'oxygène son corps contusionné.

— *Uşă, deschide-te, şi ghidează-mă până la destinaţie[1]!*

Il se sentit attiré vers l'arrière en même temps qu'un fort sentiment de bien-être l'envahissait. Il serra fort le livre noir accroché à sa ceinture tout en tenant son bâton contre lui. Il vit l'éclat de la pierre s'amenuiser.

Il pouvait apercevoir l'inconnu à l'autre bout de la salle le mettre en joue. Il le voyait articuler des mots qu'il entendait à peine. Mais tout cela devenait flou et opaque. L'être humain devait être envahi par ce genre de ténèbres au moment où survenait la mort.

La détonation le fit sursauter, onde de choc vibratoire qui fit trembler l'air tout autour de sa tête endolorie.

Le projectile alla s'écraser contre la pierre solide et y resta fiché, aplati sous l'impact.

Le Tzigane stupéfié était seul dans la salle en ruine.

Et l'écho de son coup de feu résonnait encore dans l'aube naissante.

---

1. Porte, ouvre-toi et guide-moi jusqu'à destination! (Roum.)

2

Saint-Rémi-de-Napierville, Québec.
Passé midi, le dimanche 5 août 1928.

Le coupé Chrysler vert 1927 s'immobilisa au bord de la rue Saint-André, non loin de l'intersection de la rue Notre-Dame. Le curé Édouard Laberge en descendit prestement et claqua la portière, satisfait d'avoir trouvé un endroit si près de l'église pour garer son coupé.

Il brossa des mains son manteau long, boutonné jusqu'à la taille et qui imitait sensiblement la soutane d'un ecclésiastique, tout en embrassant du regard la scène qui se mettait en place devant l'église en cette magnifique journée ensoleillée. On avait interdit la circulation des véhicules sur la rue Notre-Dame à partir de la rue Champlain[1] jusqu'à la rue Saint-André. Les gens arrivaient visiblement de bonne humeur, à en juger d'après les voix fortes et les éclats de rires provoqués par d'heureuses retrouvailles.

---

1. Aujourd'hui la rue Perras.

AGRIPPA

Appuyé sur le toit de la Chrysler impeccablement propre, Laberge prit quelques instants pour contempler le superbe édifice de pierre que constituait l'église de Saint-Rémi. Baignant ainsi dans le soleil de midi, la construction semblait plus grande que nature.

Son érection avait débuté en 1837, en pleine rébellion des patriotes. Laberge pouvait presque voir les murs élevés à mi-hauteur trembler devant les canons des hussards britanniques. Il pouvait entendre tonner, tout aussi fort que les pièces d'artillerie de l'armée anglaise, la voix du curé Pierre Bédard, qui s'était placé entre sa future église et les belligérants pour interdire à ceux-ci de tirer.

Oui, c'était pour elle que Laberge se trouvait à Saint-Rémi en cette belle journée. C'était pour elle qu'il avait accepté la demande faite par le chanoine Majeau. Parce qu'elle avait subi les affres de l'histoire de la région et les tourments de la nature. Parce que des hommes déterminés, que rien ne pouvait arrêter, avaient sué sang et eau pendant des années pour en terminer la construction. Parce que le 16 mai 1853, exactement soixante-quinze ans plus tôt, un terrible ouragan lui avait arraché un de ses clochers.

Mais au fait, que fêtait-on aujourd'hui? Les soixante-quinze ans de l'ouragan ou le véritable centenaire de la paroisse qu'on situait en 1828, année où l'évêque de Québec avait acquiescé à la demande de fondation?

On disait pourtant que la création de la ville remontait à 1830.

On disait aussi que la construction de l'église avait commencé en 1840, alors qu'il est prouvé qu'Antoine Bourdon, entrepreneur en construction, avait bel et bien amorcé les travaux en 1837.

Peu importait les dates. Il faisait beau, le temps était splendide, clair et sans humidité. Le regard portait à des lieues et l'atmosphère était détendue. Il y a de ces jours parfois où des éléments parfaits sont réunis pour créer un moment inoubliable. Ce qui marque à jamais nos mémoires n'est pas toujours négatif. Elles peuvent tout aussi bien être marquées par des événements favorables. C'est ce qu'on appelle simplement des bons souvenirs.

Édouard Laberge avait du mal à s'imaginer qu'une tour supportant l'un des clochers puisse s'effondrer. L'édifice était si massif qu'il paraissait inébranlable.

Pourtant, cela s'était produit le 16 mai 1853. L'un des clochers s'était écroulé. Et le second avait paru sur le point de s'écraser dans l'église, risquant de provoquer la destruction de tout le bâtiment.

D'importants travaux avaient dû être entrepris pour reconstruire les deux tours supportant les clochers jumeaux dominant la ville.

C'était pour cette église qu'il se trouvait là et qu'il se sentait si léger.

Il venait procéder à la bénédiction des cloches.

Pas comme on l'avait fait la première fois sous l'égide du régime anglais.

Mais comme on le faisait en France au temps de nos ancêtres.

Laberge attacha deux boutons supplémentaires de son manteau long parmi les quinze qui le parcouraient de haut en bas. Il passa devant sa Chrysler en laissant glisser sa main sur le métal poli du couvercle du radiateur puis traversa d'un pas allègre le terrain gazonné devant l'église pour aller se mêler à la foule rassemblée sur la rue Notre-Dame.

Tout en marchant, il continuait d'embrasser des yeux la gigantesque structure de l'église, la symétrie parfaite des détails de la façade, la statue de saint Rémi dans la corniche centrale. Il se rappela la grande toile de l'Italien Capello dans le chœur et se promit d'aller l'admirer un peu plus tard.

Un sourire se dessina sur ses lèvres.

Laberge avait toujours trouvé ironique et conflictuel que la toile du chœur de l'église de Saint-Rémi représentât le baptême de Clovis, roi des Francs, alors que ce dernier avait épousé la femme qui allait devenir sainte Clotilde. Cette toile aurait tout aussi bien pu orner le chœur de l'église de Sainte-Clotilde! Elle aurait été du plus bel effet au-dessus du maître-autel[1]!

Mais Clovis avait été baptisé par saint Rémi, évêque de Reims. Et Clotilde de Burgondie en avait été quitte pour se retrouver liée aux deux paroisses voisines.

Laberge parvint à la rue Notre-Dame et retrouva avec joie son vieil ami Ferdinand Collette. Il lui tendit la main et le serra dans ses bras.

— Mais qu'est-ce que ce costume? lança aussitôt le curé sans que son large sourire quitte son visage.

— Qu'est-ce que tu crois? C'est mon uniforme de pompier!

---

1. Ce n'est que huit ans plus tard, en 1936, qu'un jeune peintre italien nommé Edmondo Chiodini s'attaquera à la réalisation d'une gigantesque fresque (le Calvaire) au-dessus du maître-autel de l'église de Sainte-Clotilde-de-Châteauguay.

— De pompier! Mais n'étais-tu pas chef de police la dernière fois que je t'ai vu?

— Ça fait plus de deux ans qu'on ne s'est pas vus, je te signale.

— Tu sembles en grande forme. Ça fait plaisir de te revoir.

— C'est peut-être l'élixir du docteur Trudeau[1]!

Les deux hommes rirent de bon cœur, visiblement heureux de leurs retrouvailles.

— Où loges-tu, Édouard? demanda Collette. Arrives-tu de Valleyfield?

— Non, pas du tout. Hier, je suis allé à Sainte-Clotilde où j'ai passé l'après-midi chez mon ami Albert Viau[2]. J'ai couché à l'hôtel Boston hier soir. Je le regrette d'ailleurs. Les gens de passage qui débarquent à la gare du CN sont plutôt bruyants! J'aurais dû prendre une chambre au Windsor!

— Je connais Viau, c'est un cantonnier.

— Je ne voudrais pas avoir l'air de m'acharner sur ton costume, se moqua Laberge, mais ne trouves-tu pas qu'il fait un peu gendarme londonien?

— Il ne faudrait surtout pas oublier que nous ne sommes pas seulement pompiers! Nous sommes aussi chargés d'assurer la sécurité du territoire. On a en quelque sorte une vocation de gendarme!

— Ça va, dit Laberge. De toute façon, je suis en minorité : vous êtes toute une brigade!

---

1. Le docteur Louis-Joseph Trudeau fut médecin à Saint-Rémi-de-Napierville pendant plus de quarante-cinq ans. Sa maison se situait au coin des rues Bédard et Notre-Dame. Son élixir de terpinol, à odeur de muguet et employé comme expectorant, fut très renommé dans les environs.
2. Voir *Agrippa – Le livre noir*, Éditions Michel Quintin.

— Et tu as bien raison de te tenir tranquille, répliqua Collette, parce que nous sommes là pour toi aussi! Tu auras besoin d'aide pour grimper là-haut!

La remarque laissa le curé sans voix. Ferdinand Collette en profita pour s'éloigner.

— Je dois te laisser. Il faut que j'aille préparer l'estrade pour le maire Hébert, mais on se reverra tout à l'heure.

— Oui, d'accord…

« Pour grimper là-haut! »… Aurais-je manqué quelque chose?

Laberge discuta pendant une bonne heure avec plusieurs des gens présents. Il en connaissait certains et fit de nouvelles connaissances. La cérémonie était prévue pour treize heures trente. Le chanoine Majeau viendrait le chercher le moment venu pour le présenter aux citoyens et leur expliquer le déroulement de la cérémonie.

Il avait été parti pendant longtemps. Presque deux ans. Enfermé dans une congrégation de Pères Blancs sur le continent africain. Jamais il ne referait un truc pareil. C'était pire qu'une prison. Et tout ça pour démasquer un pauvre type qui avait complètement perdu les pédales. Plus jamais d'infiltration de communautés. L'évêque en avait été averti.

Laberge chassa ces sombres pensées avant de repasser mentalement les étapes de la cérémonie qu'il s'apprêtait à diriger. Il toucha la poche gauche de son manteau long pour s'assurer de la présence du petit livre de prières.

Il avait appris à procéder aux cérémonies de bénédiction des cloches alors qu'il étudiait en France. Il avait séjourné un an dans ce pays, de 1922 à 1923, pour y parfaire son « art d'escrémir » comme on le disait là-bas, ou plus simplement, pour y étudier l'escrime.

La cérémonie qu'il s'apprêtait à célébrer existait de mémoire d'homme depuis au moins 1790 sous cette forme. Son petit livre de référence qui provenait d'Orléans avait été imprimé, lui, en 1913.

Le curé se déplaça vers l'estrade où des préparatifs se déroulaient. Il pouvait voir de loin les tables et les éléments qui avaient été préparés à sa demande, juste devant la porte principale de l'église. Il allait s'y rendre afin de s'assurer que tout y était quand Albert Viau l'intercepta.

— Je vous cherchais, lança d'emblée ce dernier. Mais on s'accroche partout en traversant ce lac de monde.

— Est-ce qu'on n'avait pas depuis longtemps convenu de se tutoyer, toi et moi? Je ne crois pas que mon amitié pour toi puisse supporter un vous de plus!

— Désolé. C'est comme un réflexe face à l'habit du prêtre… Ça sort tout seul.

— Qu'importe, je suis content de te voir. Tu es venu comment?

— Un camion de transport de lait.

— Et tu vas repartir comment?

— Vous… euh… tu me ramèneras. Tu pourrais rester à coucher et repartir demain. Emma t'attend déjà.

— Je vois que tu as tout prévu, dit Laberge en souriant. Va pour ton plan. Assisteras-tu à la cérémonie?

— Je ne voudrais pas manquer ça… Une telle abondance de psaumes et de prières… Ça risque d'être passionnant!

— Albert… glissa Laberge sur un ton qui tentait de ressembler au reproche, viens plutôt avec moi voir si le matériel que j'ai demandé est bien là.

Laberge passa près de l'estrade et perdit Albert qui avait croisé l'un de ses amis, propriétaire d'une vaste terre à Saint-Urbain-Premier. Individu robuste, Adrien Ste-Marie – qui tenait par un bras Bruno, son plus jeune fils –, lui serrait chaleureusement la main et ne le laisserait sûrement pas partir de sitôt.

Le curé atteignit les tables et vérifia que rien ne manquait. Ce type de bénédiction sortait de l'ordinaire et c'était pour cette raison, entre autres, qu'il y avait tant de gens rassemblés là. Et la majorité d'entre eux ignoraient qui en serait l'officiant.

Donc, sur la première table recouverte d'une nappe blanche, on trouvait un vase d'eau à bénir; un aspersoir; un vase rempli de sel; un vase d'huile sainte; le saint chrême contenu dans un récipient de verre, lui-même à l'intérieur d'un autre en étain; un encensoir plein de charbons avec des aromates, de l'encens et de la myrrhe.

Ça c'était pour le matériel consommable.

La seconde table comportait l'équipement du célébrant : l'amict[1], le manipule[2], l'étole[3] et une dalmatique[4] de couleur blanche que Laberge tenterait d'éviter de revêtir.

Il n'affectionnait pas soutanes, aubes ou autres vêtements liturgiques. C'est pourquoi il portait toujours le pantalon, la

---

1. Linge bénit couvrant le cou et les épaules du prêtre lors d'un office.
2. Bande d'étoffe portée par le prêtre sur son avant-bras gauche.
3. Insigne liturgique, formé d'une large bande d'étoffe, porté par le prêtre.
4. Vêtement liturgique.

chemise blanche et le veston ou encore, à la place de celui-ci, le manteau long qu'il portait présentement et qui copiait un peu l'apparence de la soutane.

Il se retourna et appuya son dos contre les pierres fraîches du mur de façade. Il se trouvait ainsi derrière l'estrade et face à la marée de gens qui avaient envahi la rue Notre-Dame et le parterre de l'église.

C'est alors qu'il avisa sur sa droite, non loin d'Albert qui discourait toujours avec son compagnon, un homme mince aux cheveux longs qui lorgnait dans sa direction. Il le remarqua principalement parce qu'il avait revêtu le costume noir des hommes de l'évêché. Et parce que tout comme lui, il portait l'épinglette de la croix de sable sur le revers de son veston.

La croix de sable, blason jaune flanqué d'une croix noire, était dévolue aux seuls membres de la confrérie européenne de Tiffauges[1]. Jusqu'ici, Édouard Laberge ne connaissait qu'une seule personne au Québec en dehors de lui qui la possédât : Théodore Coppegorge, Français d'origine et archiviste à l'évêché de Valleyfield.

Mal à l'aise, Laberge baissa les yeux. Le regard insistant du jeune homme le déroutait. Il avait envie d'aller vers lui, mais quelque chose l'en empêchait. Un membre de la confrérie de Tiffauges ne pouvait être là que pour lui.

Lorsqu'il releva les yeux, l'étranger avait disparu.

D'un pas rapide, il parcourut la trentaine de mètres qui le séparait d'Albert et de son interlocuteur. Arrivé à leur

---

1. Association ancienne reliée à l'alchimie, étudiant les éléments fondamentaux contenus dans la nature – la Terre, l'Air, le Feu et l'Eau – afin d'en maîtriser la manipulation.

hauteur, il hésita un moment, le temps que les deux hommes terminent leur conversation portant sur l'invention d'un certain Isidore Lefrançois, du rang du Cordon, créateur d'une machine à percussion apparemment capable de creuser des puits.

Albert fit les présentations et Ste-Marie s'éloigna peu après.

— La cérémonie va bientôt débuter, dit Albert à Laberge.

— As-tu remarqué le jeune homme aux cheveux longs et au costume noir qui se tenait juste là tout à l'heure? lança le curé sans relever la remarque de son ami.

— Non, je discutais avec Adrien. Je ne sais pas de qui tu veux parler.

— Sans importance. Il réapparaîtra bien tôt ou tard.

— J'ai appris à travers les branches que si tu avais été demandé expressément pour procéder à cette bénédiction, ce n'était pas seulement pour ta connaissance de la cérémonie mais aussi parce que tu ne craignais pas les hauteurs.

— Qu'est-ce que tu me chantes là?… Je tiendrai la cérémonie ici, sur le perron, sous les clochers.

— J'ai entendu les pompiers. Ils ont installé des échelles à l'intérieur pour atteindre les trappes d'accès dans le plafond par le jubé. Il paraît qu'ils vont monter le matériel.

— Mais c'est de la folie! lança le curé. Il n'a jamais été question de ça!

— Les cloches ne doivent-elles pas être touchées par l'officiant pendant leur bénédiction? ironisa Viau avec un sourire en coin.

D'un geste impatient, Laberge tira son petit livre de sa poche pour l'ouvrir à la première page.

— Il est dit, et entends-moi bien, émit-il sur un ton sarcastique, que normalement on doit bénir une cloche avant de la placer dans son clocher. Nous ne sommes donc pas en situation normale. Et de plus, on doit la suspendre et la placer de façon à pouvoir commodément l'atteindre, pour la toucher à l'intérieur, à l'extérieur et pour pouvoir en faire le tour. C'est écrit là-dedans! termina-t-il en flanquant le bouquin sous le nez d'Albert.

— Oh, je te crois, Édouard, répondit Albert sur un ton moqueur. Et vu d'ici, ajouta-t-il en levant les yeux, ces cloches me paraissent très bien suspendues! Je te vois mal refuser la bénédiction – si longtemps souhaitée par le chanoine Majeau – sur la tribune, et par surcroît devant tous ces gens! Ne t'en fais pas, je serai là pour t'encourager. Et je répondrai même aux prières!

Le docteur Pierre Hébert, le maire du village, saluait la foule du haut de l'estrade et se lançait déjà dans son introduction. Quand le chanoine Majeau arriva, il entraîna aussitôt Laberge par le bras. Celui-ci était coincé.

— Je t'attends ici, jeta Albert à son ami alors que Laberge s'éloignait. J'ai besoin de toi pour me ramener à la maison!

Le regard furibond de son compagnon le fit éclater de rire.

Laberge avait récité les sept premiers psaumes en latin.
Quarante minutes sans interruption.
Il avait ensuite vidé d'un trait un grand verre d'eau.

Il regardait maintenant les pompiers grimper le matériel dans le grenier du jubé.

— Ne t'en fais pas, le rassura Ferdinand Collette. Il y a un passage intérieur entre les deux clochers. Là-haut tu auras de l'espace pour te promener autour de tes cloches. Et puis la vue vaut le déplacement!

— Ce ne sont pas mes cloches, répliqua sèchement Laberge. Je devrais réciter des psaumes jusqu'à ce que la nuit tombe pour punir le chanoine Majeau d'avoir conspiré avec l'évêque et de ne m'avoir rien dit!

— Si tu veux mon avis, tu sembles bien parti! Ce que tu as récité tout à l'heure était assez long!

Emportant avec lui l'amict, l'étole et la dalmatique, le curé entreprit son ascension jusqu'à ce qu'il passe la trappe et se retrouve sur le pont intérieur joignant les clochers.

Albert Viau l'attendait.

— Tiens? Je te trouve un peu moins souriant que tout à l'heure! lui glissa Laberge sur un ton chineur. C'est étrange…

— Je ne trouve pas drôle d'avoir fait croire au chanoine Majeau que je tenais absolument à venir t'aider là-haut, répondit Albert. Cette cérémonie ne me concerne en rien, j'étais ici comme spectateur!

— Tu n'avais qu'à ne pas te moquer! répliqua Laberge, tout sourire. C'est bien fait pour toi.

Ils rejoignirent les deux pompiers qui se trouvaient déjà sous le clocher droit. Ensuite, ils gravirent le petit escalier qui les mènerait à l'extérieur.

Ferdinand Collette ne s'était pas trompé. De là-haut, le point de vue était superbe.

— Quelle vue! laissa échapper Viau, pantois et tournant sur lui-même. Je ne regrette plus d'être monté!

Laberge, tout aussi impressionné, s'avança avant de sauter d'un bond sur le rebord d'une soixantaine de centimètres de haut, entre les deux colonnes avant. Alors qu'il embrassait du regard le rang du Cordon qui s'éloignait à perte de vue vers Saint-Isidore juste en face de lui, puis la rue Notre-Dame – du sud au nord jusqu'aux grands vergers –, un sourire parvint à faire son chemin à travers son visage impavide.

Et à sa grande surprise, la foule à ses pieds se mit à l'applaudir.

Redescendu derrière le rebord qui ceinturait le clocher, Laberge avait coiffé la mitre simple que lui avait tendue Albert Viau, puis avait revêtu l'amict, la dalmatique et l'étole. Ainsi vêtu, apparaissant presque comme un pontife entre les colonnes d'un temple par ce dimanche radieux, il avait élevé devant lui le bol contenant le sel et scandé la prière d'une voix forte et impérative.

— Je t'exorcise, sel, par le Dieu vivant, par le Dieu véritable, par le Dieu saint qui t'a créé, et par l'ordre duquel le prophète Élisée te jeta dans l'eau pour la guérir de sa stérilité. Sois exorcisé pour le salut de ceux qui croient, et la santé spirituelle et corporelle de tous ceux qui te prendront. Que les lieux où tu seras répandu soient délivrés de l'illusion, de la malice, de la ruse et de toute surprise du démon, et que tout esprit impur soit conjuré, par Celui qui doit venir juger les vivants et les morts, et le monde par le feu.

Le curé retira sa mitre et la confia à Albert. Il se lança ensuite dans une nouvelle prière avant de reprendre la mitre et d'élever le bol d'eau devant les fidèles rassemblés.

— Je t'exorcise, eau, créature de Dieu, au nom de Dieu le Père tout-puissant, au nom de Jésus-Christ son fils Notre-Seigneur, et par la vertu du Saint-Esprit, afin que par cet exorcisme, tu puisses servir à dissiper toutes les forces de l'ennemi, et à chasser et à exterminer l'ennemi lui-même avec ses anges apostats, par la puissance du même Jésus-Christ Notre-Seigneur, qui doit venir juger les vivants, les morts et le monde par le feu. Ainsi soit-il.

Quittant la mitre et la tendant à Albert, il termina la bénédiction de l'eau.

— *Domine, exaudi orationem meam. Et clamor meus ad te veniat*[1].

Du haut de son clocher, le curé attaqua une nouvelle oraison tout en cherchant le chanoine Majeau du regard. Celui-ci, le sourire aux lèvres, ne semblait pas le moins du monde indisposé par les prières interminables de son collègue.

Laberge termina l'oraison et versa le sel dans l'eau en imitant la forme d'une croix.

— Que ce sel et cette eau soient mêlés, dit-il simplement.

Sans regarder Albert, il chuchota afin qu'eux seuls puissent entendre.

---

1. Seigneur, écoutez ma prière. Et que mon cri s'élève jusqu'à vous. (Lat.)

— Tu m'avais dit que tu répondrais aux prières. Je te trouve plutôt silencieux.

— Toute mon attention est concentrée sur la cérémonie…

— En voilà une autre pour que tu puisses te reprendre…

S'adressant aux gens qui couvraient le parterre de l'église et la rue Notre-Dame, Laberge entama une nouvelle prière alors qu'Albert levait les yeux au ciel.

Grâce à la position dominante qui lui conférait le clocher, le curé avait repéré le mystérieux jeune homme qui se tenait légèrement en retrait de la foule, à l'intersection de la rue Bédard. Alors qu'il recevait encore la mitre des mains d'Albert et qu'il jetait deux linges au blanc immaculé dans le mélange d'eau salée, il en fit discrètement la remarque à son ami.

— L'homme dont je te parlais tout à l'heure est près de la maison du docteur. Il porte un costume noir.

— Oui, je le vois, répondit Albert, tout bas. Qu'est-ce qu'on fait maintenant?

— On lave les deux cloches.

— Avec ça?

— Oui. Prends un linge et tords-le. On doit avoir assez d'eau salée pour laver l'intérieur et l'extérieur des deux cloches. Tu vas à l'intérieur?

— Si tu veux.

Les deux hommes nettoyèrent la première cloche. Ils descendirent ensuite le petit escalier pour retourner à l'intérieur et empruntèrent le pont qui les mènerait au second clocher. La porte extérieure avait déjà été ouverte par un pompier qui les attendait.

Une fois la deuxième cloche lavée, Laberge et Viau tendirent ensemble leurs linges noircis vers la foule qui les applaudit généreusement de façon spontanée.

— J'aime bien ces gens, glissa Laberge avec un sourire.

Il refroidit assez vite leurs clameurs lorsqu'il tira de sa poche son petit livre. Il se lança dans de nouveaux psaumes en latin pendant vingt minutes.

Répondant ensuite à la demande de son ami, Albert tendit à celui-ci le carafon contenant l'huile sainte. Le curé s'en versa sur le pouce de la main droite et traça ensuite sur le dehors de la cloche une onction en forme de croix.

Ils empruntèrent de nouveau la passerelle intérieure pour rejoindre le premier clocher. Alors qu'ils traversaient ainsi la façade de l'édifice, ils en profitèrent pour échanger quelques mots.

— Pourquoi la présence de l'inconnu au costume noir t'inquiète-t-elle autant? demanda Viau sans ambages.

— Je ne suis pas inquiet, je suis seulement intrigué. Ce type semble porter sur sa veste l'emblème de la confrérie de Tiffauges, termina-t-il en montrant du doigt sa propre épinglette de la croix de sable.

— On pourrait aller le rejoindre après la cérémonie?

— Je crois que ce ne sera pas nécessaire. C'est lui qui viendra à nous.

— Tu en as encore pour longtemps?

— Un peu, oui. Une autre onction avec le saint chrême, les encens et quelques prières. J'en ai pour au moins une heure encore.

— D'accord. Je vais tout de suite allumer les charbons dans l'encensoir.

Ils plissèrent les yeux lorsqu'ils débouchèrent à l'extérieur et que la lumière du soleil les inonda de sa chaleur bienfaitrice.

Laberge accéléra le tempo. Une demi-journée pour une bénédiction de cloches, c'était bien suffisant. Aidé d'Albert, il avait procédé à quatre onctions supplémentaires en forme de croix à l'intérieur de chacune des cloches, en utilisant le saint chrême.

Par la suite, il avait lu d'autres psaumes précédés et suivis d'antiennes[1].

Quand le charbon fut bien brûlant à l'intérieur de l'encensoir en argent qu'on lui avait fourni, Laberge y jeta l'encens et la myrrhe puis le plaça sous la première cloche pour qu'elle en reçoive toute la fumée. Il répéta le même manège pour la deuxième cloche.

Puis Albert tint le petit livre de prières devant le curé. Celui-ci éleva les bras au ciel tout en récitant une dernière prière. Il la cria presque, d'une voix de stentor qui ne ressemblait pas à la sienne, afin que tout et chacun puisse l'entendre.

— Que soit répandue sur ces cloches la rosée du Saint-Esprit, afin que leurs sons mettent en déroute l'ennemi de tout bien, qu'ils invitent à la foi le peuple chrétien, qu'ils

---

1. Verset chanté avant et après un psaume.

répandent la terreur dans l'armée ennemie. Ainsi, lorsque le son de ces instruments passera à travers les nuages, que la main des Anges conserve l'Assemblée de votre Église. Que votre protection continuelle sauve les moissons, les âmes et les corps des croyants.

Il n'eut qu'à écarter un peu plus les bras et à éclairer son visage d'un sourire bienveillant pour que, d'une seule voix, l'assemblée réunie scande le mot de la fin : *amen*.

Les applaudissements et les cris retentirent de toutes parts.

Laberge se tourna lentement vers Viau sans perdre son sourire. Celui-ci put voir briller la malice dans les yeux triomphants de l'autre. Se tournant vers la foule, le curé cria de toutes ses forces :

— Que l'on sonne les cloches!

Lorsque le bourdon se mit en mouvement, les deux hommes fuirent le clocher avant que le battant ne donne son premier coup.

Revenus sur la terre ferme, Édouard et Albert savouraient un verre de vin blanc trop chaud, entourés des citoyens de Saint-Rémi ayant survécu aux psaumes et aux antiennes. Laberge fut le premier à apercevoir le jeune inconnu venir vers eux. Il interpella Albert du regard.

Lorsque l'étranger arriva à leur hauteur, Laberge et son ami furent stupéfiés en constatant leur erreur.

— Mais… vous êtes une…

— Une femme, en effet, lança-t-elle d'un accent français glacé pour finir la phrase du curé restée en suspens. Mon nom est Élizabeth Montjean. Vous pouvez m'appeler Élizabeth si vous le désirez, mais je vous serais gré de me vouvoyer. Je peux voir que votre regard s'est arrêté sur la croix de sable de la confrérie de Tiffauges que je porte. Tout comme vous, j'en fais partie.

— Mais vous êtes si…

— Si jeune?

La jeune femme volait les mots de la bouche du curé avant même que son esprit ait le temps de les formuler. Il ne voyait plus que ses yeux.

— Je suis ici sous le protectorat de votre ami Théodore Coppegorge et de l'évêché de Valleyfield. Et puisque cela semble vraiment vous inquiéter, j'ai trente-huit ans.

— Pardonnez-moi. Loin de moi l'idée de vous offenser.

Laberge ne savait plus trop quoi dire. La jeune femme semblait répondre à ses questions avant même qu'il ne pense à les lui poser. Elle ne manquait définitivement pas de répartie. Il s'arracha un moment à l'emprise de ces yeux magnétiques pour, d'un furtif coup d'œil, apprécier sa taille racée et son corps athlétique.

À n'en pas douter, Élizabeth Montjean était une femme captivante. Elle possédait le charme certain et mystérieux des Européennes, accentué par la tristesse de son regard et l'impassibilité de ses traits. Ses cheveux châtains caressaient à peine ses épaules et Laberge était fasciné par la façon qu'elle avait de les séparer avec des mèches entrecroisées. Son visage possédait une forme unique, un peu arrondie, adoucissant ses traits, faisant ressortir sa peau soyeuse et bronzée. Sa mâchoire volontaire, aux lignes nettes et élégantes, encadrait de façon parfaite une bouche aux lèvres maussades. Mais ses yeux, d'un bleu profond et intense, mouillés de trop d'eau, fascinaient. Pour une raison qui dépassait son entendement, il aurait été prêt à plonger corps et âme dans le bleu méditerranéen des yeux de cette Élizabeth. Au risque de s'y noyer.

Elle le tira brutalement de sa torpeur.

— Avez-vous entendu ce que je viens de dire, monsieur?

S'arrachant à ses pensées, il jeta un coup d'œil à Albert, troublé lui aussi par l'arrivée inattendue de la Française.

— Oui, bien sûr… dit-il enfin.

— Je suis envoyée par l'évêché afin de vous transmettre un message. Monseigneur Langlois requiert votre présence et celle de monsieur Viau à Valleyfield demain, pour le dîner.

— Vous pourrez l'assurer de notre présence, annonça Laberge. Je constate que vous avez entendu parler de mon ami Albert Viau.

Sans attendre, elle tendit à ce dernier une main douce et chaude qu'il serra timidement en inclinant légèrement la tête. Ils n'échangèrent aucune parole.

— Où logerez-vous ce soir, monsieur? demanda-t-elle à Laberge.

— Je serai chez Albert à Sainte-Clotilde.

— Nous nous reverrons donc demain, messieurs. Mon message est transmis. N'oubliez pas que vous êtes attendus pour le dîner. Tâchez d'arriver assez tôt. En passant, je tiens à vous dire, monsieur Laberge, que j'ai apprécié cette belle cérémonie. Vous fîtes honneur à la France, notre mère patrie.

Élizabeth s'inclina puis recula de quelques pas avant de se retourner pour s'éloigner. Les deux hommes la suivirent du regard jusqu'à ce qu'elle disparaisse.

— Est-ce que j'ai bien entendu? « Vous fîtes »? dit Albert sur un ton badin au curé.

Ils éclatèrent de rire et vidèrent d'un trait le reste de leur verre chauffé au soleil.

— Qu'est-ce qu'ils nous veulent, à l'évêché? continua-t-il. Et pourquoi nous faut-il y être si tôt?

— Que veux-tu dire?

— Tu ne l'as pas entendue? Demain, il faut arriver de bonne heure pour le dîner!

— Mais non, Albert, ce n'est pas ce que tu crois. Élizabeth s'est exprimée comme à son habitude. Nous sommes attendus pour le repas du soir qui s'appelle, en France, le dîner.

— Mais quand se passe donc le souper?

— Le souper est un repas que l'on fait dans la nuit ou tard en soirée, comme à la sortie d'un spectacle, par exemple.

— Et comment les Français appellent-ils le repas du midi?

— C'est le déjeuner.

— Ils ne déjeunent donc pas?

— Mais si, Albert! s'impatienta un peu Laberge. Le matin, ils prennent un petit-déjeuner, voilà tout.

— Ça va! Comment voulais-tu que je sache tout ça? répliqua Albert sèchement avant de faire dévier la conversation. À ton avis, pourquoi m'a-t-on également invité?

— Je n'en ai pas la moindre idée. Je la trouve bien protocolaire, cette fille. Qu'en dis-tu?

— C'est une Française... Mais je la trouve bien... dans son ensemble.

— Elle constitue définitivement un ensemble intéressant...

— Mais elle me paraît assez difficile à cerner.

— Tu sais, Albert, il y a des femmes qui sont comme le bâton enduit de miel. On ne sait par quel bout les prendre!

Ils rirent encore, bruyamment, et les gens autour d'eux se retournèrent, le visage tout sourire, comme si la bonne humeur des deux amis était contagieuse sous le soleil déclinant de cette fin d'après-midi.

3

Salaberry-de-Valleyfield, Québec.
Le lundi 6 août 1928.

Il fallait compter environ une heure et trois quarts en train pour aller de Sainte-Clotilde à Salaberry-de-Valleyfield.

Par chance, les arrêts étaient peu fréquents jusqu'à la gare du Canadien National de la grande ville. On passait à Howick, puis à la sous-station d'Ayrness où il était possible d'effectuer un transfert pour Montréal. Ensuite, il n'y avait plus qu'un seul arrêt à Saint-Louis-de-Gonzague avant d'entrer dans Valleyfield.

Édouard Laberge avait toujours trouvé dommage que le combat linguistique des Français à la fin du XIXᵉ siècle pour déterminer l'appellation de la ville ait déjà sombré dans l'oubli.

Alors qu'il marchait sur le quai de la gare du CN en ce lundi après-midi avec son ami Albert Viau, le curé sombra intérieurement dans la nostalgie comme il avait l'habitude de le faire si souvent. Albert, qui semblait lui-même se complaire assez régulièrement dans son monde intérieur, était silencieux depuis un bon moment déjà.

C'était en 1874 que la paroisse Sainte-Cécile, comptant déjà près de trois mille âmes, avait été incorporée comme ville sous la désignation de Salaberry-de-Valleyfield. Le choix de cette double appellation représentait une véritable page d'histoire. On racontait en effet que le nom de Salaberry aurait été proposé par le maire de Sainte-Cécile, Charles Dépocas, en l'honneur du colonel Charles-Michel de Salaberry, qui avait sauvé le pays de l'invasion américaine en 1813 lors de la fameuse bataille de la Châteauguay. Mais Alexander Buntin, homme fort influent, et de surcroît propriétaire de la gigantesque manufacture de papier sur les bords du canal de Beauharnois, n'était pas d'accord. Il préférait le nom de Valleyfield, qui lui rappelait une importante fabrique de papier en Écosse.

Les discussions s'étaient envenimées dans l'étroite salle du conseil et même au-delà. Mais au bout du compte, cette polémique avait abouti à un concordat. On avait proposé tout simplement de marier les deux noms. L'appellation officielle avait donc été inscrite ainsi : Salaberry-de-Valleyfield.

Pourtant, seul le nom de Valleyfield était maintenant utilisé.

Ils passèrent à côté de l'édifice de la station ferroviaire de style victorien, aux murs de pierre à mi-hauteur et à la toiture de bardeaux de cèdres, flanqué d'une grosse tour centrale. Ils se frayèrent un chemin entre les camions et les voitures attelées puis marchèrent jusqu'au bord de la rue avant de s'arrêter.

— Tu veux qu'on marche? demanda Laberge sans même regarder son compagnon.

— Pourquoi pas? Ce n'est pas très loin. Et puis, il fait tellement beau.

Laberge n'avait pas eu trop de mal à convaincre Albert de prendre le train. Ils n'avaient pas vraiment besoin de voiture et c'était beaucoup plus confortable de voyager de cette manière. Ils coucheraient à l'évêché et repartiraient au matin. Le trajet avec la Chrysler aurait pris au moins une lieure de plus, le bout de route le plus accidenté se trouvant entre Saint-Chrysostome et Ormstown.

Laberge brisa de nouveau le silence.

— Est-ce que tu sais comment on appelle les habitants de Salaberry-de-Valleyfield?

— J'avoue que non, répondit Viau le plus sérieusement du monde.

— On les appelle les Campivallensiens.

— Ah bon?

— C'est la transposition en latin des mots constituant l'appellation de Valleyfield. En fait, *field* ou champ en français se dit *campi* en latin, et *valley* ou vallée se dit *vallensis*. D'où, Campivallensiens.

— Je me demande comment Élizabeth est rentrée, s'enquit le cantonnier en sautant du coq à l'âne. Elle aurait pu revenir avec nous.

— Et puis, elle est tellement sympathique…

Albert esquissa un sourire.

Ils descendirent la rue sans rien ajouter de plus.

AGRIPPA

Un jeune clerc les reçut sous les colonnes d'entrée de l'évêché.

La propreté des lieux leur fit inconsciemment jeter un coup d'œil à leurs chaussures poussiéreuses. Le clerc les fit asseoir et les assura que leur attente serait de courte durée.

Albert tira de sa poche la grosse montre American Waltham qui ne le quittait jamais. Il était quinze heures vingt.

— Tu crois que nous serons rentrés pour midi demain? demanda-t-il avec un brin d'inquiétude dans la voix. Je ne peux pas vraiment me permettre d'être invisible deux jours complets sur les routes du canton.

— Ne t'en fais pas. Tu seras peut-être de retour plus tôt que prévu.

— Continue.

— Personnellement, répondit le curé d'une voix contenue, je crois que si on t'a fait venir ici, c'est dans le but de te proposer quelque chose ou de te faire une demande. Le fait que tu aies été mêlé de près aux événements d'il y a trois ans te rend susceptible d'accéder à un travail de « coopérant ».

— De coopérant?

— Oui, ce sont des laïcs qui, disséminés dans toutes les parties du diocèse, aident à temps partiel de toutes sortes de façons et dans le plus grand secret notre évêché à accomplir correctement sa tâche de protéger ses fidèles.

— Je vois…

Lorsque les deux hommes entendirent résonner les pas du jeune clerc sur le plancher de bois franc, ils se turent immédiatement.

— Monseigneur Langlois recevra monsieur Viau, dit-il sur un ton amène.

Albert et Édouard se levèrent. Ce dernier se sentant exclu, il posa la main sur l'épaule de son ami avant de s'adresser au clerc :

— Si vous n'y voyez pas d'inconvénient, je me rendrai à la bibliothèque.

Le jeune homme inclina la tête et, sans un mot, invita Albert à le suivre.

Édouard Laberge les regarda s'éloigner. En secouant la tête, il emprunta le corridor qui le conduirait à sa destination.

La salle des archives de la chancellerie de l'évêché se trouvait au sous-sol de l'austère bâtiment. On y accédait par un large escalier qui menait à une salle qui surprenait de par sa dimension. La lumière du jour n'y avait aucun accès direct et les ampoules électriques partageaient toujours la place avec les chandeliers ou les lampes à huile. Les plafonds présentaient de solides caissons de bois teint alors que les murs, peints d'un beige pâle, tentaient vainement de donner un peu de clarté à cet environnement. Un plancher de dalles polies de couleur légèrement rosée, peut-être en silice, conférait un air intemporel au lieu. Quelques tables de consultation, certaines rondes, d'autres rectangulaires, installées non loin des tiroirs de fiches, trônaient au centre de la place, entre les étagères.

Édouard Laberge traversa la grande salle, se glissant entre les tables et les étagères de bois foncé chargées de livres anciens. Il retrouva derrière son bureau, les yeux rivés à une grande loupe fixée à un support de laiton ajustable, son ami Théodore Coppegorge.

— J'ai l'impression que vous êtes toujours derrière ce bureau, dit le curé en arrivant. Je ne penserais pas à vous chercher nulle part ailleurs.

— C'est que tu me connais bien, Édouard, ou que tu crois bien me connaître.

Les deux hommes échangèrent une fraternelle poignée de main.

— *Ad finem*[1], lança l'archiviste.

— *Cede Deo*[2], conclut Laberge.

Coppegorge se laissa tomber sur sa chaise et invita Laberge d'un geste de la main à en faire autant.

— Je suis heureux de te revoir, Édouard, dit-il simplement. Nous aurons enfin un peu de temps pour bavarder.

— Il est vrai que depuis mon retour, on m'a presque retenu de force au séminaire. J'y ai même donné des cours! Je n'aurais jamais cru cela possible.

— Tu sais que tu ne devrais jamais te sous-estimer. Comment peux-tu oublier tout ce que tu as déjà accompli?

---

1. Jusqu'à la fin. (Lat.)
2. À la grâce de Dieu. (Lat.)

— J'ai parfois l'impression de subir un dédoublement de la personnalité!

Un silence s'établit entre les deux hommes, laissant toute la place au questionnement dans l'esprit de Laberge.

— J'accompagne mon ami Albert Viau qui rencontre présentement l'évêque, continua-t-il avant que trop de temps ne s'écoule. J'ai l'impression qu'on veut lui proposer quelque chose. Vous avez sûrement eu vent d'une conversation ou encore d'une rumeur sur la question, n'est-ce pas?

— Peut-être bien, mon ami, répondit l'archiviste. Mais je me garderai bien de te répondre pour l'instant. Toutes tes interrogations trouveront des réponses ce soir même. Fais-moi confiance.

Laberge esquissa un sourire presque inquiet en fixant son compagnon droit dans les yeux à la recherche d'un quelconque indice. L'autre resta de marbre.

— Il faut que je te parle de quelque chose qui t'intéressera au plus haut point, entama ce dernier pour basculer sur un autre sujet. Tu as rencontré ma protégée, la charmante Élizabeth Montjean, n'est-ce pas?

— Charmante en effet, acquiesça Laberge, mais pas très sociable.

— Il faut que tu te donnes un peu de temps pour l'apprivoiser, elle est juste… réservée.

— Je ne sais pas si j'aurai cette patience.

— Arrête de te moquer! Et viens avec moi, je vais te montrer quelque chose.

Coppegorge se dirigea vers le fond de la bibliothèque. Laberge lui emboîta le pas. Ils atteignirent un secrétaire en noyer foncé que le gardien des livres éclaira d'une petite lampe située sur la partie la plus haute du meuble. Il fit basculer le panneau avant de celui-ci jusqu'à ce qu'il repose au bout de ses chaînes. De l'intérieur, il tira un livre ancien qu'il déposa sur le panneau, devant son ami.

— Est-ce que c'est… un original? demanda Laberge, la voix empreinte d'émotion.

— C'en est un. Rapporté de Paris par notre chère Élizabeth.

— Mais c'est impossible… Comment a-t-elle pu…

— Peu nous importe le comment, mon ami.

Coppegorge prit délicatement le manuscrit et gagna une table de travail installée tout au fond de la salle, à l'abri des regards et des oreilles indiscrètes. Une lampe électrique, tout en laiton, diffusait sur la table massive une lumière franche sous un abat-jour rigide de couleur verte.

— Regarde, dit-il à Laberge en lui indiquant la couverture.

— *De Occulta Philosophia, Henricus Cornelius Agrippa…* Le livre de la philosophie occulte de Corneille Agrippa, chuchota presque le curé comme s'il se parlait à lui-même. Il est daté de façon manuscrite de 1529…

— En effet, Édouard. Et c'est un original. Il n'a d'ailleurs rien à voir avec les copies de ce même volume que nous avons déjà vues. On y apprend des choses totalement différentes de celles que l'on tenait pour acquises il n'y a encore pas si longtemps. Le combat que tu as mené contre William Black et son gros livre noir il y aura bientôt trois ans ainsi que l'arrivée de monseigneur Langlois en remplacement du cardinal Rouleau ont précipité bien des choses. Et ce n'est pas tout. Quelque chose d'encore plus surprenant a été découvert tout récemment. Tu te souviens de Nicolas Flamel, le fameux alchimiste[1]? On lui connaît un ouvrage unique, le *Livre des Figures Hiéroglyphiques*, dont l'original est conservé à la Bibliothèque nationale à Paris. Tu dois savoir que ce livre est interdit de consultation. Toutefois, une copie conforme et très ancienne de ce manuscrit était jusqu'à maintenant gardée à la Bibliothèque de l'Arsenal.

— Pourquoi dis-tu « jusqu'à maintenant »? interrogea Laberge, intrigué.

— Parce que cette copie est ici, en ma possession.

Les yeux du curé s'agrandirent. L'archiviste poursuivit.

— Selon ces écrits, Nicolas Flamel aurait trouvé le moyen de fabriquer de l'or grâce à la pierre philosophale dans un manuscrit encore plus ancien attribué à Abraham le Juif. Mais mieux encore, et c'est là que réside toute la surprise, c'est qu'un homme né à Tours en 1670 et qui s'appelait Charles de la Boische s'est toujours prétendu descendant du Parisien Flamel.

— Et alors? interrogea Laberge. Qu'est-ce que votre de la Boische vient faire dans cette histoire?

— C'est qu'en 1726, le roi Louis XV le nomma gouverneur de la Nouvelle France et qu'il lui concéda un vaste domaine baptisé Villechauve.

---

1. Nicolas Flamel est né vers 1335 à Paris et exerçait la profession de libraire. Mais comme alchimiste, on lui a attribué la découverte de la pierre philosophale, élément permettant non seulement de transmuter les métaux en or, mais aussi de prolonger indéfiniment la vie et la jeunesse. Il mourut néanmoins en 1418.

— Mais… le coupa Laberge, n'est-ce pas la seigneurie qui occupait notre territoire?

— Tout à fait! À partir du fleuve et jusqu'à Hemmingford dans les terres. Et notre cher gouverneur adopta le nom de Charles de Beauharnois. Le marquis de Beauharnois!

— Si je comprends bien, vous êtes en train de me dire que vous êtes sur une piste! s'excita Laberge. Vous avez fermé un triangle formé par ces points : l'*Agrippa*, le découvreur de la pierre philosophale et son descendant, le seigneur de Beauharnois!

— Je te fais ici un bref résumé, pendant que ton ami le cantonnier accepte l'offre de l'évêque, afin que tu sois préparé à ce que tu entendras ce soir. Mais sois certain que ce que je viens de te dire, tu ne risques pas de l'entendre…

— Comment savez-vous qu'Albert acceptera l'offre de l'évêque?

— Oh, il le fera. J'en suis certain. Il le fera.

C'était la première fois qu'Albert rencontrait l'évêque du diocèse de Valleyfield en personne. L'homme lui fit immédiatement bonne et forte impression.

Joseph-Alfred Langlois, debout devant son bureau en acajou et accueillant son invité d'un large sourire, avait eu un parcours assez impressionnant avant d'en arriver là.

Ordonné prêtre en 1902, il avait ensuite complété des études supérieures à Rome puis à la légendaire ville de Louvain en Belgique, avant de devenir professeur et directeur du Grand Séminaire de Québec. Il avait été nommé évêque de Valleyfield le 10 juillet 1926 alors que certains voyaient en lui un possible successeur à monseigneur de Laval sur le siège épiscopal. Il était un éducateur hors pair, un homme diplomate et éloquent, un avant-gardiste à l'esprit ouvert. Cultivé, s'intéressant à tout, il savait converser avec passion tout en étant attentif à son interlocuteur.

— Je vous en prie, monsieur Viau, veuillez prendre un siège, dit il à Albert tout en l'invitant à s'asseoir d'un geste de la main.

Albert baisa du bout des lèvres la bague de l'homme d'Église et s'installa confortablement dans l'un des deux fauteuils de style victorien face au bureau.

— C'est une Bellerose? demanda-t-il aussitôt en montrant du doigt une horloge grand-père appuyée contre le mur du fond.

L'évêque prit le temps de s'asseoir avant de répondre.

— En effet. Vous vous y connaissez en matière d'horloge?

— J'aime bien les horloges. La vôtre doit être assez ancienne. J'ai reconnu le style de Bellerose par le cadran de tôle peint. Saviez-vous que ces horloges-là étaient fabriquées à Trois-Rivières?

— Autour de 1830 à ce qu'on m'a dit.

— Mais je suppose que vous ne m'avez pas fait venir pour parler horlogerie, dit alors Albert, ce qui sembla prendre un peu par surprise Joseph-Alfred Langlois.

— En effet. Je ne passerai pas par quatre chemins. L'après-midi avance, et votre décision en regard de ce que j'ai à vous offrir déterminera l'issue de votre soirée. Selon votre choix, il vous sera possible de rester avec nous pour le repas du soir et la nuit, ou alors de retourner chez vous par le train de dix heures trente. Sommes-nous d'accord?

— Oui, répondit simplement Albert.

— Voici donc.

Monseigneur Langlois se frotta les mains et fit une pause, comme pour déterminer l'ordre ou la tournure qu'il allait donner à l'entretien.

— J'ai été nommé évêque de Valleyfield il y a deux ans déjà, poursuivit-il. Le temps passe très vite! Et c'est peut-être ce que vous vous dites lorsque vous songez aux événements auxquels vous avez été mêlé avec votre ami Édouard Laberge il y a trois ans. Étant donné ce que vous avez appris sur nos occasionnelles interventions de natures diverses aux quatre coins de notre diocèse, et que vous vous êtes montré d'une discrétion absolue, j'aimerais vous proposer un accord.

Le visage d'Albert dut certainement laisser transparaître son étonnement puisque l'évêque le rassura aussitôt avec un large sourire.

— Soyez sans crainte, cher ami, il ne s'agit pas là d'une question de vie ou de mort! Ce n'est ni plus ni moins qu'une question de sécurité territoriale. Et à cet égard, je vous demanderai dès maintenant de me promettre le silence, si ma proposition essuyait un refus de votre part.

Pour toute réponse, Albert fit un signe de tête approbateur. En se rappelant qu'il se tenait devant un évêque, il regretta aussitôt en son for intérieur cette impolitesse. Mais cette fois, son visage demeura impassible.

— Il existe au sein de notre diocèse une équipe de personnes qui travaillent dans l'ombre pour le bien de tous. Nous les appelons des coopérants. Ce sont des gens faisant partie du laïcat et qui sont nos yeux et nos oreilles sur l'ensemble du pays. Il n'est pas ici question d'espionnage, mais uniquement de garder l'œil ouvert sur des faits étranges et dangereux susceptibles de se produire et de mettre en péril la vie de nos concitoyens. Une aide peut également être requise, tout comme celle que vous nous avez apportée il y a trois ans. Les coopérants peuvent se voir rémunérés de différentes façons, mais disons qu'ils le font principalement pour aider leur prochain.

L'évêque fit une pause et jaugea Albert du regard comme pour chercher son assentiment. L'autre ne broncha pas.

— Notre diocèse n'est qu'une infime cellule d'un réseau planétaire à travers toute la chrétienté qui prend sa source au Vatican même. On appelle ce réseau l'ARC ou, si vous préférez, l'Alliance des Religions du Christianisme. Cette organisation, telle une cathédrale, s'est construite sur plusieurs générations de travailleurs acharnés qui ont su mettre de côté différends et dissensions sur les dogmes et les préceptes qui les séparaient, et ce, pour le bien de l'Église du Christ. Elle allie les trois grandes confessions du christianisme depuis le Grand schisme de 1054[1]. Puisque le Québec représente l'implantation et la survie de la langue

---

1. Le Grand schisme de 1054 marqua la séparation entre l'Église d'Occident et les Églises orientales (orthodoxe russe et grecque). L'Alliance des Religions du Christianisme (ARC) rallia discrètement le catholicisme, l'orthodoxie et le protestantisme dans le but de protéger la primauté, l'ensemble de la foi et l'universalité de l'Église de Jésus-Christ. À ce jour, rien ne permet de démontrer que l'ARC soit encore une organisation active.

française en Amérique, Valleyfield s'est imposé comme le bras de l'ARC dans notre province et même au-delà, et relève directement de la section de Paris. En gros, ce que je vous demande est clair, mon ami. Acceptez-vous de devenir l'un des membres de cette prestigieuse organisation?

— Tu n'as pas oublié, Édouard, ce que la recherche et le savoir acquis dans la confrérie de Tiffauges nous ont apporté?

— Je suis loin de l'avoir oublié, Théodore. Et votre Élizabeth me l'a remis en pleine figure.

— Tu n'as pas non plus oublié les douze règles?

— Comment le pourrais-je? Je me les répète chaque soir avant de m'endormir. Si vous saviez combien de fois ces règles sont parvenues à me maintenir la tête hors de l'eau…

Coppegorge considéra son ami un moment. Il était conscient ne pas savoir le quart de ce que Laberge avait dû endurer au cours de ses missions pour le clergé. Il croyait fermement que si le curé était parvenu à rester en vie jusqu'ici, c'était justement parce qu'il ne se souciait absolument pas de vivre ou de mourir.

— Quelle est ta règle préférée parmi les douze? demanda Coppegorge.

— Mais pourquoi toutes ces questions? s'enquit Laberge en éclatant de rire.

— Je me rends compte qu'il y a longtemps que je n'ai pas récité les règles. Je suis confiné dans cette bibliothèque depuis trop longtemps.

— Puisque vous tenez à le savoir, c'est la dernière. La douzième et ultime règle. C'est celle qui est toujours présente dans mes pensées.

— Alors, récitons-les! dit aussitôt Coppegorge. Jusqu'à la dernière!

Debout près de la table de travail, les deux hommes se faisaient face et se regardaient droit dans les yeux. Ils énumérèrent à l'unisson les règles résumant le cœur même de la confrérie de Tiffauges.

— Honore toujours ton Dieu. Connais-toi toi-même. Connais ton Art. Applique tes connaissances avec Sagesse. N'aie de cesse d'étudier. Atteins l'Équilibre. Surveille tes paroles. Surveille aussi tes pensées. Fais Un avec les cycles de la Terre. Exerce ton corps. Médite. Ne renonce jamais.

Ils avaient insisté sur la dernière règle.

De façon fraternelle, ils se serrèrent encore la main, mus par un instinct invisible.

Coppegorge rompit le silence comme dans un effort pour briser une bulle de souvenirs douloureux.

— Les temps changent, mon ami. Le progrès, qui avance à pas de géant, bouscule les choses qui existaient depuis longtemps dans un état que nous croyions permanent. Il faut nous adapter et être de plus en plus présents, étendre nos tentacules et avoir des yeux partout! Il semble bien que nos amis de l'ARC en aient plein les bras.

— L'ARC sollicite-t-elle encore l'aide de la confrérie?

— Absolument. Et la confrérie continue ses recherches alchimiques et ses formations discrètes de candidats à la magie ou à la « force énergétique », comme on se plaît à l'appeler maintenant. Puisque les scientifiques de tout acabit s'acharnent à renommer et modifier notre monde, à élever la « science » au premier plan, la magie – l'énergie de l'homme, sa puissance radionique[1] –, se verra inévitablement reléguée aux oubliettes. J'ai raison d'être inquiet.

— Et bien sûr, comme vous l'avez toujours si bien dit, tout ce qui est oublié cesse par le fait même d'exister.

— Voilà, Édouard. N'est-ce pas inquiétant?

Coppegorge demeura un instant silencieux, plongé temporairement dans un funeste songe.

— Il faut bien me comprendre. Je n'ai rien contre l'avancement de la science. Au contraire! Mais il est des choses, des connaissances, qui ne doivent pas être oubliées. Et les générations qui remplacent les anciennes ont trop tendance à jeter au panier ce qu'on ne leur a pas montré.

— La force énergétique, répéta le curé machinalement, c'est une belle expression. Cela fait plus moderne évidemment. Mais dites-moi, quelle est la « force énergétique » d'Élizabeth?

— Elle peut donner un mouvement spontané à un objet sans utiliser aucune énergie observable. Elle est télékinésiste. Mais ses pouvoirs parapsychologiques ne s'arrêtent pas là. Alors qu'elle étudiait à Londres, dans un prieuré de la confrérie, elle démontra certaines aptitudes à lire dans ce trouble subit, cette agitation passagère que l'on appelle l'émotion. Elle peut apparemment, grâce au décodage instinctif des

---

1. La radionique est la maîtrise de la condensation énergétique vibratoire, capable de se diffuser à distance vers quelqu'un ou quelque chose par la seule force psychique d'un individu.

émotions perçues, associer des images cohérentes et reliées à la pensée d'un individu.

— Vous vous moquez de moi. Vous êtes en train de me dire que cette femme peut lire dans les pensées? Grand Dieu! laissa échapper Laberge en se remémorant de quelle façon il avait examiné Élizabeth lors de leur première rencontre à Saint-Rémi.

— Loin de moi l'idée de me moquer, Édouard. Sais-tu comment les Anglais l'appelaient là-bas? *The Dream Catcher.* L'attrapeuse de rêves. Mais n'essaie surtout pas de lui soutirer quelque chose à ce sujet. Tu frapperas un mur aussi solide que les pierres de cet édifice!

— J'ai comme la fâcheuse impression que vous me cachez quelque chose… qu'on me joue dans le dos. Vous ne m'avez pas tout dit.

— Patience, Édouard! Si tu avais vécu au Moyen Âge comme prince ou roi, on t'aurait sûrement appelé Édouard l'Impétueux! Tu trouveras ce soir toutes les réponses à tes questions. Viens, j'ai un autre manuscrit à te montrer…

Albert avait le front appuyé dans sa main gauche et fixait le bord du bureau d'acajou, comme en espérant y voir apparaître une réponse. Il n'osait relever la tête de peur de rencontrer le regard bienveillant de l'évêque. Et en même temps, il ne pouvait éternellement s'y soutirer.

S'il refusait l'offre, il le regretterait assurément. Il le savait. De plus, une réponse négative de sa part risquerait d'embarrasser Édouard, au risque de nuire à leur relation.

D'un autre côté, il avait une envie terrible d'accepter. De faire autre chose que de seulement entretenir les routes. De rendre service. D'assurer à tous la sécurité et la paix. Mais que dirait Emma? Serait-elle d'accord? Pourrait-il seulement lui en parler? Lui faire part de quoi que ce soit?

Il devait donner sa réponse maintenant sans autre choix que d'accepter.

Et il en éprouvait un plaisir étrange.

Albert releva lentement la tête, pour rencontrer, comme il l'avait pressenti, le regard pénétrant de Joseph-Alfred Langlois.

— J'accepte votre offre de devenir coopérant, Monseigneur. Je l'accepte, simplement.

— Vous nous faites grande joie, monsieur Viau, et grand honneur à vous-même. Venez par ici s'il vous plaît.

Albert emboîta le pas au dirigeant du clergé jusqu'au fond de la pièce, où se trouvaient une grande armoire en pin et une table ronde en bois à la base métallique. Le buste peint d'un quelconque prince de l'Église qu'Albert n'aurait su reconnaître trônait sur l'armoire tandis qu'une tablette en coin supportait une statue monochrome de couleur ivoire de Louis-Joseph Papineau.

— Si vous le voulez bien, je vais vous demander de compléter et de signer ce document, dit l'évêque en tirant Albert de son examen de la pièce. Il ne vous oblige en rien, il nous sert seulement à tenir à jour la liste des coopérants.

Albert s'installa à la table et parcourut le document des yeux. Rien de compromettant n'y était indiqué. On ne voulait que son nom et son adresse afin de compléter une liste.

— Évidemment, monsieur Viau, continua Langlois, s'il advenait qu'à cause de l'aide que vous nous fournirez vous vous retrouviez dans une situation conflictuelle ou publique, l'évêché se verrait dans l'obligation de nier toute implication. Vous comprendrez qu'il en va de la protection de nos services.

— Bien entendu, répondit Albert tout en terminant de signer son nom.

Il se releva pour faire face à monseigneur Langlois qui lui tendit la main.

— Nous avons donc un accord, dit ce dernier, tout sourire. Je suis heureux de vous compter parmi nous. Nous avons de nombreux sujets à discuter ce soir. On vous montrera votre chambre et nous nous retrouverons un peu plus tard pour le repas du soir. Demain matin, on vous instruira sur la façon de procéder pour l'envoi des messages codés.

— Les messages codés?

Langlois sourit et invita Albert à se déplacer afin de pouvoir ouvrir les portes de la grande armoire. L'usure du temps avait retiré la teinture autour des grosses poignées rondes en bois. L'évêque en sortit un étrange instrument qu'il déposa sur la table.

— Vous vous demandez évidemment ce que c'est, lança Langlois sans jamais quitter son sourire affable. Connaissez-vous l'écriture braille, monsieur Viau?

— Je regrette, Monseigneur, je ne vois pas ce que c'est.

— Eh bien justement, l'écriture braille sert à ceux qui ne voient pas! Elle fut créée par le Français Louis Braille afin de permettre aux aveugles de lire.

Langlois déposa sur la table une feuille comprenant un tableau explicatif du braille.

— Voyez, reprit-il, l'écriture est basée sur un rectangle comprenant six points. On peut y discerner principalement quatre groupes de lettres et un groupe de ponctuation. Les points correspondants à la lettre que l'on veut former sont surélevés sur le papier pour apparaître en relief. Ainsi, une personne non voyante peut, grâce à la sensation tactile du bout de ses doigts, reconnaître les lettres, puis les mots et les phrases complètes. Il s'agit ni plus ni moins de transposer l'écriture afin d'arriver à la percevoir par un autre de nos sens.

— Mais cet instrument... commença Albert sans finir sa remarque.

— C'est un raphigraphe[1]. Il permet d'écrire en braille. Et demain matin, vous en rapporterez un avec vous. Après que l'on vous aura expliqué son fonctionnement, bien sûr.

— Et les messages? Comment les faites-vous transiter?

— Le train, tout simplement, glissa aussitôt l'évêque. De Sainte-Clotilde par exemple, deux fois par semaine. Les lundis et les vendredis. Le chef de gare est d'ailleurs très sympathique. C'est l'un de vos amis, si je ne m'abuse.

— Alphonse... Alphonse Chevigny est aussi coopérant?

— Bien sûr! Qu'est-ce que vous croyez? Il est primordial d'avoir la coopération des chefs de gare.

---

1. Le raphigraphe, ou planche à pistons, fut mis au point par Louis Braille et François-Pierre Foucault en 1839. Il était composé d'une tablette de bois, où l'on pouvait fixer une feuille de papier, et d'un dispositif métallique supportant dix pointes à ressorts qui pouvait se déplacer au-dessus de la tablette à l'aide d'une manivelle. Les pointes servaient à imprimer en relief sur le papier. Cet instrument permettait également d'imprimer les caractères de l'alphabet classique.

— Torieu!... laissa échapper Albert à voix basse

— Nous avons en effet mis au point un système qui fonctionne très bien, monsieur Viau... Mais dites-moi, cela vous ennuierait-il si je vous appelais Albert? Ce serait un peu moins protocolaire.

— Si vous y tenez, répondit le visiteur, encore sous le choc.

— Vous trouverez dans la boîte où sera rangé le raphigraphe un petit cylindre de laiton équipé d'un couvercle qui s'y visse. Vous n'aurez qu'à y insérer le message codé et à le remettre ensuite au chef de gare. Comme je vous le disais tantôt, les envois et les réceptions s'effectueront les lundis et les vendredis. Vous avez des questions?

— Pas pour l'instant...

— Très bien! Venez, j'ai autre chose pour vous. Mais nous devons pour cela aller à l'extérieur.

Les deux hommes quittèrent le bureau de l'évêque après que ce dernier eut rangé son raphigraphe dans l'armoire en pin. Puis ils empruntèrent un long corridor pour gagner l'arrière du vaste bâtiment.

✸ ✸ ✸

— Certains disent que les larmes que l'on verse sur les tombes sont inspirées des mots que l'on n'a pas prononcés ou des gestes que l'on n'a pas faits.

— Vous êtes dur, Théodore.

Laberge fixait le plancher pour éviter le regard de son ami et aussi chercher en lui-même. Il avait autrefois perdu prématurément la femme qu'il aimait plus que tout, celle qu'il devait épouser. Cela s'était passé de manière bien trop imprévisible, trop atroce, pour qu'il ait eu le temps de lui dire tout ce qu'il portait en lui et ressentait pour elle. Elle était si jeune! Et lui, comme le disait Coppegorge, si impétueux.

— Ne crois-tu pas, demanda ce dernier, qu'il serait temps de tourner la page sur le drame pour ne te rappeler que les souvenirs heureux? Tu ne peux rien y changer, Édouard. Ce qui est fait est fait. Je ne te dis pas de l'accepter, mais de seulement mieux vivre avec. Quand je suis venu à toi, entre autres choses pour t'aider, je n'aurais jamais cru te voir aller si loin.

— Je ne crois pas être encore allé assez loin, articula calmement Laberge. Vous vous souvenez de la douzième règle? Elle dit : « Ne renonce jamais ». Elle ne me portera jamais assez loin dans l'éradication du mal qui ronge notre monde comme la vase sous une ancienne fondation. Et eux, ceux-là qui ont détruit ma vie d'avant, ce que j'aurais pu vivre et que je ne vivrai jamais, je les retrouverai. Tôt ou tard, ils croiseront ma route et ce sera leur tour d'être exterminés.

— Regrettes-tu ce que tu es maintenant, Édouard?

— Je vis avec une plaie béante au creux de mon âme qui ne se refermera jamais.

— Ne cultive pas la vengeance, mon ami, cela ne sert qu'à te ronger.

— En vieillissant, Théodore, on s'aperçoit que la vengeance est encore la forme la plus sûre de la justice.

— Nous devrions changer de sujet, nous avons tristement dévié… Un excellent repas nous attend ce soir et, avec de la chance, un excellent vin!

Laberge finit par sourire à la gourmandise de son vieux complice. On ne se fait pas d'amis, on les reconnaît.

Le goût du vin lui monta à la bouche.

— J'ai travaillé étroitement avec Élizabeth Montjean au cours de la dernière année, annonça soudain l'archiviste.

— Vraiment? Si étroitement que ça?

Coppegorge fut soulagé de retrouver l'humour parfois ambigu de son compère. Il se laissa aller au fond de sa chaise en riant.

— Pas si étroitement quand même! Mais enfin… laisse-moi terminer! Les choses ont changé depuis la venue de monseigneur Langlois à la tête de l'évêché. Il est beaucoup plus ouvert, ou à l'avant-garde, que ne l'était le cardinal Rouleau. Ce qui m'a permis d'obtenir des fonds, d'établir des contacts, de me trouver des collaborateurs et de l'aide en rapport avec certains sujets d'importance qui nous touchent de près. Je veux aussi parler ici de l'*Agrippa*. Ou plutôt des agrippas.

Le sourire de Laberge disparut comme par enchantement et il s'avança sur le bout de son siège.

— Je le savais bien que vous me cachiez quelque chose, dit-il, tout à coup fort sérieux.

— Je devais être certain… Ce soir, je vous expliquerai à tous de quoi il en retourne. Je ne veux pas me répéter, mais je te voulais préparé.

— Des agrippas… Il y aurait donc plus d'un livre capable d'agir de son propre gré?

Agrippa

— Ce soir, Édouard, ce soir.

Monseigneur Langlois déboucha sur une cour intérieure derrière l'édifice de l'évêché avec Albert juste derrière lui. Il s'arrêta net et fit face à son compagnon.

— Comme vous pouvez le voir, nous en avons deux, lui dit l'évêque en indiquant de la main deux camions Ford, sans même les regarder. Et nous nous servons à peine de l'un d'eux!

Il entraîna Albert par le bras contre l'un des engins.

— Celui-ci n'a pas été utilisé de l'année, mais il est en excellent état. La batterie pour le démarreur doit être morte, mais avec l'aide de Dieu et surtout après quelques coups de manivelle bien donnés, il ne devrait pas trop se faire prier. C'est un Ford Modèle T 1925 « 1 tonne ». Si vous le voulez, l'évêché vous le cédera pour une période de temps indéterminée, en autant que vous en preniez soin. Et je suis sûr qu'il vous serait très utile pour votre travail.

Albert s'approcha du véhicule sans dire un mot sous le regard amusé du généreux évêque.

Le camion semblait effectivement en excellent état. Malgré ses trois ans d'âge, on voyait qu'il n'avait pas été malmené. La peinture noire de la carrosserie était intacte et le bois franc dont était construite la boîte de manutention arrière paraissait encore fort bien protégé par la laque et le vernis. Il toucha au passage le bouchon ailé du radiateur comprenant l'indicateur de température intégré. Il jeta un coup d'œil à l'intérieur de la cabine, assez vaste pour deux hommes, et fut surpris une fois de plus par la propreté du plancher de bois. Deux gros phares à l'avant ainsi qu'un feu de signalisation arrière, qui ressemblait étrangement à un fanal, permettaient au véhicule de rouler la nuit. Et les pneus arrière, de dimension plus imposante que ceux d'en avant, étaient gonflés! Ce n'était pas ces roues de caoutchouc dur qu'on trouvait parfois sur les camions de transport et qui rendaient le roulement insupportable.

Après avoir fait le tour du véhicule, Albert revint vers l'évêque.

— Je… je ne sais pas quoi dire, Monseigneur. C'est trop. Comment pourrais-je accepter?

— En disant tout simplement oui. Vous avez tout à l'heure consenti à ma demande de service. Acceptez s'il vous plaît à votre tour d'être rétribué. Allons maintenant retrouver nos amis.

— Je crois que je mettrai plus de temps pour rentrer demain, lança Albert en souriant.

— C'est sûr que le train est plus rapide! Et moins poussiéreux!

Albert commença dès lors à songer à la manière dont il s'y prendrait pour expliquer sa nouvelle acquisition.

Après avoir pris un apéritif dans ce que Coppegorge se plaisait à appeler le « salon stratégique », ils passèrent à table vers dix-neuf heures. Ce salon, situé au rez-de-chaussée, était une vaste pièce bien éclairée durant le jour grâce à ses larges fenêtres donnant plein sud. La nuit, de larges tentures permettaient de conserver l'intimité du lieu, alors que chandeliers et lampes torches électriques s'affairaient à l'éclairer chaleureusement. Faisant face à cinq fauteuils disposés en demi-cercle, une grande cheminée décorée avec goût réchauffait les âmes réunies pour la discussion lors des fraîches soirées d'automne ou des glaciales veillées d'hiver. De puissantes poutres traversaient le plafond qui, en son centre, possédait une représentation peinte du combat de David et Goliath, juste au-dessus d'une grande table de monastère capable d'accepter une douzaine de personnes.

Les discussions d'ordre général avaient été bon train tout au long du repas, permettant les présentations et les échanges entre les intervenants. D'entrée de jeu, Albert avait été impressionné par le potage aux œufs de la ménagère qui faisait le service. C'était le meilleur qu'il eût goûté de toute sa vie. Elle l'avait servi directement de la soupière, avec une grande louche en porcelaine blanche décorée de motifs floraux. Il aurait voulu lui demander s'il était de son cru, mais s'en était évidemment abstenu.

Quand la table fut débarrassée des dernières assiettes à dessert, et que bouteilles de muscat, théière et pot à café eurent été laissés sur le chariot à service par la ménagère, Théodore Coppegorge se rendit aux doubles portes donnant accès à la pièce afin de les verrouiller de l'intérieur. Après avoir offert une tournée de muscat bien frais, il revint s'asseoir auprès de ses compagnons qui avaient déjà pris place devant la cheminée, où brûlait un feu vacillant qui chassait l'humidité nocturne. Seule Élizabeth Montjean avait opté pour une tasse de thé.

N'y tenant plus, Laberge décida de diplomatiquement provoquer la jeune femme.

— Dites-moi, Élizabeth, se lança-t-il avant que quelqu'un d'autre n'oriente la conversation sur un terrain différent, vous qui travaillez pour le musée de Cluny[1], qui faites des recherches pour l'Église du genre archéologique et théologique et qui faites partie de la confrérie de Tiffauges, quel est donc votre secret? La porte est fermée à clé, nous sommes entre nous. Et je ne vous connais pas.

— Pourtant, moi je sais plein de choses sur vous. Peut-être que la raison qui m'empêche de vous questionner est justement que je n'ai rien à apprendre! Il suffit parfois d'avoir la patience de se renseigner. Ma profession me dicte ma patience.

— Vous êtes bien sage, en effet. Je tenais seulement à en apprendre un peu plus sur ce que la nature vous avait donné, mis à part votre charme naturel, bien sûr.

Le visage d'Élizabeth Montjean s'empourpra. Elle retira la cuillère en argent qui trempait dans sa tasse de thé et la passa entre ses lèvres de façon presque provocatrice sans quitter des yeux le curé qui rougissait à son tour.

Élizabeth tint simplement la cuillère à la verticale entre le pouce et l'index de sa main droite. Elle ne quittait pas

---

1. Le musée de Cluny est un édifice du XVe siècle, situé rue du Sommerard à Paris, qui communique avec d'importantes ruines de thermes gallo-romains. Il abrite le musée national du Moyen Âge, prolongement du Louvre.

Laberge des yeux. Elle aurait préféré fixer l'ustensile, ce qui lui aurait facilité la tâche, mais elle voulait en mettre plein la vue à cet impertinent curé.

Elle avait bien enregistré la forme de la cuillère ainsi que les détails gravés dans le manche. Elle l'avait fait durant leur échange de mots sans que personne n'y eût prêté attention. Elle ne voyait plus dans son esprit que le centre du manche de l'objet alors qu'elle regardait pourtant Laberge droit dans les yeux. Un seul point au centre du manche… ce point qui changeait de couleur, qui devenait comme chauffé au rouge, qui devenait malléable…

Soudain, la cuillère plia tout doucement, comme sous la force d'une masse invisible, jusqu'à ce que le manche atteigne un angle de 90 degrés. Élizabeth la laissa tomber sur la table, en un tintement agressant qui fit sursauter les quatre hommes.

Sans jamais quitter Laberge des yeux, elle alla pêcher une autre cuillère dans le petit ramequin posé sur la table en demi-lune juste devant eux.

La jeune femme baissa finalement le regard vers sa tasse au moment d'y agiter son thé.

Un silence gênant régnait dans la pièce que seul le crépitement du feu mourant venait déranger. Coppegorge se leva pour briser le malaise et ajouter quelques morceaux de bois dans la cheminée.

— Cessez, je vous en prie! lança Langlois sur un ton incisif. Nous n'avons rien à prouver à qui que ce soit! Le seul fait que nous nous trouvions ici, rassemblés dans cette pièce, prouve notre valeur à chacun. Je ne vous ai pas fait mander pour que nous perdions notre temps. Je l'ai fait dans le but d'apprendre à nous connaître, d'obtenir l'appui d'un nouveau coopérant en la personne d'Albert et aussi de vous faire part de développements importants.

Coppegorge était resté debout près de la cheminée. Il savait que l'évêque ferait appel à lui pour les explications. Il récupéra son verre de muscat posé sur la table et le vida d'un trait.

— Je ferai appel à notre éminent ami Théodore Coppegorge pour les explications, dit Langlois en le désignant de la main.

L'archiviste passa derrière les fauteuils pour rejoindre le mur situé à gauche de la cheminée. Les fauteuils étant pivotants, chacun eut la possibilité de se tourner sur sa gauche.

Arrivé au mur, Coppegorge abaissa un store comportant une carte géographique de l'Europe, d'une dimension de près de deux mètres de largeur. Huit stores fixés au plafond étaient ainsi disposés, l'un à la suite de l'autre, permettant de consulter facilement différentes cartes géographiques.

Théodore Coppegorge, gardien de la salle des archives de l'évêché de Valleyfield, était un homme approchant la soixantaine. Son expérience, son large éventail de connaissances ainsi que sa sagesse donnaient toutefois l'impression qu'il était bien plus âgé. De taille moyenne, son physique encore robuste et ses mains fermes ne laissaient aucun doute quant à la force que sa jeunesse passée avait dû dégager. Ses cheveux – toujours abondants et à peine grisonnants – étaient coupés court, alors que ses gestes fluides semblaient sans cesse vouloir s'allonger, comme une extension de son propre corps. Calme et posée, sa voix reflétait son allure. Des lunettes discrètes, cerclées de métal doré, encadraient un visage franc et épanoui. Son sourire, quoique sincère, n'était jamais complet, mais plutôt contenu. Français d'origine, diplômé de la Sorbonne en bibliothéconomie, il avait émigré à la recherche de la liberté, tant dans son travail que dans sa vie. Et l'évêché de Valleyfield lui offrait cette liberté depuis bien des années déjà.

— Ce que je révélerai ce soir est déjà connu de la plupart d'entre nous, commença-t-il en récupérant une mince baguette de bois qui lui servirait non seulement à illustrer ses propos, mais aussi à avoir quelque chose dans les mains. Je ferai donc cet exposé pour notre ami Édouard ainsi que pour monsieur Viau.

Albert adopta une posture droite dans son fauteuil, conscient d'avoir dans son dos le regard de l'évêque.

Coppegorge continua, après s'être assuré de l'attention de tous.

— Depuis l'arrivée de monseigneur Langlois à la tête de notre diocèse, les relations avec l'ARC se sont grandement améliorées. Les échanges d'informations sont devenus riches et fluides, les activités de recherche sont plus intenses et affichent une constance. Des fonds ont été débloqués afin d'organiser et de maintenir ce travail de longue haleine. La découverte il y a trois ans d'un livre « imprégné », doté d'une faculté de raison et d'action, a orienté dans une nouvelle direction nos recherches sur les magies dangereuses. Excu-sez-moi…

Conscient qu'il en aurait long à dire, l'archiviste rejoignit le chariot de service laissé près de la grande table pour se verser un verre d'eau qu'il rapporta avec lui.

— Les magies noire et rouge, poursuivit-il, sont celles que nous qualifions de dangereuses. Alors qu'au départ la magie se voulait un ensemble de pratiques fondées sur les forces surnaturelles immanentes à la nature, il appert maintenant que certains individus n'hésitent pas à utiliser cette science afin de mettre le mal à profit. Ce qui est incompréhensible, il va s'en dire. Que peut-il bien se passer dans l'esprit d'un homme ou d'un groupe de personnes pour vouloir à ce point faire souffrir à leur seul avantage? Que perdraient-ils s'ils faisaient plutôt profiter la masse de leurs talents et de leurs connaissances? Il ne peut s'agir que d'esprits dérangés avec lesquels toute tentative de raisonnement est impossible. Une fois cela compris, nous pouvons agir avec discernement, certes, mais sans grâce aucune, ni pitié.

Coppegorge s'arrêta quelques secondes sur ces propos alarmistes pour prendre une gorgée d'eau.

— La magie noire, donc, implique principalement des éléments de destruction qui invoquent des démons et des puissances maléfiques dans le seul but de contrôler, manipuler ou causer du tort à autrui, dans leur propre intérêt, de façon purement égoïste. C'est assez clair, je crois. D'un autre côté, la magie rouge nous ramène à des éléments plus sanglants, plus primitifs. C'est la magie du sang, la magie de la transformation de l'homme à travers son essence animale, comme la lycanthropie[1] ou le vampirisme, la magie des sectes et des sacrifices.

À voir la tête de ses auditeurs, Coppegorge avait l'impression de les avoir jetés sous la glace d'un lac gelé. Il conserva toutefois son sérieux.

— Mais assez de sermons sur la magie, j'ai l'impression de m'éloigner du sujet qui nous préoccupe. Je vous ai parlé tout à l'heure des recherches qu'avait suscitées la mise en crypte du grand agrippa sous l'église St. Matthew de Saint-Chrysostome. Ces recherches nous ont amenés à réviser notre position quant à la création ou à l'imprégnation de ce genre de grimoire. Car il s'agit bien ici d'imprégnation. Pour qu'un recueil de magie se retrouve ainsi en position de force de par son pouvoir propre, il a fallu qu'un jour il soit transmuté par un procédé quelconque qui, lui, nous est inconnu. Et c'est ce qui nous amène à l'alchimie. Cette alchimie qui est en soit une proche parente de la magie, de par sa philosophie naturelle et le caractère mystérieux des lois naturelles cachées qu'elle a tenté d'expliquer. Les alchimistes ont toujours cru en des éléments structurels de base pour expliquer le fonctionnement de la nature. Ces éléments sont la terre, l'air, le feu et l'eau. Ce qui est d'ailleurs tout à fait plausible quand on y pense. Prenez une matière quelconque, peu importe laquelle, et chauffez-la. Que se passera-t-il? De l'humidité s'en échappera d'abord, elle suintera. C'est l'eau. Puis à plus haute température, des gaz s'en échapperont. C'est l'air. Ensuite, un peu plus tard, il y a de fortes chances

---

1. Transformation d'un homme en loup-garou.

pour qu'elle s'enflamme. Le feu. Et finalement, il n'en restera qu'un petit amoncellement de matière calcinée. L'élément terre. Voilà simplement la très ancienne théorie des éléments. Tout ça pour en venir au fait que la magie et la chimie des alchimistes utilisaient la manipulation de forces naturelles en présence. C'est cette manipulation qui permet à de la matière de se transmuter pour devenir eau, air ou terre, ou à cette cuillère en argent (il désigna de sa baguette la cuillère tordue sur la table) d'avoir été modifiée de son état original. C'est une manipulation de ce genre, sûrement beaucoup plus complexe, qui a dû être effectuée pour donner vie à l'*Agrippa*. Ou plutôt aux agrippas.

Cette fois, le verre d'eau y passa en entier. Le sage orateur retourna faire le plein, permettant du coup à la petite assemblée de digérer ses paroles.

— Je reprendrais bien un peu de ce muscat, dit monseigneur Langlois.

Coppegorge rapporta la bouteille et offrit une nouvelle tournée.

— J'espère que je ne vous ennuie pas, mes amis, lança-t-il à la volée. J'essaie de me faire intéressant!

Les autres rirent et cherchèrent une position confortable dans leur fauteuil en attendant la suite. Celle-ci ne mit pas long à venir.

— C'est notre chère Élizabeth qui m'a contacté après avoir eu vent de notre aventure avec le livre noir il y a trois ans. À la suite de l'arrivée de monseigneur Langlois qui me donna carte blanche pour effectuer des recherches sur le sujet, nous avons travaillé de concert pendant quelque temps et les nouvelles informations dont elle m'alimenta m'ouvrirent les yeux. Tout était beaucoup plus simple qu'il n'y paraissait au départ. Alors que le cardinal Rouleau s'obstinait à accepter la thèse selon laquelle les caïnites seraient à l'origine de la création des grands livres pensants de magie occulte, les nouvelles enquêtes lancées depuis longtemps en Europe révélaient tout autre chose. N'allez surtout pas croire que je tends ici à critiquer le prédécesseur de notre actuel évêque! Seulement, les temps changent, les années passent, de nouvelles découvertes sont faites et nous devons nous adapter. Les livres pensants, comme ils les appellent de l'autre côté de l'océan, ne seraient pas si vieux qu'on le croyait au départ. En fait, on ne les nommait pas des agrippas pour rien. Car notre ami Henri Corneille Agrippa n'était pas seulement mage. Il était aussi alchimiste. Et grand admirateur de Nicolas Flamel qui, selon toute vraisemblance, aurait trouvé le moyen de produire l'élixir ultime de transmutation, ou si vous préférez, la pierre philosophale. Nos amis européens nous ont apporté la preuve qu'Henri Corneille Agrippa est celui qui a donné vie aux livres pensants. Et si j'utilise le pluriel, c'est qu'il serait dit et écrit qu'Agrippa aurait créé cinq de ces livres de magie occulte. Et si Agrippa est le seul homme dans l'Histoire de l'humanité à avoir prêté vie à une chose inerte, c'est qu'il a eu accès à la force ou au pouvoir de transmutation! Cinq agrippas, mes amis, des créatures parfaites du point de vue magique, occultiste et alchimique! Des égrégores[1]

---

1. On appelle égrégore une manipulation consciente d'énergie cumulée par une ou plusieurs personnes vers un but ou une croyance définis. L'Église catholique peut être considérée comme un exemple d'égrégore : la foi de millions de personnes a créé un puissant égrégore qui a survécu à travers 2000 ans d'histoire.

puissants et indépendants qui ont subsisté à travers les siècles.

Un tintement léger se fit entendre que Laberge perçut comme une défaillance. Il ne broncha pas, mais tendit l'oreille du côté d'Élizabeth Montjean. Elle se trouvait juste devant lui, un peu sur sa droite. Il constata qu'elle avait laissé tomber sa cuillère au creux de sa tasse. Il se tourna lentement sur sa droite pour rencontrer le regard d'Albert. Le discours de Coppegorge ramena les deux hommes à la réalité.

— Donc, si nous récapitulons, à partir de ce jour, trois agrippas devraient encore se trouver enfermés en terrain inconnu.

— Je suis désolé de vous interrompre, Théodore, dit Laberge, mais vous affirmiez il y a à peine quelques instants qu'il y aurait en tout cinq agrippas. Si nous en avons un, il devrait en théorie en rester quatre à trouver.

— C'est justement là qu'intervient la magie, mon ami! La magie du hasard, ou du destin!

Coppegorge s'approcha de la grande carte géographique et pointa la région de l'Europe de l'Est à l'aide de sa baguette.

— Il y a environ trois mois, poursuivit-il, dans la ville de Târgovişte, située dans le sud de la Roumanie, non loin de Bucarest, un phénomène étrange a été colporté par la population – surtout par le peuple tzigane.

Coppegorge, toujours bien préparé, tira un second store qui couvrit le premier, afin de révéler une carte de la Roumanie tout entière.

— Je ne veux pas m'étendre dans un cours de géographie ennuyeux, rassura-t-il aussitôt son auditoire. Aussi je serai bref. Depuis le Xe siècle, sur la terre de ce pays, trois principautés ont traversé la domination des Turcs ottomans, des Hongrois, des Autrichiens, des Russes et même des Allemands, lors de la Grande Guerre dont le monde tente encore de se relever. Ces trois principautés étaient : la Transylvanie, au nord; la Moldavie, à l'est et la Valachie, au sud. Elles ont finalement été réunies il y a à peine huit ans, avec le retour de la Transylvanie, pour former le pays roumain tel que nous le connaissons aujourd'hui. Comme je le disais plus tôt, c'est donc à Târgoviște qu'un homme à l'allure plutôt étrange aurait été trouvé en train de défoncer un caveau dans l'ancien cimetière de la ville. Les Tziganes ont cru à un démon et ont tenté de l'arrêter. Mais selon leurs dires, l'homme aurait usé de magie pour les en dissuader. Il aurait pris la fuite en emportant un livre arraché au caveau. Un livre couvert de chaînes...

— Ça me rappelle vaguement quelque chose, coupa Laberge. Pas toi, Albert?

Pour toute réponse, l'autre lui décocha un regard dubitatif.

— Mais mieux encore, reprit Coppegorge sans relever la remarque ironique de son ami, un poursuivant particulièrement tenace aurait talonné l'étranger en fuite jusque dans les ruines de l'ancien palais. Je souligne ici que Târgoviște fut la capitale de la Valachie au XIVe siècle, alors que cette région du sud de l'actuelle Roumanie était encore une principauté.

— Au risque de me tromper, intervint Laberge, ce palais a aussi vu passer à cette époque le fameux voïvode Vlad

Ţepeş, celui qu'on a surnommé l'Empaleur et qui est à l'origine du roman bien connu de Bram Stocker, *Dracula*.

— Tu as tout à fait raison, mon ami. Mais pour finir mon histoire, l'étranger serait disparu sous les yeux de son poursuivant, en se fondant dans l'un des murs de pierre du palais.

Un silence pesant tomba sur la salle, troublé par le soubresaut des ombres projetées par le feu dansant de la cheminée.

L'évêque se leva et rejoignit l'archiviste devant la carte géographique en couleurs.

— Mes amis, tout cela doit être porté à notre plus sérieuse attention. Ces éléments sont trop importants pour être pris à la légère. Dans la cité du Vatican, tout comme dans la section de Paris qui nous a contactés à ce sujet, nos amis de l'ARC sont inquiets et alarmés. Ils ne disposent plus d'aucun homme disponible et c'est pour cette raison qu'ils font appel à nous. Édouard, tu as l'expérience du terrain, tu as fait face à l'un de ces livres pensants de magie, tu as déjà séjourné autrefois en Roumanie, tu y as des contacts et tu connais les rudiments de la langue de ce pays. Ta mission, si bien sûr tu l'acceptes, est de te rendre en Valachie, à Târgovişte, dans les plus brefs délais, afin d'enquêter non seulement sur le vol du mystérieux livre enchaîné, mais aussi sur la disparition de notre étrange visiteur. Et s'il s'avère que ce livre est bel et bien l'une des créations d'Henri Corneille Agrippa, il te faudra nous le ramener.

— Le ramener ici?

— C'est la demande de l'ARC.

115

Laberge en resta coi.

Ils avaient dormi comme des loirs.

Cela pouvait encore se lire sur leur visage. Même après un copieux petit déjeuner.

Albert Viau et Édouard Laberge, debout devant le bureau de l'évêque, recevaient leurs dernières instructions.

Albert, en possession de la clé de son Modèle T, avait été formé sur le fonctionnement du raphigraphe, qu'il n'avait d'ailleurs pas mis grand temps à maîtriser.

Quant à Édouard Laberge, intérieurement fébrile, il écoutait attentivement Langlois. Il n'était pas au bout de ses peines.

L'évêque poussa devant lui sur le bureau un grand pli chargé.

— Tu trouveras à l'intérieur de cette enveloppe, expliqua-t-il, de l'argent comptant et des bons au porteur du Dominion, pour que tu puisses te procurer là-bas des devises européennes. Il y a également un sauf-conduit cautionné par le diocèse et le Vatican, valable pour toute l'Europe. Je présume bien sûr que ton passeport est valide.

— Oui, Monseigneur. Il a d'ailleurs été renouvelé il y a six mois sous le nouveau format bilingue[1].

— C'est bien, car tu en auras besoin pour ton vol en direction de l'Allemagne.

---

1. Le passeport sous forme de livret fut adopté par le Canada en 1921. Le premier passeport bilingue vit le jour en 1926. Depuis 1919, les passeports canadiens en temps de paix sont valides pour cinq ans.

— Mon… mon vol?

— Nous n'en sommes plus réduits seulement à l'ère des paquebots! Et comme je savais que tu accepterais cette mission, j'ai pris sur moi d'utiliser mes contacts aux États-Unis pour t'obtenir un billet sur la ligne aérienne transatlantique au départ de Lakehurst, dans le New Jersey, qui fait la navette avec Friedrichshafen en Allemagne.

— Vous êtes sérieux?

— Tout à fait! Tu pourras prendre le train d'ici jusqu'à Massena et ensuite te rendre à Lakehurst. Tu t'embarqueras dans deux semaines sur le grand dirigeable ZR III USS Los Angeles. Et que Dieu te garde, mon ami! Car cet engin ne met que quatre-vingts heures pour rejoindre l'Allemagne!

— Rien que quatre-vingts heures…

Laberge était pensif. Il se sentait prêt à braver n'importe quel danger pour avoir la chance de monter dans un de ces dirigeables.

— Je savais qu'à l'aéroport de Saint-Hubert, reprit-il, de gigantesques travaux étaient en cours, entres autres pour la construction d'un mât d'amarrage qui servira aux dirigeables de la Grande-Bretagne. Et croyez-moi, je ferai tout mon possible pour être présent lorsque le premier zeppelin viendra s'y ancrer. Mais traverser l'océan à bord de l'un d'eux dépasse toutes mes espérances! Tu te rends compte? s'exclama-t-il en donnant une tape dans le dos d'Albert.

— Je ne voudrais surtout pas refroidir ton enthousiasme, répondit ce dernier, mais personnellement, je préfère garder les deux pieds sur terre.

— Édouard, tu trouveras la feuille de confirmation pour ton embarquement dans l'enveloppe, indiqua Langlois. Tu pourras joindre ta destination finale par voie fluviale via l'Autriche et la Hongrie. Un coopérant t'attendra aux Portes de Fer[1], dans la petite ville d'Orşova à la frontière roumaine. On m'a d'ailleurs laissé savoir que ce coopérant faisait partie de tes connaissances. Il s'appelle Christian Cartarescu.

— Oh Monseigneur, fit Laberge en affichant un sourire obligeant, Christian est beaucoup plus qu'une connaissance… C'est un ami.

— Je te souhaite la meilleure des chances, Édouard. Tu as encore du temps pour te préparer. Je sais que ce que nous te demandons est énorme. Sois assuré que notre gratitude le sera tout autant. Et sois prudent aussi. Reviens-nous vite avec cet agrippa.

— Je songe dans un premier temps à revenir dans quelques jours. Vous n'avez pas d'objection à ce que j'habite à l'évêché jusqu'à mon départ?

— Aucunement. Tu es le bienvenu.

Avant de ramasser son enveloppe, le curé se pencha pour embrasser la bague de l'évêque. Albert l'imita.

Ils quittèrent le bureau sans jeter un regard en arrière.

---

1. On parle des Portes de Fer pour désigner une gorge du Danube. Elle constitue une partie de la frontière entre la Serbie et le sud-ouest de la Roumanie. C'est à cet endroit précis que le fleuve sépare le sud des Carpates des montagnes des Balkans.

Le chaud soleil se frayait un passage dans la cour arrière de l'évêché, filtré par les branches des arbres ballottées par le vent. Un jeu remarquable d'ombre et de lumière animait le sol de gravier fin sous les pas des deux hommes qui se dirigeaient en silence vers un camion Ford Modèle T de couleur noire.

Ils jetèrent machinalement leurs sacs de voyage dans la caisse arrière.

Albert ouvrit la portière du conducteur et déposa délicatement, entre les deux sièges, le coffre en bois contenant son raphigraphe. Il s'installa ensuite derrière le volant. Laberge le rejoignit du côté passager et claqua sa portière avant d'abaisser la vitre.

— Je crois que notre retour vers Sainte-Clotilde sera chaud et poussiéreux, dit-il le regard droit devant lui.

Albert restait muet. Le bruit de ses doigts pianotant sur le volant s'ajoutait au souffle du vent dans les feuilles des arbres pour briser le silence inquiet qui pesait dans la cabine du camion.

— Qu'est-ce qu'il y a? demanda le curé en détachant son collet de chemise.

— Alors c'est bien vrai, questionna Albert sur un ton incrédule, tu vas t'embarquer dans cet espèce de gros cigare volant et te rendre là-bas, dans ce pays perdu?

— Oui.

— C'est loin.

— En effet.

— C'est dangereux.

— Je sais.

Nouveau silence.

119

— Il faut que je te dise quelque chose d'autre, se risqua Albert.

Laberge se tourna vers son compagnon en guise d'approbation et attendit son commentaire.

— Je… je ne sais pas conduire, glissa timidement Albert en regardant droit devant lui.

— Pardon?

— Est-ce que je dois vraiment répéter?

— Non, non… Mais quand tu as vu d'autres personnes conduire, tu as sûrement porté attention à leurs gestes?

— Jamais.

— Bon, alors échangeons nos places et je prendrai le volant, c'est tout.

— Pas question. C'est mon Modèle T et jusqu'à Sainte-Clotilde j'aurai amplement le temps de me familiariser avec lui. Avec tes bons conseils, bien sûr…

— Bien sûr… fit Laberge en levant les bras au ciel. Alors allons-y, dit-il en empruntant à son tour un ton légèrement impatient, sachant trop bien que le voyage risquait d'être plus long que prévu.

Albert inséra la clé dans le contact et la tourna vers la gauche. Il s'arrêta et regarda le curé.

— Tire la manette de l'étrangleur et appuie sur le démarreur.

Albert ne broncha pas.

— Ça ne marchera pas, dit-il posément.

— Mais si, ça va marcher. Essaie!

— Non, ça ne marchera pas. L'évêque m'a dit que la batterie était morte. Il faudrait que tu ailles en avant pour lui donner un coup de manivelle.

Le visage du curé s'empourpra.

— Tu ferais bien de ne pas lambiner sur le chemin du retour, dit-il d'un ton excédé. Je n'ai pas envie d'arriver à la nuit tombée!

Le vent chaud lui fouetta le corps lorsqu'il descendit du véhicule.

Et le premier coup de manivelle qu'il donna fut si furieux que le moteur démarra soudainement jusqu'à faire fuir tous les oiseaux cachés dans les arbres.

À travers le pare-brise, Laberge pouvait voir un large sourire illuminer le visage d'Albert Viau.

Il éclata de rire à son tour.

4

Târgoviște, *principauté de Valachie.*
Le mercredi 7 août 1444.

À l'abri dans ses appartements jouxtant son laboratoire-atelier dans un coin retiré du palais, Octavian soignait ses blessures. Quelques minutes plus tôt, il avait procédé sur son corps à l'inventaire des endroits douloureux.

Ce qui le faisait le plus souffrir, c'était une sévère contusion au visage sur laquelle il appliqua généreusement une solution à base d'arnica pour favoriser la résorption de l'ecchymose. Il soigna aussi une blessure au cou causée par un éclat de pierre, une blessure à la main et une morsure ouverte au mollet que sa crème au calendula se chargea de désinfecter. Pour le reste, son dos était en compote et le coup de bâton reçu en pleine poitrine lui causait des douleurs à chaque inspiration. Au moins était-il assuré de n'avoir aucune côte cassée.

Il avait été fou d'effectuer pareil voyage en territoire inconnu sans seulement avoir revêtu une brigandine ou des protections de cuir bouilli.

Mais qu'est-ce que je dis là! En territoire inconnu! J'étais ici même!

Maintenant qu'il avait rapporté l'*Agrippa* avec lui, que l'entité s'était en quelque sorte donnée à lui, il pourrait dire la vérité à Vlad Dracul sur le but et les détails de son escapade dans le temps. Et cela expliquerait du même coup pourquoi il avait la moitié du visage tuméfiée. Jamais il n'aurait cru un vârcolac capable de frapper aussi fort. Il n'en avait plus revu depuis son enfance, alors qu'il avait regardé de loin un groupe d'hommes en brûler un à l'huile de graines d'ortie.

Torse nu, Octavian ne portait pour tout vêtement qu'un ample pantalon noir retenu par une large ceinture de cuir de même couleur, ornée d'une boucle ronde en cuivre présentant des motifs labyrinthiques. Il s'avança à pas alourdis, tout en retirant ses bracelets de cuir, vers le livre enchaîné et suspendu à un crochet planté dans une poutre du petit logis.

À son approche, le livre se mit à basculer au bout de la chaîne et un long sifflement se fit entendre, comme si un vent venu de nulle part avait traversé les maillons rouillés avec une force obscure.

Délivre-moi de mes chaînes…

Un frisson courut dans le dos douloureux d'Octavian, qui sentait dans ces simples mots la capacité du mal à se répandre. Il questionna l'entité en massant sa main droite qui le faisait toujours souffrir.

— Qu'as-tu à m'offrir pour que j'aie traversé le temps à ta recherche au péril de ma vie? Quel pouvoir possèdes-tu donc pour que les hommes t'aient enfermé de la sorte? Comment ai-je pu me laisser attirer par pareille folie?

Octavian plongea son visage entre ses mains, conquis par la fatigue.

— Si tu tiens réellement à ce que je te libère de tes chaînes, poursuivit le mage, tu dois d'abord m'assurer d'être mon allié et non mon ennemi. Je n'ai pas risqué ma vie pour te récupérer dans le but de te craindre. Moi-même, je ne tiens pas à te nuire. J'ai besoin de force et de puissance. Aide-moi! Et tu seras libre!

Le livre trembla et le sifflement se fit plus aigu, au point qu'Octavian recula instinctivement.

Rends-moi libre et je ferai de même pour toi et les tiens! Je vous aiderai à vous libérer du joug de ceux qui vous oppressent et vous font peur. La gloire rejaillira sur toi et tu affermiras ta position à la cour de ton seigneur.

Quand le grand mage baissa les yeux, il vit une région bleutée traverser sa poitrine. Le coup de bâton avait vraiment porté.

Rends-moi libre et je guérirai tes blessures. Je te montrerai de quoi je suis capable et tu comprendras toute l'étendue du pouvoir auquel tu pourras accéder grâce à moi. Je t'en conjure! Libère-moi maintenant! Tu n'as plus à attendre. Nous serons libres et puissants. Ensemble! Libère-moi! Libère-moi!

Octavian était fasciné par l'entité. Jamais il n'avait observé pareil phénomène. Le livre frissonnait, tremblait, bougeait; ses couvertures de cuir noirci cognaient contre la résistance des chaînes qui l'entouraient. Le sifflement semblait provenir de partout à la fois.

Libère-moi, libère-moi, libère-moi…

Les mots revenaient sans cesse dans son esprit et les mouvements cadencés du volume enchaîné produisaient sur sa raison comme un effet d'hypnose. Sa tête se mit à tourner et il recula malgré lui de quelques pas défaillants jusqu'à ce qu'il vienne s'appuyer contre une colonne de pierre au chapiteau ouvragé.

Son cri mit fin à l'agression massive de l'*Agrippa*.

— Assez!

Il recula encore jusqu'à se laisser choir dans le fauteuil usé qu'il avait quitté quelques instants auparavant.

— Assez, je t'en prie… Ne fais pas ça…

Libère-moi, mage…

— Comment peux-tu seulement penser que je ne te libérerai pas! J'ai parcouru les siècles pour te retrouver! Sers-moi et tu seras libre!

Alors brise mes chaînes et je te montrerai ce que je recèle. Brise mes chaînes! Cette nuit! Maintenant!

— Assez, j'ai dit!

Octavian s'était raidi, offensé d'être à ce point poussé et provoqué. Sa tête était encore douloureuse et il n'avait aucune envie d'être harcelé de cette façon. Il s'effondra de nouveau au fond de son fauteuil et pointa le doigt vers le livre en guise d'avertissement. L'entité cessa aussitôt son manège.

— Laisse-moi le temps, souffla le mage, trop fatigué pour discuter. Laisse-moi trouver les outils nécessaires.

Octavian se rendit péniblement devant un grand bahut marqué par le temps, installé dans un coin de son laboratoire. Les deux tiroirs du haut, situés côte à côte, se démarquaient par leurs poignées de bois sculptées en tête de gargouille. Il ouvrit lentement l'un des tiroirs pour découvrir toute une collection de poinçons et de ciseaux capables de travailler bois et métaux. Un marteau de forgeron était rangé à l'extrême droite. Il s'en empara, ainsi que d'un ciseau à chaud de deux centimètres de large, puis revint vers le livre toujours immobile.

— Je vais te décrocher et te libérer. Sois patient, entité...

Octavian décrocha le livre noir avec précaution, comme pour éviter de le provoquer, trop faible qu'il était pour seulement songer à lutter. Il le déposa sur le sol dallé de larges pierres et s'agenouilla. Prenant le ciseau et le marteau, il fixa intensément la maille retenant le croisement des deux chaînes qui entouraient le livre. Sa fatigue et les douleurs qu'il ressentait sur l'ensemble de son corps amenuisaient son effort de concentration. Il continua de regarder la maille jusqu'à ne plus rien voir d'autre. Puis il se concentra sur une seule moitié de celle-ci, vidant l'air ambiant de toutes les particules d'oxygène le composant pour les fixer à cette partie de fer et initier une combustion. Sa respiration s'accéléra comme s'il avait du mal à faire entrer l'air dans ses poumons, des larmes coulèrent de ses yeux, des courants de chaleur le parcoururent jusqu'à le faire frissonner, mais son regard resta attaché à l'union soudée qui se mit tout à coup à rougeoyer d'un éclat sombre. Le mage se savait affaibli, mais il voulait libérer le livre, il devait le libérer...

Le rouge passa à l'orangé et Octavian sentit le livre bander ses couvertures de cuir inattaquables comme dans un ultime effort pour s'arracher à ses chaînes. Le mage plaqua le ciseau contre la maille rougie puis la frappa d'un coup solide.

La chaîne éclata et lui fit perdre le ciseau en le frappant au poignet. Octavian bascula et alla se cogner le visage contre le dallage. Le livre s'ouvrit brutalement en une explosion soudaine, se souleva dans les airs puis s'affala sur la pierre froide au côté de son libérateur.

Celui-ci ouvrit lentement les yeux, le visage toujours plaqué contre le sol, apercevant le livre ouvert à deux mètres de lui.

Un léger brouillard inodore s'échappait d'entre les pages.

La flamme des bougies s'intensifia graduellement jusqu'à doubler l'éclairage de la pièce.

Le brouillard qui montait en ligne droite vers le plafond rejoignit les murs et sembla tout à coup adopter des allures d'ombres rampantes.

Octavian recula vers un coin de la pièce en se glissant difficilement sur le sol. Une peur nouvelle et inconnue s'empara de lui en une étreinte invisible.

Face à lui, les ombres se regroupèrent pour se fondre sur le mur en une forme unique.

Une forme qu'on aurait pu croire humaine.

Calme et basse, une voix retentit de partout à la fois.

— Je suis Eurynome, le gardien du savoir du livre noir. Crains-moi, faible créature, respecte-moi! Et je t'aiderai à réaliser tes rêves de conquête.

Ébranlé, le mage parvint néanmoins à se remettre debout. Il avança vers le centre de la pièce jusqu'à ce qu'il soit tout près du livre, par terre à ses pieds.

— Je me nomme Octavian, dit-il d'un ton tranchant et sans réplique en surmontant son angoisse. Et si toi-même tu me respectes, créature de l'enfer, alors je te respecterai aussi. Et ensemble nous pourrons parler de conquêtes.

Un rire profond, rauque et guttural, cascadant de partout à la fois, emplit la pièce.

Du dos de la main, Octavian essuya l'eau qui lui brouillait encore la vue.

— Si tu me laisses la liberté, expliqua le démon qui se faisait appeler Eurynome, je t'enseignerai ce que je suis, en tant que gardien du savoir. Tu pourras utiliser tes nouvelles connaissances alliées au pouvoir du livre ouvert, même à distance. Le lien subtil qui vous unira, qui nous unira, sera toujours présent et maintenu. Rien dans le temps ne pourra te résister. Tu pourras viser un seul homme ou encore des armées entières. Un objet unique ou un grand nombre. Seule ton imagination sera ta limite dans le temps.

— Montre-moi ce que tu affirmes, Eurynome. Montre-moi le pouvoir du livre, lança brusquement Octavian comme pour inciter l'entité à lui démontrer son pouvoir.

L'ombre d'Eurynome se déplaçait lentement le long du mur, forçant Octavian à se tourner pour ne pas le perdre des yeux. Il vociféra presque malgré lui lorsque la douleur lui rappela ses blessures au dos.

— Laisse-moi te guérir de tes blessures, Octavian…

— Rien ne me ferait plus plaisir, gémit le mage qui grimaçait de douleur.

Il ferma les yeux en attendant un quelconque soulagement qui ne venait toujours pas. Un râle sibilant provenait de l'intérieur de son crâne et emplissait ses oreilles qu'il sentait graduellement se boucher. Il se força à déglutir afin de chasser ce phénomène, mais rien n'y fit.

Il sentit soudain la douleur dans son dos disparaître de façon presque spontanée. La même chose se produisit pour sa jambe, son cou, son visage…

Octavian ouvrit subitement les yeux pour se rendre compte que rien n'avait changé. Sauf lui. En portant les mains à son visage, cette sensation du toucher à cette partie de son corps qu'il connaissait si bien lui parut différente.

Il se leva d'un bond pour se rendre devant une glace polie dans un grand cadre de bois.

L'ombre d'Eurynome le suivit jusqu'au bord de la glace.

— Vois comme tu as guéri, dit-il simplement de sa voix provenant de tous les murs de la pièce.

— Que m'as-tu fait? cracha Octavian, fou de rage. Tu m'as rendu vieux!

— Le temps a guéri tes blessures, mage… N'est-ce pas ce que tu voulais?

— Je voulais guérir, pas vieillir! Tu as fait de moi un vieillard, démon malfaisant!

— C'était pour t'aider…

— Rends-moi mon apparence, et mon âge!

— Écoutes-tu seulement quand je te parle?

Octavian tremblait en voyant l'ombre du démon s'animer sur le mur à droite de la grande glace.

— Il n'y a que toi ici qui aies vieilli! Si tu devais sortir de tes appartements, personne ne pourrait te reconnaître! Tu serais un inconnu aux yeux de tous et ton espérance de vie se verrait réduite malgré tes dons de magie. Vois-tu à quel point tu dois me respecter, créature humaine?

— Tu as sans aucun doute droit au respect, créature d'ailleurs, mais n'oublie jamais qui t'a libéré. C'est moi! Moi!

L'ombre disparut subitement du mur et le sifflement se fit de nouveau entendre dans les oreilles d'Octavian. Lorsque tout s'arrêta, son visage avait retrouvé son apparence normale. Aucune douleur ne le tourmentait. Seule une partie sombre et à peine sensible sur l'une de ses pommettes faisait preuve du coup reçu par le vârcolac.

La voix d'Eurynome retentit de partout à la fois.

— J'ai devancé la guérison de tes blessures en te faisant faire un bond dans le temps de quelques jours seulement. Tu vois maintenant ce dont le livre est capable et les secrets qu'il renferme.

— Oui, je vois… laissa échapper Octavian alors qu'une idée germait dans son esprit. Une assemblée des chevaliers de l'Ordre du Dragon[1] aura lieu bientôt, le mois prochain, ici même au palais. Je dois être prêt!

— Tu le seras, mage. Crois-moi, tu le seras.

En ce dimanche 1er septembre 1444, la pluie tombait à verse.

---

1. L'Ordre du Dragon fut créé en 1408 par le Saint Empereur Romain Germanique Sigismond de Luxembourg, qui régnait alors sur la Hongrie. L'Ordre était dédié à la défense de la Croix face à ses ennemis et particulièrement face aux Ottomans. L'objectif premier de l'Ordre était la mort du sultan Murâd II.

Et entre les murs de la salle des chevaliers du palais de Târgovişte, des entretiens tout aussi orageux ne manqueraient pas de se produire.

Cette salle imposante, calme puisque vide pour l'instant, était le théâtre depuis des années de débats animés et de complots secrets. De forme rectangulaire aux proportions considérables, cette chambre d'assemblées ou de réunions, située au rez-de-chaussée du bâtiment principal, était le cœur même du palais. Les lois y étaient votées, les décisions importantes y étaient prises et parfois, justice y était rendue. On y accédait directement par la cour intérieure et le seul mur donnant sur l'extérieur, contigu à l'église, ne possédait aucune fenêtre. De larges tapisseries célébrant l'amour courtois ou les grandes batailles du passé y étaient suspendues. Cloisonnée de massives murailles de pierre et de briques, l'air était frais à l'année dans cette pièce, mais l'odeur de la cire brûlée des bougies y régnait, omniprésente. Le sol était dallé de marbre noir strié de blanc, tandis que le plafond de bois était retenu par d'énormes poutres de châtaignier taillées à la scie de long. Le mur intérieur comportait une majestueuse cheminée ornée de sculptures représentant les quatre saisons, flanquée en plein centre des armoiries de la Valachie – un aigle tenant une croix dans son bec placé entre un croissant de lune et un soleil. On retrouvait aussi, tout le long de ce mur, diverses armures de collection ainsi que des supports de bois teint contenant épées et armes d'hast. Accolée au mur du fond, une plate-forme de pierre, surélevée d'un mètre et d'un peu plus de trois mètres de profond, formait une tribune où était posé le grand siège du voïvode au-dessus duquel pendaient des bannières multicolores aux effigies multiples, tels les blasons de la Valachie et de l'Ordre du Dragon. Pièce maîtresse, la monumentale table de réunion en noyer noir, aux dimensions d'un mètre cinquante par six mètres, avait une épaisseur de treize centimètres. En son centre était enchâssée une vasque remplie d'eau – remplacée chaque jour –, sculptée dans un bloc de calcaire blanc de soixante-dix centimètres de diamètre. Nul n'avait le droit de tremper ses doigts dans l'eau de cette vasque. Elle avait pour unique fonction de servir à une femme exceptionnelle aux yeux du voïvode. Une femme ayant accès aux augures et aux arts divinatoires. Celle-là même qui entrait dans la salle des chevaliers : Sânziana, la Tzigane géomancienne.

Sânziana arrivait toujours la première avant une réunion du conseil de l'Ordre du Dragon. Discrètement, elle faisait tout en son possible pour favoriser les réunions des nobles chevaliers qui en faisaient partie. La belle Tzigane aimait à faire le tour de la salle avant toute manifestation. Elle marchait lentement, d'une démarche féline et assurée, sa main fuselée et baguée d'or traînant le long de la grande table. Son incontestable magnétisme cherchait une onde oubliée ou imprégnée, un talisman laissé par un ennemi du prince. Toute forme porteuse d'énergie négative pouvait nuire au déroulement d'une assemblée, à l'entente des participants ou à la validité des décisions. Rien ne devait être laissé au hasard.

Parvenue à la tribune, elle se retourna et s'y appuya afin d'embrasser la salle du regard.

Tout semblait parfait.

AGRIPPA

Si, à ce moment précis, quelqu'un avait pu l'embrasser, elle, du regard, il aurait sans hésitation aucune put affirmer la même chose.

Elle était parfaite.

La géomancienne de trente-sept ans respirait la confiance en soi. Et c'est particulièrement ce que le voïvode Vlad Dracul[1] appréciait d'elle. Son charme était perçu par certains comme une menace, et par d'autres comme un enchantement.

Sa longue chevelure noire tombait en boucles, couvrant le haut d'un élégant casaquin de couleur rouge aux larges manches ajustées aux poignets, agrémenté d'une petite veste casaque ornée de boutons d'or. Une jupe longue et ample, entièrement noire, soulignait gracieusement sa taille élancée et cachait presque entièrement ses bottes à hauts talons.

À l'intérieur de cette salle, aucune lumière naturelle ne pouvait mettre en valeur le vert profond de ses yeux. Seul l'habile maquillage qu'elle y appliquait arrivait à faire ressortir tout le mystère qui s'en dégageait. Son regard, remarquable dans un visage affiné à la peau nette, lui conférait un air altier qui impressionnait.

En face d'elle, à l'autre bout de la salle, l'huis tourna sur ses gonds pour laisser passer un homme si imposant qu'il se pencha instinctivement en traversant l'embrasure de la porte.

C'était Tihomir, le chef de la garde rapprochée du voïvode.

---

1. Après que Vlad II eut rejoint l'Ordre du Dragon en 1431, les nobles de Valachie prirent l'habitude de l'appeler le Dragon, *Dracul* en roumain. C'est à partir de cette appellation que les historiens le surnommèrent, lui et ses descendants, les *Dracula*.

Sans dire un mot, il examina la salle d'assemblée.

Puis il marcha vers Sânziana, chacun de ses pas produisant un bruit inquiétant et cadencé provoqué par ses hautes bottes, les armes fixées à son ceinturon et la cotte de mailles qu'il portait sur son justaucorps. Une large cape de velours noir ondulait derrière lui au même rythme que ses pas.

— J'ai déjà fait le tour, Tihomir, lança la géomancienne alors que le géant arrivait à sa hauteur. Il n'y a rien. Cependant, sans pouvoir me l'expliquer, je sens comme un doute à l'intérieur de moi.

— Peut-être redoutes-tu seulement les temps à venir, lui répondit-il en continuant néanmoins d'examiner les alentours.

— Je ne les redoute pas, Tihomir. Je regrette simplement qu'ils doivent arriver.

Le chef des gardes retourna vers la porte. Sânziana ne voyait dans son dos que ses longs cheveux et le mouvement de sa cape.

— Maudits Ottomans, l'entendit-elle dire avant qu'il ne quitte la pièce, et maudits Hongrois!

Un sentiment de solitude l'envahit lorsque la solide porte se referma en un bruit sourd.

L'Ordre secret du Dragon avait été créé à l'origine par un chevalier serbe du nom de Miloš Obilić. Seulement douze chevaliers, y compris son fondateur, composaient l'Ordre.

C'est à la bataille de Kosovo, le 15 juin 1389, que Miloš pénétra dans le camp des Ottomans et força la tente du sultan pour lui porter un coup mortel. Il fut exécuté avec tous les prisonniers serbes pour cet affront.

Un seul des chevaliers de l'Ordre du Dragon survécut à cette bataille.

Dix-neuf ans plus tard, le 13 décembre 1408, sous l'initiative de Sigismond de Luxembourg, roi de Hongrie, l'Ordre renaissait de ses cendres. Vingt-quatre membres prestigieux furent intronisés en cette occasion, parmi lesquels Sigismond de Luxembourg; le despote Stefan Lazarevic de Serbie; le roi Alphonse V d'Aragon et de Naples; le roi Ladislas III de Pologne; le Grand prince Vitovd de Lithuanie; le duc Ernst d'Autriche; Christophe III, duc de Bavière et roi du Danemark.

En 1431, Sigismond décidait de donner plus de latitude à l'Ordre en invitant ses vassaux à en faire partie. Et parmi eux se trouvait Vlad Dracul, commandant de frontière, responsable de la garde des passages entre la Transylvanie et la Valachie.

Cet ajout de nouveaux membres fut à la base de la création de nombreuses sections au sein de l'Ordre. Et en cet après-midi sombre et pluvieux du 1er septembre 1444, c'était sur les membres de l'une de ces sections que la porte de la salle des chevaliers du palais de Târgovişte s'ouvrait.

Sûr, décidé, puissant de par sa seule présence, Vlad Dracul entra le premier, suivi de quatorze chevaliers d'élite issus de la noblesse régionale. Sa garde personnelle, composée de huit autres chevaliers incluant l'intimidant Tihomir, était déjà alignée de chaque côté de la salle. Il marcha vers le fond de la pièce pour se placer derrière le fauteuil situé au bout de la grande table. Les autres se rangèrent de la même manière, de chaque côté de celle-ci.

Ils étaient superbes, modèles de dignité et de discipline partageant les mêmes idéaux : la liberté de même que l'élimination de l'oppresseur menaçant : le Turc ottoman.

L'Ordre avait évidemment comme symbole un dragon. Ce dragon, recourbé en position circulaire, s'étranglait avec sa queue enroulée autour de son cou. Sur son dos apparaissait la croix rouge de Saint-Georges. Chacun des chevaliers portait sur lui ce symbole sous forme de médaillon. Comme tenue officielle, une cape noire était portée sur un vêtement rouge en souvenir de la Passion du Christ.

Le voïvode éleva la main devant lui et tous les hommes présents prononcèrent à l'unisson le *Justus et paciens*[1], mention incorporée au symbole de l'Ordre.

Ils prirent place aussitôt après dans un tumulte général de fauteuils déplacés.

Les coudes sur la table, le voïvode appuya sa tête contre ses mains en attendant le silence.

Recouverte d'une ombre dans un renfoncement de la salle, Sânziana gardait les yeux fixés sur l'homme au bout de la table, toujours fascinée qu'elle était par les entrées en matière de son prince.

— Nobles chevaliers, dit Vlad sans attendre – ce qui attira tous les regards –, je suis déçu. Non pas de vous, soyez

---

1. Juste et paisible. (Lat.)

rassurés! Mais de moi. Je dois admettre une grande erreur et je dois vous mettre au courant, car une situation inattendue s'est présentée sous la forme d'un messager m'apportant un pli confidentiel de la part du gouverneur général de la Hongrie, Jean Hunyadi, avec lequel j'entretiens une relation assez tendue, comme vous le savez tous.

Dans la pénombre, un sourire spontané apparut sur le visage de Sânziana.

— Le pli que m'a fait parvenir Hunyadi résume la volonté du roi Ladislas III de Pologne, actuel régent de la Hongrie, de carrément déclarer la guerre à l'Empire ottoman, et ce, malgré la trêve de dix ans signée en juillet dernier. Je n'y comprends rien! Ladislas jurait sur la Bible pendant que Murâd II jurait sur le Coran qu'aucun d'eux ne trahirait le pacte. C'est l'ambassadeur du pape qui a convaincu Ladislas qu'aucun engagement ne pouvait être valide avec les infidèles. Et maintenant, les Turcs se préparent! Ils ont eu vent de la coalition qui se forme. La Hongrie, la Pologne, l'Allemagne, la France, Venise et l'Empire byzantin mettent sur pied présentement une puissante armée. Et ils seront bientôt ici pour rejoindre les rives de la mer Noire. Quelle armée y sera la première? Si les Turcs débarquent les premiers, il n'y aura pas de quartier. Et nous ne pourrons leur résister. Ils prendront nos terres, feront de nous leurs vassaux et transforme-ront notre pays en *pachalik*[1] après avoir battu l'armée des croisés par l'avantage du terrain. De plus, ils compteront sur le fait que les Carpates forment une barrière naturelle entre

---

1. Mot turc désignant un territoire soumis au gouvernement d'un pacha.

nous et la Transylvanie pour espérer le retard de la coalition et nous prendre rapidement. Ce que Hunyadi veut, c'est que nous formions une garnison et que nous nous rendions à Varna au bord de la mer Noire afin d'attendre et de retarder les Ottomans au besoin. En fait, il nous envoie au massacre et au suicide.

L'explosion de mots formée des commentaires acides des membres de l'Ordre fut inattendue. Jamais le voïvode n'avait vu pareille réaction. Sânziana s'approcha en se retrouvant sur le bout de sa chaise, et même Tihomir toucha du bout des doigts la poignée de son épée à deux mains enfilée dans un baudrier derrière son épaule droite.

La forte voix de Vlad Dracul retentit dans la salle.

— Ce n'est pas tout! Ce n'est pas tout! Faites silence!

La cacophonie amplifiée par les murs de pierre et la dimension de la pièce cessa brusquement. La tension était tout à coup palpable. Sânziana, toujours sur le bout de sa chaise, sentait revenir le doute qui l'avait assaillie quelques heures plus tôt.

— Voici venir mon erreur, reprit le voïvode sur un ton plus tranchant. À la suite de la trêve signée l'été dernier, j'avais conclu une entente implicite, non formelle, avec les Ottomans. Question d'être assuré de leur bonne volonté. Je leur avais concédé un pied-à-terre non loin de la frontière bulgare afin de favoriser le commerce des denrées entre eux et la cité portuaire de Constanţa. En plus des avantages économiques que cette alliance apportait, elle assurait la paix et éloignait tout projet de conquête de la part des Turcs. Maintenant, je suis pris entre la coalition qui m'oblige à marcher contre les Ottomans, et ces derniers avec qui j'ai conclu des ententes! Si je leur fonce dessus et que l'armée de la coalition est battue, ils viendront ici, brûleront tout et nous massacreront jusqu'au dernier. Et si je m'oppose à la volonté du roi Ladislas, je serai accusé de haute trahison, exécuté et notre pays deviendra probablement quand même un *pachalik*.

Les commentaires explosèrent de nouveau et Vlad Dracul ne s'y opposa même pas. Lui qui avait seulement voulu protéger ses terres et assurer la liberté à son peuple se voyait confiné à une geôle dans laquelle la seule possibilité d'évasion restait la mort. La grande faucheuse s'apprêtait à faire ce qu'on attendait d'elle et il ne lui restait plus qu'à tendre le cou. Il venait en quelques instants de détruire l'icône qu'il représentait.

Les chevaliers réagissaient fortement et de façon imprévue. Même les gardes semblaient tendus et Tihomir tournait la tête dans tous les sens comme pour essayer de voir partout à la fois.

Le bruit du mouvement à bascule permettant d'ouvrir la porte de la salle n'attira l'attention de personne. Ce n'est que lorsqu'elle se referma avec force que les hommes présents tournèrent la tête dans sa direction.

Un homme à la mine sévère et au regard percutant était là, un livre noir et sans âge entre les mains.

— Assez! cria Octavian impérativement. La solution est là, dans ce livre…

Le voïvode le foudroya du regard.

— Ma mémoire ne me fait pas encore défaut, mage! Je ne t'ai pas fait mander!

— C'est vrai, *Mare voievod şi domn*[1], répondit Octavian d'une voix forte et assurée. Mais si je t'apporte l'arme absolue, l'arme ultime qui sera capable de nous débarrasser une fois pour toutes des Ottomans et du contrôle de la Hongrie, seras-tu disposé à m'écouter?

— Par le Christ, Octavian, as-tu perdu l'esprit?

Le silence était soudain si lourd dans la grande salle qu'on aurait pu entendre un esprit s'y perdre. Octavian ouvrit l'*Agrippa* face à l'assemblée. Ses pages semblaient remplies d'une écriture habilement calligraphiée, les caractères majuscules apparaissaient ornés et élégamment formés. Des symboles, adroitement enluminés, étaient disposés dans les marges et entre les paragraphes. Mais nul n'était assez près du livre pour en distinguer la langue d'écriture.

Soudain, les caractères formant les lignes sur les pages jaunies se mirent à s'estomper. La teinte même des pages se décolora, devenant rougeâtre, et un mouvement délicat, quoique perceptible, se manifesta à leur surface.

Un sourire béat s'épanouit sur le visage d'Octavian alors que l'assemblée restait troublée. Certains membres portèrent la main vers une de leurs oreilles, ressentant visiblement un malaise. D'autres sentaient leur respiration, ou encore leur rythme cardiaque, s'accélérer, sans comprendre la provenance du sentiment angoissant qui s'emparait d'eux.

Octavian pressentait son objectif sur le point d'être réalisé. L'image à atteindre qu'il visualisait dans son esprit

---

1. Grand voïvode et seigneur. (Roum.)

lui paraissait de plus en plus réaliste et le lien qui l'unissait au livre noir gagnait en force.

Il entreprit de traverser la pièce pour se rendre à la tribune de pierre face à lui, tout au fond. Les chevaliers le regardèrent passer sans broncher.

Puis il gravit les marches jusqu'à les dominer tous.

Un fin brouillard s'échappait maintenant d'entre les pages de l'*Agrippa*. Le rouge dominait toujours, comme une petite fournaise infernale entre les mains d'Octavian, visible de tous les participants.

Sânziana s'était plaquée contre le mur, tout au fond de l'angle de la pièce où se trouvait son fauteuil habituel. Elle pouvait sentir la fraîcheur des pierres tellement son visage en était proche. L'indisposition qu'elle ressentait la faisait paniquer intérieurement et elle ne s'expliquait tout simplement pas où le grand mage voulait en venir avec sa démonstration.

Un bruit sourd se fit entendre, qui eut pour effet de bloquer tout contact auditif des chevaliers présents. Ils se regardaient sans comprendre, sans percevoir le moindre son, tous privés de leur ouïe.

Puis tout redevint normal.

Vlad Dracul frappa la table de sa main ouverte avec une brutalité surprenante, faisant sursauter tout le monde.

— Qu'est-ce que tu essaies de faire? cria-t-il rageusement en se levant pour faire face au mage. Tu crois peut-être qu'il te suffit d'entrer ici et de nous assourdir avec ta magie pour considérer cela suffisant pour bouter nos ennemis hors de nos terres? Je te le redemande : Octavian, as-tu perdu la raison?

Le voïvode avait crié si fort et si furieusement qu'il en avait craché jusque sur les bottes du mage, devant lui sur la tribune.

Octavian referma l'agrippa d'un mouvement sec qui résonna brièvement dans la salle.

— D'après toi, grand seigneur, commença-t-il sûr de lui, combien de temps restait-il ce matin à la construction de la toiture en pointe de la tour Chindia lorsque tu as visité le chantier?

— Je... je n'en sais rien, répondit le prince. Peut-être de six à huit semaines de travail tout au plus.

— Si je te disais qu'elle est terminée, reprit Octavian d'un ton presque suave, que j'en ai avancé la construction de deux mois, comprendrais-tu où je veux en venir? Si je te prouvais que je peux contrôler le temps grâce à ce livre magique, ne croirais-tu pas qu'il nous serait dès maintenant possible de chasser l'envahisseur quel qu'il soit?

— Tu es fou! cracha encore Vlad Dracul. Je vais sortir et je verrai aussitôt l'état d'avancement des travaux entrepris sur cette tour. Si tu m'as menti...

Le voïvode traversa la pièce d'un pas agité, suivi de près par Tihomir. Il ouvrit la porte de manière brusque et se dirigea aussitôt sur sa droite jusqu'au bout de la galerie qui courait sur toute la façade du bâtiment principal. De là, il avait vue sur la tour qui fermait l'entrée de l'église.

La pluie tombait toujours à seaux, percutant bruyamment les tuiles de l'appentis couvrant la galerie.

Le faîte du toit surmontant la tour était entièrement terminé. Plus aucun matériau ne traînait sur le sol, plus aucun échafaudage n'était visible. Même la flèche de la pointe était telle qu'il l'avait commandée.

Il serra les poings et se tourna vers Tihomir.

Le chef des gardes avait encore les yeux rivés sur la tour.

Pressé de rejoindre la salle, Vlad somma son compagnon de le suivre.

En entrant dans la pièce, le voïvode s'adressa aussitôt à Octavian :

— Descends et explique-nous comment tu as réalisé ce prodige. Quelle est cette arme nouvelle que tu possèdes? Comment pourrions-nous l'utiliser contre nos ennemis?

Puis il se rendit au bout de la table et Tihomir lui tira sa chaise. Le voïvode s'assit et se laissa aller tout au fond du fauteuil.

Savourant son triomphe, Octavian descendit les marches de la tribune et passa devant Sânziana afin de bien contempler son expression de surprise.

Il choisit un endroit dans la pièce où tout le monde pourrait le voir. Il se plaça contre un grand chandelier sur pied qui comprenait une dizaine de bougies. Il tenait à ce qu'on observe bien son visage et le livre entre ses mains.

— Aucun homme, aucune nation ne peut se soustraire à son destin, entama-t-il. J'ai travaillé des années durant à ce que je croyais juste pour moi, pour toi grand seigneur et pour notre liberté à tous. J'ai participé à maints combats. Je crois fermement que si j'ai survécu jusqu'ici, c'était uniquement dans le but d'accomplir ma destinée : trouver le moyen de vaincre les Ottomans ou tout autre oppresseur capable de nous vassaliser.

— Arrête de discourir et viens-en au fait, le coupa le voïvode sur un ton impatient.

— Ce livre, que j'ai récupéré d'une façon dont je tairai la méthode tout comme les origines, m'a permis d'accéder à la maîtrise du temps. Bien que je n'aie pas terminé son étude, ni assimilé tout son savoir, le pouvoir qu'il renferme accepte de me servir... et par le fait même, de te servir, toi, mon prince. Un peu plus tôt, j'ai créé un cylindre temporel englobant la tour qui, telle une tornade, l'a emportée dans le temps. On peut arracher à la terre tout ce qui est physiquement visible et palpable dans notre monde. Moi, je peux l'arracher au temps.

— J'ai du mal à saisir la portée de la puissance d'un tel instrument, dit Vlad Dracul. Comment peux-tu être assuré de ton contrôle sur cette chose?

— Tihomir, émit le mage sans relever la remarque de son prince, tu es habile au lancer du couteau. Je te le demande. Essaie de m'atteindre.

L'homme jeta un coup d'œil en direction du voïvode, attendant son approbation. L'autre lui fit un signe de tête discret, quoique affirmatif.

Tihomir tira une solide dague de son ceinturon et fit passer la lame dans sa main. Tout en fixant la poitrine d'Octavian, il soupesa un instant l'arme blanche. Il tendit ensuite son bras jusque derrière l'épaule et la lança avec force dans la direction du mage.

Des murmures s'élevèrent aussitôt en même temps que la main droite d'Octavian.

La dague s'arrêta dans sa lancée à cinquante centimètres de lui.

Juste devant sa paume frôlée par la pointe d'acier forgé.

Les murmures redoublèrent.

Certains chevaliers se levèrent, sous le coup de la surprise.

Octavian s'approcha machinalement de l'arme, sans jamais la quitter des yeux, et déclara :

— Grâce à ce livre, je serai bientôt maître du temps... Je le commanderai à mon gré, et la seule limite à mon pouvoir sera celle que mon imagination voudra bien lui donner. La plus magnifique des caractéristiques magiques que l'on trouve entre ses pages est sans contredit celle qui permet d'altérer l'espace-temps. Ne serait-ce que pour accéder à la connaissance de ce seul chapitre, ma vie aura valu la peine d'être vécue. Il m'a permis d'apprendre que le temps est une dimension qu'il est possible de délier des trois autres dans l'espace ordinaire, afin de modifier la perception d'un observateur qui en a besoin pour situer un événement. Ce livre m'apprend tellement...

Lorsqu'il toucha la dague du bout de son index, celle-ci chuta droit au sol pour le percuter en un bruit de métal tintant.

Il la poussa du pied vers Tihomir.

— Combien d'hommes les Ottomans ont-ils postés sur nos rivages près de Constanţa? demanda-t-il à son seigneur en le regardant droit dans les yeux.

— Une garnison de trois cents hommes dans une petite fortification, répondit celui-ci.

Octavian serra le livre noir entre ses bras.

Et un sourire ingénu fit son chemin sur son visage.

Il avait l'attention de tous.

— Rejetons-les à la mer, dit-il simplement.

5

Caughnawaga, *Québec.*
Le dimanche soir, 12 août 1928.

Francis Fall Leaf versa l'eau bouillante sur les herbes à infuser. Celles-ci frémirent au contact du liquide brûlant, produisant de petits craquements secs. Une douce odeur se répandit dans la chambre mal éclairée qui constituait l'unique pièce de sa petite maison de bois.

La nuit était fraîche, confortable même, l'humidité délaissant déjà la saison estivale. Les grillons, tout comme les grenouilles, faisaient entendre leur chant en une symphonie nocturne bien connue des hommes depuis la nuit des temps.

Même si ses longs cheveux épais étaient presque blancs, l'Amérindien n'avait pourtant pas encore atteint la soixantaine. Cette chevelure impressionnante lui conférait toutefois un aspect empreint de sagesse, celle-ci étant reconnue par tous les membres de la nation mohawk vivant là, sur les bords du fleuve, face à l'île de Montréal.

Il déposa devant Édouard Laberge une tasse fumante.

— Tu joues avec les senteurs comme un peintre avec les couleurs, lança Laberge en humant les vapeurs s'exhalant de sa tasse. C'est définitivement poivré, mais je n'arrive pas à en identifier la source dominante.

— C'est que je ne sais pas si je devrais te livrer mon secret, répondit l'autre. Si je te donne la composition de ce mélange, tu me diras invariablement que c'est pourtant simple. Et il m'en a fallu du temps pour arriver à obtenir cette odeur!

— Pourquoi mets-tu toujours plus d'emphase sur l'odeur? Le goût est pourtant important! On la boit, cette infusion!

— Je suis très sensible aux odeurs…

Fall Leaf se laissa aller tout doucement au fond de son vieux fauteuil. Les deux hommes se trouvaient face à une grande fenêtre au cadre usé par le temps. Ils gardèrent ainsi le silence pendant quelques instants.

Laberge pouvait apercevoir son coupé Chrysler, stationné dans l'herbe haute sur le côté de la maison. Les roues et les ailes du véhicule étaient généreusement tachées de boue. Emprunter les chemins de la réserve avec une voiture propre le lendemain d'un jour de pluie ne représentait pas la meilleure des idées.

Curieux, il brisa finalement le silence, non sans avoir avalé une gorgée de l'infusion brûlante.

— Tu me la donnes, cette composition? J'aimerais bien en apporter un peu avec moi, si c'est possible.

L'Amérindien sourit. Les yeux fermés, il respirait le parfum complexe de sa création. Il se mit à en énumérer les ingrédients, à mesure que son délicat sens olfactif les détectait.

— Il y a… de la racine de réglisse. De l'écorce de cannelle. De la racine de gingembre. De la graine de cardamome broyée au mortier. Des clous de girofle et du poivre noir.

— C'est tout? s'étonna Laberge.

— Je savais que tu dirais ça…

Ils sourirent tous deux dans la pénombre.

Au loin, vers l'ouest, quelques reflets orangés teintaient encore le ciel, comme si l'incendie allumé par le soleil couchant n'avait pu encore être maîtrisé.

— Je ne te vois pas souvent, ami missionnaire, entreprit Francis Fall Leaf, mais je n'en considère pas moins notre amitié comme plus que sincère. Toutefois, je ne peux m'empêcher de souffrir quelque inquiétude. Car je sais que lorsque tu me visites et que, de surcroît, tu m'achètes des herbes à infuser, c'est que tu pars au loin. Et chaque fois, je me demande si je te reverrai.

Laberge eut presque envie de pleurer, tant à cause des mots que de l'intonation que le Mohawk leur avait donnée. Les larmes brouillèrent la vue qu'il avait sur son coupé Chrysler pendant quelques instants, mais il parvint à se contenir. Le faible éclairage des deux lampes à huile couvrait son malaise.

— Pauvre Francis, dit-il finalement. Je suis un ami bien égoïste…

— Oh non, ne dis pas cela, Édouard! Tu n'es pas égoïste. Tu es tourmenté, voilà tout. Tu t'entoures de sigles, de forces et de souvenirs pour évoluer dans ce monde, comme pour te rassurer constamment sur la validité de la place que tu occupes parmi les tiens.

Le Mohawk étira le bras et glissa son index derrière une chaîne en or dans le cou de Laberge. Il tira la chaîne vers lui jusqu'à faire apparaître un médaillon mince et finement ciselé de sous sa chemise.

— Tu risques ta vie dans le but de protéger le monde des hommes, continua-t-il, et tu oublies que toi aussi, tu en es un...

Laberge repoussa le médaillon sous sa chemise et aspira une autre gorgée du liquide réconfortant. Il ne possédait aucune parade contre les mots de Francis Fall Leaf. Rien au monde ne semblait être capable de s'opposer à la raison du chaman mohawk. Édouard avait appris beaucoup de lui, simplement à l'entendre parler. Il avait cherché la vérité à travers ses croyances ancestrales, mettant momentanément de côté les dogmes de la Sainte Église pour se laisser entraîner à l'aide de volutes hallucinogènes dans des voyages chamaniques où l'on accédait à Dieu. Le Dieu de la Terre des Hommes. Il avait toujours gardé secrète sa relation avec Fall Leaf. Il n'avait pas à en fournir la raison. C'était ce qu'il savait être juste. Il avait besoin d'entendre ses mots, ses idées, ses conseils, ses théories. Il trouvait des réponses à son contact et de réponses, il avait grand besoin.

Le chaman l'arracha à ses pensées.

— Notre lien n'a rien d'égoïste, mon ami. Il était destiné à être de par la loi du perpétuel retour. Nous devions nous rencontrer, il ne pouvait en être autrement. Nous avons une mission à mener à bien.

— Je me plais à penser que ta théorie du perpétuel retour est une loi cosmique et universelle, répondit Laberge, les yeux encore dans l'eau. Cela semble si vrai, si logique. Et pourtant, la Bible n'admet pas la possibilité de la réincarnation.

— J'accepte les écrits de la Bible, le coupa Fall Leaf, et sais-tu pourquoi? Parce qu'ils n'ont pas été rédigés par Dieu ni par son fils, mais par des hommes. Eux ont droit à l'erreur.

— Si tu savais comme j'aime t'entendre parler…

— Nous ne parlons pas, Édouard. Nous échangeons des vérités absolues, des connaissances essentielles. Parce qu'il devait en être ainsi! C'est notre convergence. Notre tendance évolutive liée à la vie et dans un même milieu. Et ce, même si nous appartenons à des groupes très différents. C'est ça, la loi du perpétuel retour! Quand on y pense bien, tout retourne et tout revient. L'homme naît et meurt et, s'il est en exil, il ne rêve que d'une chose : retourner dans son pays. Tout matériau tiré de la terre retournera inévitablement à la terre. Tout ce qui monte doit redescendre! Et tout peut trouver son contraire. Après le jour revient la nuit, les saisons se succèdent dans un cycle éternel, les oiseaux migrent et reviennent. Les saumons parcourent de longues distances pour revenir frayer exactement à leur lieu de naissance. Les arbres poussent et s'arrachent à la terre, tirés vers le ciel, alors qu'à l'automne, leurs feuilles retombent vers la terre pour y pourrir et s'y enfoncer de nouveau. Ne pourrait-il pas en être pareil pour l'âme, cette énergie subtile qui nous anime, ce Centre Divin, ce Grand Esprit qui nous appartient, caché au cœur de notre subconscient, en admettant que la réincarnation existe? Je crois sincèrement que nous sommes les mêmes à nous retrouver, à nous reconnaître vie après vie, et à inévitablement nous croiser, peu importe notre lieu de naissance, par un mystérieux processus de regroupement naturel. C'est le retour ultime.

— Et il était inévitable que l'on se croise, conclut le curé. Nous n'avions d'autre choix que de nous retrouver…

— C'est exact.

— Dieu, que j'aime cette théorie! dit-il simplement avant de prendre une autre gorgée de l'infusion parfumée.

Six jours s'étaient écoulés depuis la soirée qu'Édouard Laberge avait passée en compagnie de son ami Francis Fall Leaf. Six journées qui avaient filé plus vite qu'il ne l'aurait cru possible.

Il n'avait pas mis beaucoup de temps à se préparer pour le voyage. Cette fois-ci, c'était sur le plan psychologique qu'il devait fournir plus d'efforts pour se sentir relativement à l'aise dans cette mission. Il se sentait seul et délaissé. Il tâta sa poitrine pour s'assurer de la présence du médaillon sous sa chemise et accéléra le pas le long de la voie ferrée, sur le quai de la gare de la Central Railroad of New Jersey à Lakehurst.

Arrivé à la hauteur de la locomotive, il ralentit le pas pour l'étudier, question de se changer les idées.

Il s'agissait sans nul doute d'un modèle Camelback nouvellement construit. On pouvait voir un peu partout

des plaques rivées marquées Baldwin, le plus grand cons-
tructeur de locomotives à vapeur aux États-Unis.

La locomotive de type Camelback se distinguait par la
position de la cabine de pilotage. Le conducteur était placé
à cheval sur la bouilloire, au milieu de la locomotive, ce qui
améliorait de beaucoup sa visibilité. On pouvait aussi de cette
manière grossir le volume de la « chambre à feu », là où le
combustible était brûlé, sans obstruer la vue du conducteur.
Cela était fort différent dans le cas d'une locomotive
conventionnelle, où ce dernier se retrouvait à l'arrière.

Une vidange de pression laissant échapper un nuage de
vapeur juste derrière lui fit sursauter le curé et le ramena à
la réalité.

Les pans de son manteau long battant au rythme de ses
pas contre ses jambes, il se dirigea vers la gare. À un moment
donné, il changea de main son vieux sac de voyage trop
lourd.

Le soleil plongea derrière l'horizon pour mettre définitivement fin à cet après-midi.

Une fois son billet estampillé, Édouard quitta la gare
en se disant que ce soir, il dormirait dans un lit douillet au
Commander's Hotel.

Laberge s'était réveillé tôt, avant même que le garçon
d'étage ne vienne le tirer de son sommeil. Il fit soigneusement
sa toilette, excité par l'expérience qu'il s'apprêtait à vivre.
Pour la première fois de sa vie, il verrait la terre de haut. Il

volerait comme un oiseau. Le monde serait à ses pieds. Il se sentirait léger, heureux, comme si sa vie était simple et ordinaire. Comme s'il ne s'était jamais rien passé.

Il descendit les trois étages pour arriver au pied du grand escalier dans un hall qui s'ouvrait sur la salle à manger d'où l'on pouvait entendre les préparatifs entourant le service du petit-déjeuner.

Le curé se retourna pour jeter un coup d'œil à l'horloge de la réception. Elle ne tarderait pas à sonner, il était presque six heures.

Il s'installa à une table près de la fenêtre, impatient de se rendre à la base navale. Il espérait arriver assez tôt pour avoir le temps d'examiner le grand zeppelin à bord duquel il traverserait l'Atlantique.

Une jeune femme au sourire complaisant déposa une tasse de café juste devant lui.

Le Commander's Hotel se trouvait à environ huit cents mètres de la base aéronavale de Lakehurst. Malgré le poids de son sac, Laberge décida de marcher. Il avait beau scruter le ciel, il n'y avait pas le moindre aéronef à l'horizon.

Arrivé en vue de la base, il mit le cap sur une entrée gardée par des hommes en uniforme qui en contrôlaient les allées et venues. Une barrière actionnée manuellement fermait l'accès, comme la sortie, aux véhicules.

Laberge s'approcha de la guérite sous l'œil des officiers de faction. Son long manteau noir, son vieux chapeau de cuir usé et son sac de voyage, qui l'avaient suivi dans tant d'aventures, fabriquaient ensemble une image de l'homme qui inspirait tant le respect que l'inquiétude.

Les deux gardes lui barrèrent la route, armes en bandoulière, sans montrer aucun signe de bienvenue ni d'animosité. Le curé déposa son sac sur le sol et tira d'une poche intérieure de son manteau le laissez-passer qui le confirmait comme passager à bord du USS Los Angeles. Un des gardes inspecta le papier et le tendit, à travers une fenêtre, à un autre militaire à l'intérieur de la guérite. Celui-ci l'estampilla puis signa l'autorisation d'entrée sur le terrain de la base. Le garde remit finalement le document à Laberge et daigna même lui sourire.

— Prenez juste ici à votre gauche, dit-il dans un anglais rapide, et suivez les indications marquées « Airship Hangar No. 1 ». Vous arriverez à une autre barrière où vous devrez une fois de plus montrer votre laissez-passer. Vous pourrez ensuite accéder au terrain du hangar. Je vous souhaite bon vol, monsieur.

Laberge répondit par un signe de tête et traversa la barrière pour se retrouver sur le territoire de la base aéronavale. Il avait été trop nerveux pour seulement répondre au garde. L'émotion délicieuse que provoquait chez lui l'idée de voler l'emportait sur les bonnes manières.

D'un pas hâtif, il se mit en quête des indications qui le mèneraient au hangar n° 1.

La base militaire de Lakehurst au New Jersey s'étendait sur un vaste terrain plat de 7 400 acres. Devenue en 1921 une station aéronavale, elle était maintenant une plaque tournante du trafic aérien américain.

Les Allemands avaient été les pionniers dans la construction des grands dirigeables rigides, et durant la Première Guerre mondiale, une flotte de zeppelins[1] avait été utilisée avec succès dans des missions de patrouille et de bombardement. À la suite de la signature du traité de Versailles[2], les Allemands s'étaient vus obligés de céder à titre de réparations de guerre certains de leurs aéronefs. C'était ainsi que depuis 1924, le LZ 126, rebaptisé ZR III USS Los Angeles, était devenu le dirigeable américain le plus sûr et le plus efficace.

Le soleil était sur le point de crever l'horizon. Le ciel, d'une clarté bleuâtre, se teintait de rose et d'orangé.

Laberge se présenta à la clôture qui le séparait du grand champ de manœuvres. Au loin, il aperçut le gigantesque hangar n° 1. Mais son attention en fut détournée à cause des gardes à la barrière qui exigèrent son laissez-passer. Après une signature et de nouvelles indications, on lui remit un livret explicatif, puis on l'autorisa à se rendre sur la plate-forme bétonnée du hangar où se passerait l'embarquement.

---

1 Les dirigeables étaient la plupart du temps nommés « zeppelins », par rapport à leur inventeur, le comte Ferdinand von Zeppelin. Officier puis industriel allemand, il construisit à partir de 1890 ces grands aéronefs rigides auxquels son nom est resté attaché.

2. Signé le 28 juin 1919, le traité de Versailles mit fin à la Première Guerre mondiale. Conclu entre la France, ses alliés et l'Allemagne, une des clauses fixait le versement par l'Allemagne de 20 milliards de marks-or comme réparations.

Il n'arrivait pas à contenir l'anxiété qui le rongeait. Il ne courait pourtant pas à la mort, du moins pas encore, et une certaine frustration fit son chemin à l'intérieur de lui comme pour tenter de combattre cette angoisse grandissante qui risquait de lui gâcher l'expérience unique qu'il s'apprêtait à vivre.

Les yeux rivés au sol, qui défilait sous ses pas précipités dans l'herbe mouillée par la rosée, il avançait au milieu du large champ découvert en songeant au voyage qu'il se préparait à faire, à sa destination ultime. Quelle serait-elle, cette fois, cette destination ultime? La Roumanie ou la fin de sa vie? Et qui donc s'en souciait? Qui le chercherait?

Personne.

Il sombrait tout doucement au cœur d'un fatalisme inéluctable lorsque les premiers rayons du soleil illuminèrent ses bottes mouillées. Il releva instinctivement la tête pour sentir cette chaleur bienfaisante qui réchaufferait, en plus de ce frisquet matin, son cœur affligé.

Il ralentit le pas jusqu'à s'arrêter net.

Bouche bée, il laissa choir son sac et ses angoisses dans l'herbe humide.

Le spectacle qui s'offrait à lui ne pouvait être autre chose que la puissance divine s'exprimant à travers la volonté de l'homme.

Le soleil se levait juste en face, inondant le ciel de rose, de violet et d'orangé sur un fond bleu métallique. La lumière ainsi projetée par l'astre du jour faisait briller l'herbe mouillée et renvoyait en tous sens des centaines de reflets issus de la structure de fer du hangar n° 1.

Et quel hangar! De dimensions titanesques, ce bâtiment construit en 1921 servait à la construction et à l'entreposage des dirigeables. D'une longueur de 295 mètres, d'une largeur de 107 mètres et d'une hauteur de près de 70 mètres, à chaque extrémité de ce hangar se trouvaient deux massives portes coulissantes pesant chacune 1 225 tonnes.

Sous le regard ébahi du curé, le magistral dirigeable effectua alors sa sortie par les portes ouest.

C'en était presque trop. Un moment inoubliable qui resterait gravé à jamais dans sa mémoire. Une scène magnifique, baignée par une luminosité exceptionnelle, en ce tôt matin qui s'efforçait de dresser un décor fastueux et grandiose, digne de la sortie du ZR III USS Los Angeles.

Le grand zeppelin, flottant à dix mètres du sol, était attaché par le nez à un monumental trépied monté sur rails qui le tirait lentement hors du hangar. Avec une longueur de 200 mètres et un diamètre de 28 mètres, l'engin avait de quoi impressionner. Il renfermait 70 000 mètres cubes d'hélium qui le rendait ainsi plus léger que l'air malgré sa masse de 46 tonnes. Cinq gros moteurs Maybach de douze cylindres chacun pouvaient le propulser dans le ciel à plus de 125 kilomètres à l'heure.

Comparés au dirigeable, les hommes paraissaient minuscules et insignifiants. On avait peine à croire qu'ils aient pu construire un tel appareil.

Laberge plongea sa main dans la poche gauche de son manteau pour en tirer le livret que l'homme lui avait remis à la clôture. C'était le manuel du passager. À la première page, on ne voyait que deux lignes.

Distance : 8 050 kilomètres.
Temps estimé : 81 heures.
Il fourra le carnet dans sa poche en se disant qu'il aurait tout le temps de le lire.

Il saisit son sac et se remit en route, le sourire aux lèvres.

Toute appréhension l'avait quitté.

Il se sentait aussi léger que le dirigeable.

Le décollage s'était fait tout en douceur, et seuls les ronronnements des moteurs Maybach produisaient une légère vibration qui se répercutait à travers l'armature. Installés dans la nacelle, juste derrière le poste de pilotage, les trente passagers avaient une vue exceptionnelle grâce aux larges fenêtres aménagées de chaque côté. Le décor était dénudé et même les sièges étaient allégés au maximum pour réduire le poids du zeppelin. Par l'arrière de la nacelle, on pouvait accéder à des cabines situées à l'intérieur même de la structure, sous les réservoirs de gaz porteur. Une petite salle à manger, au décor tout aussi épuré quoique accueillant, permettait aux passagers de se restaurer en cours de route.

La tête appuyée contre la vitre, Laberge ressentait les vibrations des moteurs comme quelque chose de rassurant. Le soleil tardait à se coucher sur la journée radieuse qui se terminait et qui avait permis aux gens présents de contempler la terre vue du ciel. Le curé avait été heureux de constater que le zeppelin rejoignait le fleuve Saint-Laurent pour le suivre jusqu'à Gaspé avant d'entreprendre la grande traversée. Il avait ainsi pu se régaler, tout au long de cette journée, de la géographie de son pays apparaissant sur une carte grandeur nature.

Il avait passé à table au premier service, la salle à manger ne pouvant recevoir plus de vingt personnes à la fois. Maintenant, la nacelle était vide, certains ayant regagné leur cabine, d'autres étant allés se restaurer à leur tour.

Trois petites lumières diffusant une faible lueur jaunâtre s'illuminèrent au plafond. La nuit tombait rapidement et les premières étoiles firent leur entrée au firmament.

Laberge se tâta la poitrine à la recherche de son médaillon et l'extirpa de sous sa chemise. Son pouce trouva la fermeture à ressort et le couvercle s'ouvrit, révélant le visage exquis d'une jeune femme au sourire charmant.

Le visage d'Hélène Myers.

Il porta la photo à ses lèvres et l'embrassa tendrement avant de refermer le médaillon et de le remettre sous sa chemise. Il laissa son esprit errer sur les flots du temps, en remontant plus de vingt ans auparavant. La pellicule d'un film qu'il revoyait régulièrement se mit à dérouler dans son esprit pour lancer la projection sur l'écran blanc de sa mémoire.

Édouard Laberge n'était pas destiné à la prêtrise. Il voulait être médecin.

Il avait rencontré Hélène Myers en 1905, au début de ses études à la Faculté de médecine de l'Université de Montréal et en était aussitôt tombé amoureux. Belle, brillante et fille unique de James Myers, conseiller municipal de la ville de Montréal, Hélène ne s'en laissait pas imposer par ses collègues masculins. Elle comptait bien prendre sa place tout comme Marie Curie l'avait fait en Europe avec son prix Nobel de physique en 1903.

Édouard avait obtenu la main de sa bien-aimée sans faire trop d'efforts, son beau-père le considérant d'ores et déjà comme un fils plutôt que comme un gendre. Le mariage serait célébré en juin 1907.

Le conseiller James Myers avait entrepris une croisade particulière sur l'île de Montréal.

De nouvelles « religions » proliféraient depuis quelques années sur l'île et sa région. Les adeptes de ces mouvements sectaires se regroupaient autour d'un gourou dans l'espoir de changer les idées populaires et de créer un monde meilleur. Toutefois, plusieurs de ces regroupements néo-païens étaient jugés dangereux, tant pour leurs membres que pour la population. Et aussi, bien sûr, pour la stabilité de l'Église. Myers considérait que l'individu, bien qu'il soit libre et maître de ses choix dans notre pays, pouvait tout aussi bien en souffrir et faire souffrir d'autres personnes avec lui.

Certains gourous se disaient mages ou demi-dieux, ado-raient des divinités païennes ou pratiquaient le culte de Satan. Certains allaient même jusqu'à enlever des enfants pour les offrir en sacrifice.

Les choses allant de mal en pis, Myers avait fait voter un projet de loi à la Ville et mis sur pied une commission visant à enquêter, à exclure et à démembrer tout regroupement spirituel ou religieux responsable de déviance ou représentant un danger pour la population.

Les inquisiteurs de Myers frappaient partout dans la ville et même au-delà, outrepassant les droits qu'ils s'étaient octroyés au niveau territorial et qui devaient se limiter à l'île de Montréal. Du côté nord, l'île Jésus[1] était un endroit de prédilection pour les rencontres secrètes et les nuits de sacrifices ou de cérémonies. On n'hésitait pas à pourchasser les sectes dangereuses jusque dans les bois et à construire une propagande de haine tout autour d'elles.

Une véritable chasse aux sorcières s'était engagée, plus particulièrement à l'endroit d'un regroupement tenace – la secte des Êtres de la Lune – qui refusait de se laisser abattre. Leur chef, qui se prétendait fils de géants, était jugé extrêmement dangereux et restait inatteignable.

On disait des membres de cette secte qu'ils formaient une confrérie de douze mages liés au culte du sang. Toujours vêtus de rouge sombre, ils portaient une cape-manteau et un médaillon gravé d'une inscription runique[2].

James Myers avait déjà reçu plusieurs menaces de celui qui se faisait appeler le « Loup Fenrir ». Mais aucune n'avait jamais été mise à exécution.

Jusqu'à cette soirée funeste du samedi 22 septembre 1906.

---

1. L'île de Laval.
2. La rune représente les caractères de l'ancien alphabet utilisé par les peuples germaniques et scandinaves.

La célèbre cantatrice Emma Albani[1] était de retour à Montréal et donnait un concert au Monument National sur le boulevard Saint-Laurent.

Après cette soirée, Albani ne reviendrait jamais chanter au Canada.

Tout le gratin de la ville se trouvait confortablement installé dans le somptueux théâtre de 1 620 places. L'orchestre avait gagné le puits devant la scène et le spectacle allait commencer.

Bien installé aux côtés de son beau-père et de sa belle-mère, Édouard Laberge serrait affectueusement la main de sa fiancée. Il la regardait de profil et ne pouvait s'empêcher de la trouver exceptionnellement belle. Il n'arrivait pas à exprimer vraiment ce qu'il ressentait pour elle. C'était au-delà de l'amour. C'était un lien karmique. Elle était un maillon dans la chaîne de ses vies, une eau pure et désaltérante, une oasis où il pouvait toujours trouver le réconfort.

Ils étaient installés au balcon et avaient une vue imprenable sur l'orchestre et la scène.

Le spectacle débuta et la voix magnifique de la cantatrice emplit le théâtre comme pour en imprégner tous les éléments et toutes les âmes qui s'y trouvaient.

---

1. Emma Albani, née Lajeunesse, a vu le jour à Chambly, sur la rive-sud de Montréal, en 1847. Elle a été la première musicienne canadienne à être reconnue au niveau international. Sa voix d'une beauté exceptionnelle, sa formation musicale et vocale développée auprès des meilleurs maîtres, sa maîtrise de quatre langues et sa facilité à lire les partitions ont fait d'elle l'une des cantatrices les plus sollicitées par les chefs d'orchestre et les compositeurs de son époque. Elle s'est éteinte à Londres le 3 avril 1930.

Laberge sentit le parfum d'Hélène lorsqu'elle s'approcha de lui, à la fin de l'entracte, pour lui demander de se lever afin qu'elle puisse se rendre à la salle de bain.

Les gens avaient tous repris leur place. L'orchestre se lança peu après dans une longue introduction musicale de la pièce *Asile héréditaire,* tirée de l'opéra *Guillaume Tell* de Rossini.

Édouard se tourna vers la porte de sortie du balcon pour voir si Hélène n'y apparaîtrait pas. En vain. Elle était longue à revenir et l'envie lui prit de sortir pour aller à sa rencontre afin de s'assurer que tout allait bien. Il jeta un coup d'œil à ses beaux-parents qui semblaient totalement absorbés par la musique. Il s'inquiétait pour rien.

De sa voix juste et puissante, Emma Albani entonna la première chanson du quatrième acte de l'opéra de Rossini. Sa robe de scène, lacée à l'avant sur sa forte poitrine et cintrée à la taille, la faisait ressembler à une déesse de l'Antiquité. Les paroles coulaient et se mêlaient aux instruments de l'orchestre avec une perfection étonnante.

— *Ne m'abandonne point, espoir de la vengeance!*
Guillaume est dans les fers, et mon impatience
Presse le moment des combats.
Dans cette enceinte quel silence!
J'écoute et je n'entends que le bruit de mes pas.
Entrons… Quelle terreur secrète!
Devant le seuil, malgré moi je m'arrête…
Et en effet, bien malgré elle, Albani s'arrêta.

Un filet de liquide rouge sombre qui coulait sur son épaule l'avait figée sur place.

Sidérés, les musiciens cessèrent de jouer l'un après l'autre jusqu'au moment où le chef d'orchestre, qui tournait le dos à la chanteuse, interrompit complètement la mélodie.

Un malaise pesant emplit la salle. Comme si le temps même venait de s'arrêter avec la voix de la cantatrice.

Quand celle-ci leva les yeux, ce fut pour voir jaillir un corps – du haut de la structure supportant le rideau d'avant-scène – qui fonça ensuite droit sur elle en chute libre. Elle cria de sa voix de soprano en se jetant au sol alors que le cadavre ensanglanté d'Hélène Myers s'arrêtait à un mètre au-dessus de la scène, un câble enroulé autour des chevilles. Les poignets de la jeune femme avaient été tranchés et elle continuait à se vider de son sang sur les planches de la scène du grand théâtre.

Laberge se leva lentement, comme si la terreur appuyait sur ses épaules pour le retenir enfoncé dans son siège. Évoluant comme dans un cauchemar, il descendit l'allée jusqu'à l'avant du balcon pour aller s'appuyer contre la rambarde.

C'est à ce moment que la panique envahit la salle de spectacle.

Partout les gens criaient et tentaient de gagner la sortie vers l'arrière du théâtre, oubliant les issues de secours situées à l'avant, de chaque côté de la scène.

Édouard se retourna pour constater que l'arrière du balcon était bloqué par les gens qui se ruaient vers l'unique accès. Il chercha du regard ses beaux-parents, mais il ne les vit pas.

Il devait descendre. Tout de suite.

Il se précipita vers le côté droit du balcon où pendait une large bande de tissu rouge partant du plafond et courant le long du mur jusqu'au sol. Il grimpa sur la rambarde et s'agrippa au tissu, testant un instant sa résistance avant de se laisser glisser vers le sol. La toile lui brûlait les mains et l'armature en fer fixée au plafond était sur le point de lâcher.

Il se trouvait à un mètre du sol lorsque les fixations du support s'arrachèrent d'un seul coup. Il roula dans l'allée devant une rangée de sièges au milieu de la salle et évita de justesse la barre de métal qui percuta le plancher en déchirant le tapis et en faisant voler des éclats de ciment.

Il courut dans l'allée centrale en bousculant quelques personnes au passage et sauta dans la fosse de l'orchestre, pour finalement parvenir à se hisser sur la scène, non sans avoir au passage jeté à bas chaises, lutrins, musiciens et instruments.

Emma Albani avait déjà été tirée dans les coulisses côté jardin.

Ceinturant la taille d'Hélène de son bras gauche, il souleva son corps sans vie. Puis il s'attaqua au nœud dans le câble qui enserrait ses chevilles.

Lorsqu'il leva la tête après avoir déposé délicatement le corps sur le sol, il aperçut côté cour trois individus vêtus de rouge sombre, masqués et chapeautés, qui l'observaient.

D'un cri rageur, Édouard bondit vers eux.

Les trois hommes s'enfuirent vers l'arrière de la scène. Laberge plongea dans les jambes de l'un d'eux et le jeta à terre. Un corps à corps s'ensuivit et Édouard prit légèrement l'avantage, plaquant son adversaire au plancher.

Un second individu se jeta dans son dos. À ses cris, il sut aussitôt qu'il avait affaire à une femme. La harpie le frappait sans relâche, mais il parvint à se relever et à lui décocher un fougueux coup de poing qui la projeta contre une grosse poulie de fer retenant les suspentes en acier réglant la hauteur de la structure d'éclairage. Un bruit sourd se fit entendre. Le sang gicla du front de la femme, qui s'écroula aussitôt.

Pendant ce temps, le premier attaquant avait fui. Édouard courut vers l'arrière de la scène et l'agrippa une fois de plus par les jambes alors qu'il grimpait à une échelle menant au toit. L'autre le frappa du pied, ce qui projeta Édouard au sol.

Celui-ci se releva, une douleur fulgurante torturant sa joue droite. Il emprunta l'échelle verticale fixée au mur alors que le fuyard se glissait à travers une ouverture pratiquée dans la toiture.

Lorsqu'à son tour il se hissa sur le toit, ses yeux mirent un moment à s'habituer à l'obscurité et à retrouver les deux hommes habillés de pourpre à l'autre bout du bâtiment.

Alertés par le bruit, ceux-ci se tournèrent vers Laberge.

— Pourquoi? cria ce dernier à tue-tête, les poings serrés. Elle ne vous avait rien fait! Je vais vous tuer!

Alors qu'il fonçait vers les deux hommes, ceux-ci se sentirent poussés vers le bord de l'édifice par une force invisible. D'abord surpris, ils luttèrent pour rester debout. L'un d'eux se tourna et sauta d'un bond les deux mètres qui le séparaient du bâtiment voisin.

Avant même que Laberge ne soit sur lui, l'autre fut projeté dans le vide, trois étages plus bas, par cette force invisible qui courait devant le jeune homme comme un bouclier.

Sans même jeter un œil en contrebas, il partit aux trousses du dernier fuyard qui s'éloignait sur les toits le long du boulevard Saint-Laurent, en direction du centre-ville.

La plupart des édifices étaient construits l'un contre l'autre. Seuls quelques parapets ralentissaient l'allure du mystérieux individu qui ne parvenait pas à distancer suffisamment son poursuivant pour espérer se fondre dans le décor. Il dut s'arrêter devant un espace de trois mètres qui séparait les constructions. Le souffle court, il se camoufla derrière un énorme système de ventilation et attendit le jeune homme qui le pourchassait.

Quand Édouard passa en courant à côté de la grosse unité d'évacuation, l'inconnu le percuta violemment de l'épaule et le projeta contre une bouche d'aération métallique qui s'enfonça sous l'impact.

Sonné, Laberge resta cloué au sol. Sans perdre une seconde, son adversaire fonça vers le bord de l'édifice, sauta d'un bond sur une excroissance de la toiture, puis sur le parapet avant de s'élancer de toutes ses forces avec une vivacité surprenante vers le mur d'en face qu'il rejoignit sans peine. Il s'arrêta aussitôt et attendit que l'autre se relève.

Couvert de sang, Laberge s'avança vers le bord de l'immeuble en claudicant.

Le visage toujours recouvert d'un masque, l'étranger repoussa sa cape-manteau derrière lui et pointa le doigt vers son ennemi.

— Le fluide magique coule dans tes veines. Ne le vois-tu pas? Je l'ai senti tout à l'heure là-bas quand tu nous as repoussés. Abandonne-les tous et joins-toi à moi. Joins-toi à la force de l'enchanteur! Au Loup Fenrir! Je peux te montrer à maîtriser tes pouvoirs, à faire monter cette énergie en toi comme la lave d'un volcan qui explose. Quand tu le veux!

— Allez au diable, espèce d'assassin, vociféra Laberge en crachant le sang. Vous avez tué Hélène! Comment avez-vous pu faire une chose pareille? Elle ne vous avait rien fait. Elle n'aurait jamais fait de mal à personne…

— Ça n'avait rien de personnel, crois-moi. Elle n'était qu'un instrument de persuasion…

— Je vous tuerai!

Il recula de quelques pas avant de s'élancer dans le vide.

Manquant d'élan, il percuta le mur opposé et resta accroché au bord du toit par la seule force de ses bras.

L'homme vêtu de pourpre sombre s'avança vers lui et le domina de toute sa hauteur. Ses yeux ténébreux paraissaient menaçants à travers les ouvertures de son masque.

— Tu es si têtu, jeune mage qui s'ignore, dit-il à Laberge avec un fort accent européen en lui écrasant une main avec son pied. Pourquoi cacher ce que tu as en toi? Pourquoi ne pas l'exploiter? Mais tu ne voudras jamais sous prétexte que j'ai tué ta fiancée. Est-ce donc si important dans l'espace d'une vie? Dis-toi que pour une de perdue il y en aura dix autres!

— J'aimais cette femme! Vous l'avez tuée froidement et sans raison!

— Sans raison, tu crois? S'il y a quelqu'un à blâmer, c'est son père! Ce n'est pas moi qui l'ai tuée. C'est lui!

Maintenant je devrai disparaître, car ils me traqueront. Mais telle est la Lune, tel je suis. Ils m'auront chaque jour sous les yeux, mais ils ne pourront jamais m'atteindre.

— Moi, je vous retrouverai. Je n'aurai de cesse de vous chercher.

— Tu pourras toujours essayer. Je te laisse la vie sauve. Et si nos chemins viennent à se croiser de nouveau, c'est que le destin en aura décidé ainsi. Et nous nous affronterons encore, car il ne pourra en être autrement.

Celui qui se faisait appeler Fenrir recula lentement en cherchant d'une main le pan de sa cape. Puis, d'un mouvement vif, il fit volte-face en donnant un mouvement théâtral à la pièce de vêtement, avant de disparaître parmi les toits et les cheminées, dans l'ombre de la nuit.

Dans un cri et avec un effort désespéré, Édouard Laberge parvint à se hisser sur l'édifice.

Seul sur le toit, entouré de la pénombre et des bruits citadins, il avait regardé ses mains tachées de sang. Il avait pleuré.

Son sang mêlé à celui d'Hélène.

Il ne parvenait pas à croire ni à accepter ce qu'il venait de vivre. C'était trop gratuit, trop imprévu. Il devait descendre dans la rue.

Son cœur s'arrêta presque lorsqu'il fit demi-tour. Il ne put réprimer une exclamation ni un mouvement de recul qui le fit trébucher.

Hélène était là, devant lui, les yeux cernés et les lèvres bleues. Blanche, livide, cadavérique, lardée de coups de rasoir...

Édouard sursauta en s'éveillant et cria de nouveau en se cognant la tête contre la vitre de la nacelle du zeppelin.

Quelques passagers, qui avaient repris leur place assise un peu plus en avant, se tournèrent vers lui. Il les rassura d'un geste de la main.

Il se cala dans son siège et laissa son regard se perdre dans l'infini du ciel piqueté d'étoiles avant de pleurer sans retenue.

Silencieusement.

6

Rives de la mer Noire, principauté de Valachie.
Le vendredi 20 septembre 1444.

Conduite par Vlad Dracul, la petite garnison d'une cinquantaine de chevaliers – qui comptait dans ses rangs les chevaliers de l'Ordre du Dragon, les hommes de Tihomir et d'autres nobles triés pour leur bravoure –, avait levé le camp tôt le matin. Mangeant et buvant froid à cause de l'interdiction de faire du feu pour éviter d'être repérés, les hommes d'armes avaient ramassé leur paquetage et l'avaient confié aux charretiers qui les accompagnaient.

Octavian avait voulu les transporter tous à l'aide de l'*Agrippa* jusqu'aux rivages de la mer Noire, mais le voïvode avait refusé l'offre. Il était hors de question que lui et ses hommes disparaissent dans le néant sans avoir la certitude qu'ils arriveraient à bon port.

Eurynome avait exprimé sa pensée envers le genre humain, sous la forme d'une liste interminable de qualificatifs haineux, après qu'Octavian lui eut annoncé la volonté de Vlad Dracul et de ses chevaliers de faire la route à cheval.

Ils avaient mis quatre jours et demi, en comptant la traversée du Danube, pour arriver à la grande colline qui les séparait maintenant de la citadelle frontalière des Ottomans – ainsi nommée à cause de son positionnement de bord de mer et de sa situation rapprochée de la frontière bulgare. Au moins avaient-ils eu la chance d'obtenir un confortable gîte au monastère de Snagov au terme de leur première journée de voyage.

Le grand prince valaque était nerveux. Le geste qu'il s'apprêtait à poser était lourd de conséquence. L'apport d'Octavian à la lutte contre l'envahisseur ottoman venait brouiller les cartes et précipiter les choses.

Vlad Dracul, qui avait permis aux Turcs ottomans de venir s'installer sur le territoire de la Roumanie, s'était attiré les foudres de la Bulgarie qui souffrait déjà des assauts répétés de ces envahisseurs qui marchaient sous la bannière de l'Islam. Les Turcs qui, au départ, devaient construire un comptoir pour le transit des marchandises entre les Balkans et la Sublime Porte[1], construisirent une petite fortification sur une avancée dans la mer, acculée à la frontière bulgare. Une fortification et une garnison de trois cents hommes ne faisaient pas partie de l'entente de départ. Mais le voïvode avait gardé le silence afin d'éviter toute friction avec l'Empire ottoman et aussi, pour que cela ne vienne

---

1. Nom donné au gouvernement de l'Empire ottoman.

pas aux oreilles du roi de Hongrie, Ladislas III, dont il était le vassal. Le rassemblement d'une grande armée chrétienne et le déclenchement de cette soudaine croisade avaient mis le dirigeant de la Valachie dans l'embarras. Il se retrouverait poussé sur les rivages de la mer Noire, coincé entre les Turcs et les croisés. L'arme d'Octavian tombait pile. Lui, Vlad Dracul, pourrait ainsi éliminer les Turcs en place dans la petite citadelle, gagner les faveurs du roi de Hongrie en joignant la croisade et en réduisant l'armée ottomane à néant. Du même coup, il regagnerait l'estime des Bulgares en les débarrassant du même oppresseur. Et si le livre noir du mage était assez puissant pour détruire l'armée turque, il pourrait tout aussi bien servir à le libérer lui-même de sa vassalité par rapport à la Hongrie.

Vlad fit signe à Tihomir et à Octavian de s'approcher.

— Dis-moi maintenant quel est ton plan, mage? surprit-il ce dernier en lui mettant la main sur l'épaule. Nous sommes cinquante-deux et ils sont trois cents. J'espère que tu as bien expliqué cela à ton livre.

— Je n'ai pas apporté l'*Agrippa* avec moi, seigneur, répondit Octavian. Il est demeuré dans mon laboratoire. Mais le démon qui l'anime est libre de communiquer avec moi et de me transmettre ses pouvoirs. C'est grâce à l'une des innombrables possibilités que recèle ce livre ancien de savoirs cachés que nous massacrerons nos ennemis jusqu'au dernier, sans qu'ils puissent seulement tirer leurs épées hors de leurs fourreaux.

— Je veux qu'ils nous voient, cracha Vlad Dracul. Je veux qu'ils aient peur.

— Si tu tiens vraiment à ce qu'ils nous voient, ce sera seulement du haut de la colline. Pour le reste, nous serons trop rapides pour eux!

— Que veux-tu dire? voulut savoir Tihomir.

— Je veux dire que grâce aux pouvoirs qui me sont conférés par le démon Eurynome, je vais tous nous déplacer dans une dimension parallèle, à l'intérieur de notre propre monde, mais où le temps et les mouvements se passent si rapidement que nos adversaires seront incapables de nous distinguer. En revanche, ils nous apparaîtront à peu près immobiles. J'ai, bien sûr, expérimenté moi-même le phénomène. C'est très impressionnant, vous verrez.

— Tihomir, ordonna le voïvode qui n'était pas encore impressionné, rassemble les hommes. Nous monterons à cheval sur la crête de la colline. Ensuite, ce sera à toi de jouer, Octavian. Puis nous attaquerons. Il ne devra y avoir aucun survivant. Je jure devant Dieu que nous les rejetterons à la mer. Allez!

Une fois rassemblés, ils gravirent au galop la grande colline qui faisait écran à la mer. Arrivés sur la crête, ils s'alignèrent de front puisque le terrain le permettait. La vue sur la mer était magnifique. Son bleu si sombre lui méritait tout à fait son nom. Même le ciel ne parvenait pas à s'y refléter.

La fortification ottomane leur apparut, petit îlot solide de pierres et de bois juché sur un rocher. Il était évident qu'ainsi construite, la citadelle ne pouvait être prise que d'une seule face, soit celle qui donnait à l'ouest. La fuite ou le ravitaillement étaient possibles par bateaux, par le côté est qui baignait dans la mer Noire. Tout comme si deux Titans s'étaient partagés la nature de cette contrée, on pouvait voir au nord – vers le pays roumain –, d'énormes pièces de roc, jetées là au hasard par les géants ou poussées hors du sol par les tremblements de terre des temps du commencement. Les énormes rochers jonchaient la plage où la mer venait mourir, en étendant de façon parfaite le sable fin. Du côté sud, il y avait la forêt bulgare, épaisse et sans âge, qui se dressait telle une muraille impénétrable devant les vagues éternelles.

Tihomir fit signe à l'un de ses hommes, qui souffla aussitôt dans son oliphant[1] en une longue et inquiétante plainte.

Devant l'accès à la citadelle et sur la muraille ouest, des silhouettes surgirent, à qui les cinquante-deux hommes à cheval placés sur une seule ligne au haut de la colline durent sembler comme autant de cavaliers de l'Apocalypse, car l'alerte fut sonnée sans attendre.

— N'ayez aucune crainte, valeureux chevaliers! lança Octavian d'une voix retentissante. Je vous rendrai si vifs que les Turcs auront l'air d'escargots comparés à vous!

— Ces rivages sont à nous! tonna ensuite le voïvode. Il ne peut flotter qu'une seule bannière en sol valaque! Et c'est la nôtre!

Il s'élança devant ses hommes en longeant la ligne de cavaliers. Il tira ensuite son épée de son fourreau et la pointa vers le ciel au bout de son bras.

— Les Daces[2], nos ancêtres, sont apparus ici il y a plus de mille cinq cents ans! cria-t-il encore pendant que l'alerte

---

1. Petit cor d'ivoire des chevaliers du Moyen Âge.
2. Habitants de la Dacie, ancien pays d'Europe, correspondant à l'actuelle Roumanie. Ils furent soumis par les Romains en 107 après Jésus-Christ.

continuait à résonner du côté de la citadelle ottomane. Et jamais ils n'ont quitté ce pays jusqu'à maintenant, et ce, malgré toutes les vagues d'invasions qui ont déferlé sur l'Europe. Allons-nous leur faire défaut? Je dis non! Personne ne nous prendra la *Ţara Românească!*

Les chevaliers tirèrent tous leur épée en proclamant d'une seule voix leur appui au voïvode. L'homme au charisme incontestable réussissait, tant par sa présence que par sa voix, à stimuler les esprits. Son regard était aussi pénétrant qu'une lame et il avait cette façon de serrer le poing pour appuyer ses affirmations qui balayait toute opposition tant sa conviction était ardente.

Octavian s'avança dans le tumulte général et lâcha les rênes de son cheval pour élever les bras vers le ciel. Le cri des hommes s'estompait lentement et une pression vint lui enserrer la tête comme si elle se trouvait emprisonnée dans un étau. Le démon Eurynome, gardien du savoir perdu, était en lui; il se sentait différent, indestructible. Et il ne pouvait déterminer s'il devait craindre ou jouir de cette mégalomanie qui s'emparait lentement de son être.

Expérimentant le même phénomène, les chevaliers coupèrent court à leur vacarme et s'affairèrent à maîtriser les chevaux qui piaffaient et s'énervaient. Ressentant un malaise, certains se massèrent les tempes.

Octavian se concentrait maintenant à réunir et à incorporer les enveloppes énergétiques de tous ses compagnons d'armes en un seul ove solide et malléable qu'il pourrait transporter. Même s'ils se trouvaient tous derrière lui, il les visualisait très bien, sur une seule ligne, brisée çà et là par quelques chevaux effarés. Ils étaient à proximité l'un de l'autre, capables d'être liés par leurs corps énergétiques qui se joignaient l'un après l'autre pour ne former qu'un. Il pouvait les voir se fusionner dans l'éther, l'astral, le mental, le causal... Il savait simplement ce qu'il avait à faire. La conjuration trouva son chemin entre l'esprit alambiqué d'Eurynome et la bouche du mage.

— Je vous conjure et m'affermis fort sur vous, démons furieux du temps infini, qui étiez et qui seront, qui renfermez en vous tous les siècles scellés de la main de Dieu! Je m'assure sur vous, sujets du zéphyr et du vent de la Lune. Nous sommes dans le milieu de l'ove et je vous commande de ne jamais y entrer, mais de nous transporter au-delà de la réalité, là où le mouvement des autres s'arrête et où notre bras point ne se fatigue.

Le silence frappa comme une ondée soudaine.

Octavian pouvait voir les hommes sur la muraille de la citadelle.

Ils étaient immobiles.

Il se tourna vers le voïvode et écouta le son de sa propre voix qu'il avait peine à reconnaître.

— C'est le moment, dit-il calmement alors que tout autour régnait un silence sépulcral.

Vlad Dracul tenta de crier, mais sa voix n'avait aucune force.

— Allons-y!

Puis tous dévalèrent la colline dans un fougueux galop.

Ils furent surpris d'arriver très vite devant l'entrée de la citadelle où se tenaient deux gardes qui regardaient au loin sans bouger. Vlad Dracul laissa tomber les rênes sur l'encolure de son cheval et saisit son épée à deux mains. Sur son élan, il trancha la tête du garde sur sa gauche qui fut projeté contre le mur de pierre avant de rebondir pour chuter vers la mer. Le voïvode se pencha sur son cheval, sans ralentir la cadence, lorsqu'il franchit les portes pour accéder à la cour intérieure.

Tihomir le suivait de près avec les hommes de la garde rapprochée du prince. Il frappa au passage le second garde avec son cheval, le jetant brutalement au sol.

Lorsque tous les chevaliers eurent pénétré dans l'enceinte de la fortification, le massacre commença.

Les Ottomans étaient figés sur place, certains se mouvant à peine. Octavian avait raison, ils étaient comme des escargots. On n'avait qu'à les cueillir.

Les chevaliers roumains se déplaçaient dans un autre espace-temps où la réalité évoluait des centaines de fois plus rapidement que celle qu'ils connaissaient. Leurs déplacements étaient devenus si rapides que les Turcs n'arrivaient même pas à les voir. Ceux-ci tombaient sous des coups invisibles et la panique s'emparait des survivants qui ne pouvaient fuir ou se défendre. Ils tombaient, inévitablement, l'un après l'autre, percés et déchirés d'imparables coups d'épée ou de dague, qui ne daignaient accorder aucun pardon.

Ce génocide de plus de trois cents soldats janissaires[1], civils et officiers ottomans, se poursuivit sans relâche à travers une

---

1. Chevaliers et fantassins de l'armée turque.

véritable folie collective nourrie par le sang, sur une période de près de quatre heures.

Quand les Ottomans furent tous tombés, Vlad Dracul se dirigea vers le corps de logis principal avec Octavian, Tihomir et sa garde sur ses talons. Ils montèrent à l'étage et ne trouvèrent qu'une seule porte verrouillée. L'un des gardes l'enfonça d'un coup d'épaule.

Debout dans un coin, immobile et le regard perdu en direction d'une vision de terreur qu'il ne parvenait pas à saisir, un homme richement vêtu tenait devant lui un poignard à la lame courbe et à la poignée ouvragée.

— C'est le *nisanci*, un garde des sceaux, affirma Octavian en essuyant avec un mouchoir le sang qui lui coulait dans le visage. Je me demande ce qu'il fait ici. Il représente une haute autorité. Il siège au divan[1].

— Je me fiche pas mal de l'endroit où il peut siéger, dit Vlad Dracul en s'approchant de l'homme figé qui affichait une mine terrorisée.

Il tira une petite dague de sa ceinture et la regarda d'un air contrit.

— C'est bien dommage, dit-il, désolé. Elle était propre...

Puis il l'enfonça brutalement jusqu'à la garde dans la jugulaire du Turc. Il la retira aussitôt et le sang gicla, poussé par un unique battement cardiaque. Il prit le temps de bien observer l'homme qui mourait lentement sous ses yeux.

---

1. Le divan était le Conseil des ministres dans le gouvernement ottoman. Il était présidé par le sultan, chef temporel et spirituel de l'Empire, ou par le Grand vizir, qui occupait le poste de premier ministre.

Un homme comme lui, au fond. Ses yeux s'agrandissaient graduellement sous l'effet de la surprise.

Dans son espace-temps, cet homme savait pertinemment qu'il allait bientôt cesser de vivre. Et son esprit lui commandait de porter la main à sa blessure pour contrer l'hémorragie. Même s'il se croyait seul dans la pièce, un sifflement aigu pouvait être perçu tout autour.

Vlad Dracul retira délicatement le poignard à la lame recourbée des mains du moribond et chercha des yeux le fourreau. Il l'aperçut sur le sol non loin de là, plaqué d'or et serti de pierres précieuses.

Un nouveau battement de cœur propulsa une giclée de sang écarlate sur le voïvode.

Tous les hommes présents dans la salle furent fascinés par la façon dont le garde des sceaux chuta tout doucement au pied de leur prince.

Lui ne recula pas d'un pas.

Le lendemain de ce sanglant carnage, tous les corps avaient été empilés sur un navire militaire ottoman. Vlad Dracul avait ensuite exigé qu'on mène celui-ci vers le large pour brûler les cadavres. Tihomir avait chargé trois hommes de cette mission. Ceux-ci revenaient à présent à bord d'une barque après avoir hissé toutes les voiles du navire abandonné.

La veille, Octavian avaient rassemblé ses compagnons à la tombée de la nuit pour les ramener tous dans la réalité de leur monde. Le voïvode l'avait félicité de cette arme terrible, ce livre providentiel, qui leur conférait maintenant le pouvoir de prendre leur destinée en main et de réunir la Valachie, la Moldavie et, au-delà des Carpates, la Transylvanie, afin de reformer le pays roumain tel qu'il était à l'origine, avant qu'il ne soit morcelé à cause de la convoitise des peuples.

Un puissant archer se tenait sur la muraille est, donnant sur la mer. Il encocha une flèche impressionnante par sa longueur et mit le feu à la torche enroulée à son extrémité en la plongeant dans un brasero aux charbons rougeoyants.

Il banda son grand arc au maximum dans un craquement qui l'amena proche de la rupture, en pointant le ciel dans l'axe où se trouvait le navire. Un peu ébloui par le soleil, il corrigea l'angle et laissa partir la flèche, portée par le murmure des hommes qui l'entouraient.

Tous les chevaliers réunis sur la muraille la suivirent des yeux. Même les trois hommes dans la barque qui revenait vers le rivage levèrent la tête vers le ciel pour observer la trajectoire de la flamme exterminatrice.

La flèche alla se ficher au centre du vaisseau, au pied du grand mât. En peu de temps, les flammes s'élevèrent jusqu'à lécher la grand-voile gonflée par le vent.

Le navire filait en ligne droite vers le large, toutes voiles dehors, son gouvernail solidement attaché pour qu'il conserve sa direction.

— Nous n'aurions pas dû y mettre le feu, dit Vlad à l'endroit de Tihomir qui se tenait près de lui. Avec ce vent, il irait s'échouer tout droit sur les côtes de la Turquie!

— Seigneur, que fait-on pour la *cetate*[1]? demanda Tihomir.

— Comme pour le bateau. On la brûle.

Yazidzy Togan fit descendre la voilure du grand navire de guerre ottoman.

En levant les yeux vers le drapeau du prophète qui flottait en haut du grand mât, il constata que le vent soufflait toujours vers l'est.

Mauvais présage.

L'homme aux traits durcis par les atrocités d'un nombre incalculable de combats était commandant en chef de l'infanterie janissaire du sultan Mûrad II.

Debout à l'avant du navire telle une figure de proue, il observait avec un funeste pressentiment la colonne de fumée qui s'élevait du brasier flottant duquel il préférait se tenir à distance. Un tison poussé par le vent pouvait très bien venir s'échouer sur son propre navire et y mettre le feu.

Mais bien qu'à cette distance le vent ne puisse entraîner aucune flamme, Togan pouvait sentir cette odeur de chair brûlée qu'il connaissait trop bien. Il avait vu brûler assez de corps dans sa vie, sur les bûchers alimentés par les cadavres des soldats morts au combat et qu'on se devait de détruire ainsi, afin d'éliminer toute propagation de maladie.

---

1. Fortification. (Roum.)

Cet homme grand et solide, façonné par les combats et les voyages, paraissait sculpté dans la pierre. Aucun de ses soldats n'aurait songé un seul instant à discuter le moindre de ses ordres.

Le silence était tombé sur le navire comme une tempête inattendue. Le commandant ottoman savait pertinemment que tous les hommes avaient reconnu cette puanteur.

Le grand navire se présentait à bâbord du brasier qui commençait à s'enfoncer doucement dans les eaux sombres de la mer Noire. Le bruit du feu qui s'éteint subitement dans l'eau, semblable à celui d'un geyser crachant sa vapeur par intermittence, était perceptible d'aussi loin. L'épave en flammes fut finalement avalée par les flots dans un dernier souffle de vapeur d'eau.

Togan frappa violemment le bastingage du poing.

Il venait d'apercevoir au loin une nouvelle colonne de fumée qui s'élevait en gagnant de l'importance.

— Karadja! cria-t-il sur un ton impatient à un mage arabe qui se tenait en retrait derrière lui.

— Je suis là, répondit ce dernier en s'avançant.

— J'ai besoin de ta lunette d'approche.

— Tout de suite.

Le mage tira de sa besace un cylindre métallique recouvert de cuir d'environ trente centimètres de long. Le cylindre apparaissait plus effilé à une de ses extrémités, se terminant en fuseau pour s'adapter à l'œil. Il arracha les protections sur les embouts, révélant ainsi deux lentilles de verre poli, avant de tendre l'instrument à Togan.

— C'est bien ce que je redoutais, dit ce dernier plus posément en visant la terre avec la lunette. La citadelle est en flammes.

Parmi les flammes qui montaient d'entre les murs et la fumée noire traînée par le vent, son regard fut attiré vers le sommet de la colline derrière la citadelle. Il eut tout juste le temps de voir disparaître quelques cavaliers derrière la crête.

Cette fois, c'en était trop. Non seulement la trêve était rompue avec les Européens, mais maintenant ils ajoutaient l'insulte à la bravade. Le prochain affrontement serait décisif et il se passerait bientôt, quelque part sur les côtes de la mer Noire, qui serait le point de rencontre des armées.

Dès lors, Togan sut que ses hommes et lui se devaient d'être sur les lieux les premiers afin de prendre l'avantage du terrain.

Il n'y avait plus de temps à perdre. Sans ménagement, il donna l'ordre de faire demi-tour. Il devait avertir le sultan au plus vite.

— Et nos hommes? avança prudemment le mage. Le navire a sombré!

— Alors la mer sera leur dernier refuge.

Il remit la lunette d'approche à Karadja avant de quitter la proue.

Ceux qui rencontrèrent accidentellement son regard alors qu'il retournait vers sa cabine en furent littéralement terrifiés.

7

*F*riedrichshafen, *Allemagne.*
En fin d'après-midi, le mardi 22 août 1928.

Les pas d'Édouard Laberge le conduisirent vers le centre-
ville de Friedrichshafen, en longeant l'extrémité nord du
lac de Constance. Au loin sur l'eau, il pouvait apercevoir le
gros hangar flottant de la société Graf Zeppelin qui servait
à l'assemblage des dirigeables. Ainsi conçu, le hangar pouvait être aligné dans le sens du vent pour faciliter le premier
envol d'un mastodonte. Et derrière, une vue magnifique des
Alpes suisses et autrichiennes rappelait à l'étranger qu'il se
trouvait pratiquement à cheval sur trois frontières.

Quittant le bord de l'eau pour se diriger vers la vieille
ville, il traversa un parc où était suspendue une grande
bannière représentant le blason de la cité : un arbre et un
cor de chasse sur fond jaune et rouge. Il se dit en souriant
qu'il n'était vraiment pas en mesure de juger du bien-fondé
de ces armoiries. L'église du château apparut avec ses deux
grandes tours baroques de près de soixante mètres de haut.

Il résista à l'envie d'y entrer, pressé qu'il était de trouver l'adresse qu'il cherchait avant que la tombée du jour ne le surprenne.

En découvrant la rue Schanz derrière le château, il poussa un soupir de soulagement. Le voyage en dirigeable n'avait pas été vraiment fatigant puisqu'il avait pu dormir amplement, mais le décalage horaire et l'inactivité sur une période de quatre-vingt heures avaient été tout aussi exigeants.

Il s'arrêta au coin d'une ruelle devant un bâtiment à l'enseigne discrète, retenue par un support de métal tourné artistiquement. De l'intérieur lui parvenaient des voix, des bruits d'escarmouches et de contacts des épées de bois utilisées pour la pratique. Il se trouvait devant la porte d'une des plus anciennes écoles d'escrime d'Europe : la Fechtbush Peter von Danzig.

Il poussa la porte et s'infiltra à l'intérieur, se retrouvant dans un sombre vestibule d'où il pouvait plus loin apercevoir la lumière du gymnase. Il laissa son sac et son chapeau dans l'entrée et marcha jusqu'aux portes de la salle d'entraînement, grandes ouvertes. Saisi par la chaleur du lieu, il déboutonna son manteau, puis il tira sa montre. Il était presque dix-huit heures, mais les Allemands prenant leur repas du soir beaucoup plus tard, il ne fut pas étonné de trouver l'endroit encore ouvert. Plusieurs jeunes garçons pratiquaient déjà l'art de l'épée sous l'œil rigoureux d'un maître aux méthodes plutôt brusques, qui les ramenait à l'ordre lorsque nécessaire à l'aide d'une baguette de bois.

De l'autre côté de la salle, une douzaine d'hommes étaient regroupés autour de deux compétiteurs parés de protections, prêts à s'affronter dans un combat amical à la lame vive. Le bruit des longues lames s'entrechoquant fit aussitôt effet dans l'esprit du curé. Il avait presque oublié combien il aimait ce son.

Une jeune femme à la solide tresse blonde et aux yeux bleu clair passa devant lui en s'excusant d'un sourire coquin. Laberge lui sourit à son tour et la suivit du regard. Le pantalon blanc ajusté qu'elle portait aurait déconcentré n'importe quel adversaire. Il secoua la tête, trop conscient d'être sensible aux charmes des Européennes.

Que Dieu me pardonne d'admirer autant ses créations!

C'est la voix de son ancien maître, le Français Jean Vallot, qui le ramena à la réalité.

— Quel curé tu fais! Ah, Édouard! Ça fait bien cinq ans! Tu me vois heureux de te revoir!

Vallot embrassa le curé et le serra dans ses bras.

— *Ad finem*, dit-il à voix contenue.

— *Cede Deo*, lui répondit Laberge avec un sourire.

— Il y avait longtemps que je n'avais prononcé ces mots, reprit Vallot. Je ne fréquente plus la confrérie depuis bien longtemps.

— Je n'ai pas grand contact avec eux, moi non plus, tu sais. Vivant au Québec, je me trouve en quelque sorte isolé!

— En effet, c'est bien dommage. Et bien loin de la France! Quel gâchis tout de même! Je ne peux m'empêcher de penser que si les Britanniques ne s'étaient jamais mêlés de nos affaires, c'est l'Amérique du Nord tout entière qui serait française aujourd'hui. Et j'enseignerais peut-être dans une école d'escrime à Québec ou à Montréal!

— Rien ne t'empêche de venir en fonder une, lui dit Laberge en riant. Il y a encore tant à faire là-bas.

— Je crois que malheureusement je suis déjà trop vieux pour ça. Je retournerai bientôt à la chaleur de la Provence. Je me sentirai mieux près de la Méditerranée.

— Pour ça, c'est plus chaud que les bords du Saint-Laurent au mois de janvier!

Alors qu'ils riaient encore, leur attention fut détournée par les cris des jeunes hommes qui faisaient cercle autour des deux participants au combat à la lame vive. L'un d'eux se relevait difficilement en levant la main droite, signe de son abandon.

Vallot entoura de son bras les épaules de Laberge.

— Je leur enseigne depuis quelque temps une méthode tirée d'un manuel italien très intéressant de 1568 : *Trattato di Scienza d'Arme*[1]. Son auteur, un Milanais, était un ingénieur, un architecte et un mathématicien. Son approche est donc très scientifique – ce que j'aime bien, comme tu t'en doutes – et préconise quatre positions de base. On attribue même les planches du manuel à Michel-Ange!

— Et comment s'appelle-t-il, ce type?

— Camillo Agrippa.

— Ah bon? Agrippa?

— Ça te dit quelque chose? Tu connais ce maître d'armes?

---

1. *Traité sur la Science des Armes.* (Ital.)

— J'ai dû confondre avec quelqu'un d'autre…

— Viens, se décida Vallot, je vais te présenter. Tu sais que je leur ai déjà parlé de toi? Et tu vas rencontrer mon meilleur élève. Ce n'est pas par chauvinisme, mais c'est un Français!

— Tu n'aurais pas dû parler de moi, il n'y a pas de quoi fouetter un chat.

— Là n'est pas la question! Tu es un fin escrimeur stratégique. Tu calcules plus que tu ne te bats. Ainsi, tu te ménages des efforts et, de plus, tu prouves à tous que les mathématiques s'appliquent même en situation de combat rapproché.

— Vous êtes unique, cher maître, lui lança Laberge en riant.

— Et toi aussi, mon ami. Unique et précieux. Viens!

Il entraîna aussitôt Laberge vers le groupe de jeunes hommes qui discutaient entre eux. Leurs voix s'éteignirent peu à peu lorsqu'ils virent approcher l'homme en noir accoutré d'un manteau long.

— Messieurs, dit Vallot sans détour, je vous présente un ancien élève et ami : Édouard Laberge. Il arrive aujourd'hui du Canada.

Quelques murmures retentirent et tout le monde souhaita la bienvenue au voyageur.

Dans le but de détendre l'atmosphère et de détourner vers quelqu'un d'autre le centre de l'attention, le curé interpella le vainqueur du combat.

— Vous semblez très doué, monsieur. Maître Vallot m'a laissé savoir que vous étiez son meilleur élève.

Le jeune homme parut surpris, entendant vraisembla-blement pour la première fois l'accent québécois.

— Je le suis sans aucun doute, monsieur, répondit l'autre sans la moindre marque d'humilité, puisque toujours invaincu! Et…

— Soit dit en toute modestie, l'interrompit Laberge, incapable d'empêcher l'ironie de percer à travers sa remarque.

L'autre nota la pointe et changea aussitôt de sujet.

— Paraît-il que vous êtes très adroit à l'art d'escrémir, monsieur, dit-il mielleusement, et que vous battez le fer depuis longtemps. Notre maître n'a que de bons mots quant à votre talent. Selon ses dires, vous êtes un excellent tacticien et, grâce à votre savoir, le possesseur d'une botte secrète[1]. La botte d'Aurillac!

Laberge se sentait pris au dépourvu par ce petit impertinent qui aurait bien mérité une leçon. Il sentit le sang lui monter à la figure.

— Mais savez-vous que je possède très bien la botte de Nevers[2], continua le jeune homme qui n'avait même pas encore daigné décliner son nom, et que je peux l'exécuter sans aucune parade possible de mon adversaire?

— C'est très impressionnant, en effet, répondit Laberge, toujours ironique.

— Mais pourquoi ne croiserions-nous pas le fer ensemble, monsieur? proposa le jeune homme. Il est encore tôt. Mais

---

1. Coup dont la parade est inconnue de l'adversaire.
2. Coup particulier attribué au duc de Nevers, qui touchait son adversaire au front après une succession de parades de tierce et de prime.

je sais que vous avez fait un long voyage. Peut-être songez-vous davantage à aller dormir? Après tout, vous n'avez plus vingt ans! Cela dit sans vouloir vous offenser, bien sûr.

C'était trop tard.

— Mais ce serait un honneur de vous affronter, répondit aussitôt Laberge sous les applaudissements généraux. Comment pourrais-je laisser passer l'occasion de rencontrer un adversaire si admirable, que dis-je, un adversaire de taille, et ce, malgré mon grand âge!

Il retira son manteau d'un geste vif et se dirigea de façon plus que décidée vers le mur pour l'y suspendre, sous les acclamations des élèves, visiblement réjouis d'assister à un nouveau combat qui promettait de leur en mettre plein la vue. Vallot lui apporta l'équipement de protection, soit une veste rembourrée et une paire de gants.

Laberge retira sa chemise, révélant un corps mince, ferme et musculeux. Alors qu'il fixait le jeune Français dans les yeux en un geste d'intimidation, il s'efforça de bander ses muscles afin de semer le doute dans l'esprit de son adversaire et de lui montrer que le fait d'avoir quarante-trois ans ne faisait pas de lui un sous-produit.

Le curé lança une nouvelle boutade à l'autre.

— J'espère que vous me direz votre nom lorsque je vous aurai vaincu, lança-t-il par-dessus son épaule alors qu'il enfilait la veste. Préféreriez-vous utiliser les épées de bois afin d'éviter de vous blesser?

Il réfréna l'envie d'utiliser la magie pour troubler l'esprit de l'autre. Il décida de jouer franc-jeu.

— Jamais je ne vous le dirai si, par cas, je vous vaincs, lui dit l'autre en faisant monter la tension d'un cran. Et je laisse les épées de bois aux plus jeunes.

— Il est vrai que vous êtes un grand garçon, le provoqua encore Laberge en enfilant ses gants et en étirant ses mollets.

— Je sais, monsieur, que vous avez étudié selon le manuel de Girard Thibault d'Anvers, où se démontrent par règles mathématiques à travers un cercle mystérieux, la théorie et la pratique des secrets du maniement des armes. Je tiens à vous dire que je n'adhère pas à cette école.

— Grand bien vous fasse, mon cher! Je suis prêt!

Laberge s'avança, faisant toujours des mouvements d'étirement, cette fois pour le bassin et les bras. On lui tendit la grande épée d'entraînement des Fechtbush, relativement légère malgré sa longueur grâce à sa lame moins large, plus effilée et creusée d'un sillon.

Le jeune homme éleva l'arme impressionnante au-dessus de sa tête en une position offensive, alors que Laberge, bien campé sur ses jambes, s'adapta aussitôt à son opposant en amenant la garde de son arme à sa taille en position défensive.

Alors que les lames n'étaient pas encore engagées, Vallot lança le duel.

— Absence de fer! Messieurs, à vous!

Le jeune élève attaqua furieusement et sans attendre en donnant un puissant coup de tranche vers le bas. Laberge l'évita au dernier moment plutôt que de le bloquer comme l'autre s'y serait attendu. Il le repoussa avec la garde de son épée jusque dans le mur et, déséquilibré dans son élan premier, son adversaire perdit l'équilibre et chuta dans un murmure général.

Laberge recula et reprit sa position défensive.

L'autre se releva, le regard en feu.

Il attaqua de nouveau sans réfléchir, poussé par la frustration plus que par l'envie de gagner.

Toujours calme, Laberge vit venir le coup et le bloqua de côté tout en se déplaçant rapidement sur sa droite en un tour complet sur lui-même. Le jeune escrimeur, encore une fois emporté par son élan, ne parvint pas à le suivre et le curé lui asséna un coup du plat de la lame sur la hanche. Le Français ne put retenir un cri de douleur et, une fois de plus, il fut repoussé au mur d'un coup de garde.

— Tu devrais te mettre aux mathématiques, lança Laberge à la blague.

Pour toute réponse, il subit une troisième attaque. Cette fois, l'échange fut plus prolongé. Les grandes lames tournaient en un rythme régulier et se frappaient en un tintement clair qui couvrait les exclamations des spectateurs de chaque côté du gymnase.

Laberge avait maintenant changé de tactique. Plutôt que d'empêcher l'autre d'entrer dans son cercle, il tournait autour en l'entraînant avec lui. De cette manière, il fatiguait l'adversaire et le laissait attaquer en adoptant uniquement un style défensif, ce qui ménageait sa propre énergie. Il n'avait ensuite qu'à attendre le bon moment pour passer à l'attaque.

Il profita bien de cette pratique pour se dérouiller un peu tout en constatant que son jeune antagoniste avait encore bien du chemin à faire. Il ne s'était toujours mesuré qu'à des hommes de son âge, pas plus expérimentés que lui. Ce soir, il faisait d'une pierre deux coups : il prenait une leçon d'escrime et d'humilité.

Laberge le mena ainsi à l'autre bout de la salle. Les deux hommes étaient suivis par les autres membres de l'école qui ne voulaient rien manquer du spectacle.

Gêné pour son jeune élève, Vallot tenta de s'interposer.

— Cela suffit, messieurs, la leçon a assez duré. Il est inutile de verser le sang.

Profitant de ce moment de distraction, Laberge frappa sous la lame, en un mouvement vertical, le plus fort qu'il put, faisant échapper une main à son rival. Puis il pointa aussitôt le haut de la poitrine de son adversaire, ce qui mit fin au combat.

L'autre n'eut d'autre choix que de s'incliner.

Les spectateurs applaudirent chaudement les deux belligérants.

Laberge, bon joueur, tendit la main au jeune homme, qui la serra.

— Je me nomme Henri de Grasse, lança aussitôt ce dernier alors qu'il tentait encore de reprendre son souffle. Vous êtes très habile, monsieur, vous seriez redoutable dans un combat à mort.

— Mais je le suis, lui répondit Laberge le plus sérieusement du monde.

Jean Vallot avait convaincu Laberge de s'embarquer sur un bateau de transport de passagers et de marchandises dont il connaissait le capitaine, afin de descendre le Danube jusqu'aux Portes de Fer.

Le curé ne fut pas trop difficile à convaincre. Avoir la chance de demeurer sur le même bateau serait moins cher, moins compliqué, et surtout une occasion unique de traverser des régions magnifiques de l'Autriche et de la Hongrie.

De plus, Laberge aimait bien les cours d'eau. Les ruisseaux, les rivières et les fleuves. Il avait toujours trouvé fascinant ce mouvement d'entraînement d'une si grande quantité d'eau, poussée à s'écouler par une pente invisible et une force surnaturelle sur des distances inimaginables pour rejoindre la mer.

Le Danube – du latin *Danubius*, nom d'un dieu romain des fleuves –, deuxième plus long fleuve d'Europe après la Volga en Russie, est le seul fleuve européen à couler d'ouest en est. Prenant sa source en Allemagne, dans le massif montagneux de la Forêt Noire, il court sur exactement 2 857 kilomètres. Il traverse une dizaine de pays dont, bien sûr, l'Allemagne, puis l'Autriche, la Tchécoslovaquie, la Hongrie, la Serbie, la Croatie, la Slovénie, l'Ukraine, la Bulgarie et finalement, la Roumanie où il termine sa course dans un large delta pour se jeter dans la mer Noire. De ces dix pays, quatre capitales sont traversées par le Danube : Vienne, Bratislava, Budapest et Belgrade.

Laberge referma la brochure qui contenait toutes ces informations sur le grand fleuve. Il avait envie de prendre l'air avant le départ du long bateau bas, ainsi construit pour faciliter son passage sous les ponts.

Jean Vallot venait vers lui, deux cafés dans les mains.

Ils marchèrent le long des quais, ayant encore plus d'une heure devant eux avant que le bateau ne lève l'ancre.

— Ces quelques jours en ta compagnie ont été fort agréables, mon ami, déclara le Français en livrant le fond de sa pensée. Ton apport aux élèves de l'école était le bienvenu! Dommage que tu doives partir si vite.

— Je passerai te voir avant de repartir vers le Nouveau Monde, si tu veux bien m'héberger encore quelques jours!

— Ce sera avec joie. Mais dis-moi… Même si tu ne cherches pas à cacher ta destination, tu restes bien secret sur le but de ta mission. Tu ne peux vraiment rien me dire?

— Je préfère éviter le sujet. C'est… compliqué.

— Comme tu veux, je respecte ton choix. Mais je ne puis adhérer à la cause pour laquelle tu as dédié ton bras. Tu connais ma position sur ce sujet. Ce n'est pas une vie et tu le sais.

Comme toute réponse, Laberge prit une gorgée de café.

— Quand comptes-tu revenir, Édouard?

Laberge garda le silence encore un moment, n'écoutant que le bruit de ses pas sur les pierres des quais.

— Je n'en ai pas la moindre idée, finit-il par dire.

Il s'arrêta sous un grand tilleul qui couvrait de son ombre cette partie du quai. Il songea aux fleurs odorantes de cet arbre qui donnaient une infusion sudorifique et calmante.

Il laissa courir ses doigts sur une large feuille verte, juste au-dessus de sa tête.

— Si jamais je reviens, ajouta-t-il d'une voix à peine audible.

8

Sainte-Clotilde-de-Châteauguay, Québec.
Au cours de l'avant-midi, le vendredi 31 août 1928.

Alors qu'il s'affairait à trancher des feuilles de tabac à pipe sur le bout d'un comptoir au magasin général, un objet solide trouva le fond de la poche du veston d'Albert Viau.

Ce dernier fit volte-face pour se retrouver nez à nez avec son ami Alphonse Chevigny, chef de gare.

— Un message pour toi, Albert, de la part de l'évêché. Arrivé ce matin par le premier train. J'ai pensé que je te rencontrerais ici.

— Merci...

Chevigny s'éloigna aussitôt. Albert l'interpella avant qu'il ne soit trop loin.

— Alphonse?

— Oui, répondit-il en se retournant.

— Ça fait longtemps que tu... que tu...

— Que j'aide?

— Oui, c'est ça.

— Oh, bien longtemps Albert...

Viau le regarda s'éloigner vers la portion du magasin général où se trouvait le bureau de poste. Il mit la main dans sa poche pour tâter un cylindre solide, métallique, d'une douzaine de centimètres en longueur.

Albert s'appliqua à quitter le magasin de la façon la plus naturelle possible. Il régla sa note pour l'achat du tabac et releva le regard de Chevigny qui l'observait de loin. Le soleil l'éblouit temporairement lorsqu'il sortit dehors et la fraîcheur de l'automne lui remit les idées en place. Il monta dans son camion garé juste devant le magasin et relâcha le frein à main tout en tournant la clé dans le contact.

La pente de la rue de l'Église entraîna lentement le Modèle T alors qu'Albert retournait dans sa main le cylindre de laiton.

Après que le camion eut acquis suffisamment de vitesse, il fourra le cylindre dans sa poche et poussa brusquement sur la pédale d'embrayage pour passer en première et lancer le moteur.

La mécanique s'emballa dans un élan de vibrations, qui se communiqua à travers toute la cabine. Un élan comparable à celui que ressentait le cœur d'Albert Viau à la réception de cette première charge.

— Qu'attends-tu? Ouvre-le! lança Emma Tremblay à Albert d'une voix teintée par l'impatience. Si je comprends bien, Alphonse t'a donné ce contenant ce matin et tu n'as même pas encore dévissé le couvercle?

— Non.

— Albert, parfois tu m'exaspères.

— J'apprécie le « parfois ».

Emma lui jeta un regard acéré.

— Allez, continua Albert, je voulais juste attendre que les enfants soient couchés pour l'ouvrir avec toi, c'est tout. Suis-je encore si exaspérant?

— Mais non… Pardonne-moi.

Albert dévissa le couvercle et le posa sur la table. Il extirpa du cylindre un papier qu'il étendit entre sa femme et lui.

— Voici donc la fameuse écriture de monsieur Braille, admira Emma.

— Oui. Si je te donne les lettres, tu pourrais les écrire à mesure pour transcrire le message?

— Bien sûr.

Ils échangèrent un sourire complice, presque provocateur, lorsque Emma se leva pour quérir un crayon. Elle s'exécuta sans quitter son mari des yeux, lançant de façon tout aussi codée que le message qu'il avait entre les mains son désir pour lui qui ne la quittait jamais.

— Tu peux me le lire maintenant, s'il te plaît? demanda Albert en déplaçant sa chaise de l'autre côté de la table. Le besoin de rapprochement ne se limitait pas uniquement à l'envie de connaître le contenu du message. Il colla sa chaise contre celle d'Emma et l'entoura d'un bras.

— Je t'écoute.

— Tu me déconcentres…

— Je serai sage, promis.

Emma prit une profonde inspiration et ramena son attention au papier qu'elle avait entre les mains. Sans autre préambule, elle en entama la lecture.

— « Sur la route menant de Sainte-Clotilde à Saint-Urbain-Premier, à mi-chemin se trouve une croix de chemin. »

— C'est la croix de la montée Gervais, la coupa Albert.

— C'est bien écrit, ils font même des rimes! ironisa Emma.

— Voyons si le reste du message est tout aussi poétique, dit Albert en glissant ses doigts sous l'encolure de la robe d'Emma pour lui caresser le haut du dos.

— Je disais donc, avant que tu ne viennes me perturber, que « sur la route menant de Sainte-Clotilde à Saint-Urbain-Premier, à mi-chemin se trouve une croix de chemin. Juste en face, derrière l'école anglaise et la lisière de la forêt, il y a une pierre sacrificielle de la dimension d'un autel. Creusée d'un bassin et gravée de plusieurs signes, vous la reconnaîtrez aisément. Cette pierre fut, au début du siècle, le théâtre de sacrifices de la part d'une secte importante vénérant des dieux scandinaves et semant le chaos dans l'île de Montréal, tout comme sur les rives nord et sud du fleuve. Ses membres en arrivèrent aux sacrifices humains, bien cachés des regards indiscrets dans cette forêt. Cette secte fut démantelée il y a vingt ans déjà. Certains de ses membres furent arrêtés; d'autres, dont le chef, s'évanouirent dans la nature. Mais depuis quelques mois, certains habitants affirment voir des lueurs dans la forêt lors des nuits de pleine lune. Ce qu'il serait important de savoir, c'est si des traces de sang récentes sont apparues sur la grande pierre. Pourriez-vous aller vérifier sur place et nous communiquer la réponse de la manière convenue? Nous comptons, bien sûr, sur votre absolue discrétion. »

Emma leva les yeux et rencontra aussitôt ceux d'Albert.

Ils paraissaient inquiets.

— Non, Albert, lâcha-t-elle aussitôt. Je sais ce que tu as en tête. Je connais ce regard de chien battu qui veut dire : « Désolé, mais je dois y aller! » Tu ne le feras pas.

— Mais Emma, tu as toi-même lu le message! Ne juges-tu pas cette mission importante?

— C'est dangereux, Albert, lui dit-elle en lui serrant le poignet et en contrôlant sa voix pour ne pas réveiller les enfants.

— Tu sais très bien que je peux me défendre en cas de besoin. Et puis je veux juste voir, c'est tout!

— Je commence à regretter que tu te sois embarqué dans cette histoire de coopérant.

— C'est pour le bien de la communauté. On ne peut pas laisser n'importe qui débarquer ici sous prétexte que les terres sont vierges et les laisser faire n'importe quoi. Ce pays est neuf, et il est de notre devoir de le diriger de façon intelligente pour en faire un endroit où il fera bon vivre pour nos enfants. La terre est le seul héritage que nous pourrons leur léguer. Avec, bien sûr, l'éducation que nous leur donnons.

Emma laissa tomber le papier sur la table et appuya sa tête contre l'épaule d'Albert.

— Donc, il n'y a rien que je puisse dire qui pourrait te faire changer d'idée, tenta-t-elle une dernière fois.

— C'est plus fort que moi, Emma, lui dit-il en l'attirant encore plus près.

— Tu as vraiment la tête dure…

Il haussa les épaules avec un sourire se voulant rassurant. Puis doucement, du bout du doigt, il écarta une mèche de cheveux qui voilait l'un des yeux d'Emma.

— Je n'y peux rien, murmura-t-il. Et puis, la pleine lune, c'est cette nuit.

9

Ulm, *Allemagne.*
En fin de journée, le vendredi 31 août 1928.

Alors que le bateau se préparait à accoster contre les quais de la ville d'Ulm, Laberge fourra son paquetage dans le petit casier qui lui avait été attribué au départ, sous le lit de sa minuscule cabine. Il tenait à profiter de cet arrêt dans la ville de l'idylle allemande pour arpenter ses rues, et surtout visiter sa cathédrale réputée pour posséder la plus haute tour au monde.

Le *Marxheim* toucha le quai tout en délicatesse, manœuvré de main de maître par son capitaine.

Laberge sauta aussitôt sur le débarcadère, les mains libres et l'esprit vagabond. Il n'avait plus rien d'un curé, subitement transformé après qu'il eut changé de vêtements pour se glisser dans un vieux manteau de cuir noir qui lui allait jusque sous la taille et se couvrir d'un chapeau tout aussi usé, qui n'affichait plus aucune couleur discernable.

Très enthousiasmé par cette descente du grand fleuve qui lui permettrait de voir d'incroyables merveilles, Laberge trouva sa récompense. Il lui serait permis pour quelques jours de contempler la beauté avant de se fondre à ce que la nature humaine a de plus laid à offrir. Cette prise de conscience, qui lui semblait presque providentielle, lui confirma le but de son existence. Tout ce qui a été construit par l'homme au long d'innombrables siècles de travail ne pouvait sombrer dans la perdition.

Alors que la flèche de la cathédrale qui dominait la ville lui apparaissait, il chercha de nouveau à comprendre ce qui pouvait pousser certains individus à être si obtus, si centrés sur eux-mêmes, au point de ne plus rien voir de beau dans le monde qui nous entoure. Ces êtres devaient souffrir d'un feu intérieur si grand, que leur organisation logique – ou la cohésion même de leur esprit – en était consumée. Plus rien ne devait compter, sinon l'envie du pouvoir personnel et celle de faire souffrir autrui. La beauté proprement dite n'existait plus.

Mais ne souffrait-il pas, lui? N'avait-il pas eu son lot de malheurs, de pertes, de renoncements? N'avait-il pas été répudié, chassé? N'avait-on pas maintes fois tenté de le tuer?

Il sentit l'émotion envahir sa poitrine comme une coulée de lave s'infiltrant au cœur d'une faille.

Il est si cruel de faire face à la destruction, à la fin.

Quand on sait que les hommes à l'esprit torturé qui entreprennent des quêtes folles et mégalomaniaques le font tout à fait inutilement, on serait tenté d'affirmer qu'il serait tout aussi inutile de mourir en s'y opposant. Pourtant, il n'en est rien. Ces êtres représentent un autre monde, un monde de ténèbres et de chaos qui n'a aucun droit de naissance. Tout comme l'exprimait l'Américain James Branch Cabell en 1921 dans son œuvre de fiction *Figures of earth*, un monde semblable reste caché par le voile des sensations humaines normales. Ce voile ne doit jamais être levé. Mais il arrive parfois qu'il se déchire…

Et certains hommes se devaient d'être là pour réparer la déchirure.

Laberge tira sa montre. Il n'était pas encore dix-huit heures. Avec un peu de chance, il trouverait encore quelqu'un à la cathédrale pour lui accorder l'autorisation de monter dans la tour afin d'admirer la vue. Son voyage en zeppelin lui avait fait apprécier les hauteurs et la vision du monde qu'elle offrait. Les choses n'étaient plus les mêmes vues d'en haut. Tout semblait parfait; la couleur des prés et le contour des terres s'harmonisaient au louvoiement des cours d'eau qui prenaient des détours compliqués pour atteindre un but ultime, leur permettant de se fondre dans une mer ou un océan qui semblait s'étendre à l'infini. Cette vision du monde était nouvelle pour lui qui n'avait jusque-là voyagé que par la voie des mers. Mais l'impression restait la même. La nuit était si calme à bord du grand dirigeable, alors que l'on semblait flotter sur un fleuve noir et caché à tous les sens. Le bruit des moteurs produisait un effet rassurant et hypnotique pour donner l'impression d'être transformé en voyageur de l'éternité.

Il existait quelque chose de tout aussi rassurant dans le vide et l'immensité de l'océan. Tout comme dans le ciel, le temps y semble inexistant. Comme s'il n'y avait jamais eu de passé et que tout avenir était impossible. L'océan est immuable. L'ondulation éternelle de ses vagues et le bruit du ressac contre les rochers, le mouvement des marées et la lune qui s'y reflète pendant la nuit, se répètent jour après jour. On pourrait croire à une scène sans fin, reproduite pour un public qui n'assistera jamais à la grande première.

Égaré au milieu de ses pensées, Laberge leva les yeux vers la flèche de la haute cathédrale. Guidé par elle, il avait atteint le parvis sans même s'en rendre compte. D'architecture gothique, la grande église ne méritait pas tout à fait son titre de cathédrale, n'ayant jamais été le siège d'un réel évêché. Construite dès le XIVe siècle, elle culminait à une hauteur de 162 mètres, revendiquant le titre de plus haute église du monde.

La vision de ce monument gothique, sculpté de bas en haut, dans ce ciel de fin de journée teinté de rose et de violet, était dantesque.

Laberge admirait, sans retenue, et imaginait sans mal la puissante mobilisation qui avait été mise en œuvre pour entreprendre la réalisation d'un pareil projet.

Il fallait d'abord commencer par une intense propagande régionale dans le but de ramasser de l'argent. Une véritable société était fondée et de multiples quêtes étaient planifiées dans moult villes et villages. La cathédrale devenait symbole de rapprochement puisque chacun y coopérait. Le riche donnait son avoir, le seigneur donnait une terre et l'artiste, son génie créatif. Le peuple offrait sa force et tirait charrettes de pierres ou de bois. Leurs efforts partagés leur garantissaient tous une place au ciel.

Le curé pouvait sentir la force mystique qui rayonnait de cette œuvre éternelle le traverser de part en part.

En retenant son souffle, il souleva le loquet de la porte de service et tira. Celle-ci tourna sur ses gonds et lui donna accès au portique intérieur. Il avança jusqu'à la seconde porte et la poussa avant de retirer son chapeau. Lorsque ses yeux se furent habitués à la lumière reposante et irisée projetée par les vitraux, il saisit toute la dimension du bâtiment. Il avait déjà lu que la cathédrale d'Ulm pouvait recevoir au Moyen Âge plus de vingt mille personnes debout. Cela ne faisait aucun doute.

Il se dirigea vers le bénitier pour y tremper ses doigts avant de se signer.

Une voix douce et accueillante le sortit de sa rêverie.

— Vous n'êtes définitivement pas Allemand, dit la voix dans un anglais teinté de l'accent germanique. J'opterais pour la nationalité américaine.

— Vous êtes perspicace, pasteur, répondit Laberge dans la même langue en se retournant. Je suis un Nord-Américain. Je suis prêtre dans la province de Québec au Canada.

— Vous êtes bien loin de chez vous, mon ami. Soyez le bienvenu.

— Merci. Il est un peu tard, je sais, mais serait-il possible pour moi de monter dans la tour? Je dois repartir tôt demain matin et j'aimerais vraiment apprécier la vue.

— Je ne sais ce qui vous amène, cher pèlerin, ni où vous allez. Mais faites, je vous prie, dit-il en lui indiquant la porte donnant accès à l'escalier. Je suis là pour encore un moment.

Laberge remercia son interlocuteur d'un signe de tête et se dirigea vers la porte. Lorsqu'il l'ouvrit, la voix tranquille du ministre du culte se fit de nouveau entendre.

— Loin de moi l'idée de vous presser, mon frère, mais sachez qu'il y a exactement 768 marches sur une hauteur de 150 mètres pour atteindre le haut de la tour. Je vous donne deux heures. Ensuite, je devrai quitter. Et comme vous devez partir demain matin, il serait déplaisant que vous vous retrouviez enfermé dans cette église!

— C'est gentil de m'avertir, fit Laberge avec un sourire. Je serai de retour dans deux heures.

Sans rien ajouter, il referma la porte derrière lui et entreprit son ascension.

Une lueur insolite provenant du haut guida ses pas sur les marches usées par le temps.

Le vent lui fouetta doucement le visage et quelques pigeons prirent leur envol en un battement d'ailes précipité lorsqu'il s'avança entre deux pilastres ouvragés. La vue sur la ville et sur le Danube alors que le soleil se couchait en embrasant le ciel était imprenable. Émerveillé, il laissa glisser ses mains le long de la petite colonne sur sa gauche et caressa du bout des doigts les détails du chapiteau, comme pour capturer l'imagination du sculpteur qui avait réalisé le travail six siècles auparavant.

Juste devant lui, en contrebas, une gargouille défigurée par les âges s'arrachait au mur de pierre la gueule grande ouverte. Laberge la caressa à son tour, souriant à son contact. Il s'appuya là, entre les deux colonnes, et se rappela la bénédiction des cloches à l'église de Saint-Rémi. C'était la deuxième fois qu'il se retrouvait dans un clocher en moins d'un mois.

L'endroit était idéal pour la méditation. Un peu de remise en question accompagnée d'un balancement de ses propres énergies ne lui ferait que du bien.

Il avait bien le temps.

Il tira de sous sa chemise le médaillon d'Hélène. C'était ainsi qu'il le nommait.

La photo, presque aussi abîmée par le temps que la gargouille en pierre, lui souriait invariablement. Une image photographique pouvait être tout à la fois un souvenir heureux et une image cruelle. Elle paralysait dans le temps, tout comme sur le support cartonné, la vision jeune, vivante, aimante et joviale de la femme qu'il avait aimée, qu'il aimait encore.

Mais Hélène n'était plus jeune et aimante. Elle était morte et n'avait plus rien de vivant. Depuis des années, elle était profondément enfouie au cœur de la terre froide d'un cimetière.

Le jeune homme de vingt et un ans qu'était Édouard Laberge avait eu un mal fou à seulement vouloir survivre à la femme qu'il chérissait. Il avait été assailli par une kyrielle de sentiments contradictoires qui l'avaient poussé jusqu'au bord du gouffre.

Il n'était pas seulement question de la peine et de la rage ressenties à la suite du meurtre d'Hélène; il ne pouvait se pardonner qu'un des assassins lui ait glissé entre les doigts. Il savait son sentiment de culpabilité inutile, Hélène étant déjà morte quand il l'avait retrouvée. Mais s'il avait pu faire payer l'homme retors qui l'avait nargué sur le toit alors qu'il éprouvait tant de peine, cela aurait allégé son fardeau.

Du moins le croyait-il.

Les choses n'avaient pas été faciles après son escapade sur les toits des édifices du boulevard Saint-Laurent. À son retour dans l'enceinte du Monument National, il s'était retrouvé menottes aux poings sous le regard décontenancé de son beau-père.

La police, quant à elle, se retrouvait avec trois morts sur les bras : en plus d'Hélène Myers, il y avait la jeune femme qu'Édouard avait brutalement frappée et qui s'était fracturé le crâne contre une massive pièce de métal, et un autre inconnu qui avait chuté du toit de l'édifice. Étant directement responsable de la mort de deux d'entre eux, Édouard avait été amené au poste pour échouer, sans autre préambule, en cellule.

Laberge avait été relâché cinq jours plus tard, sous promesse de comparaître, après que James Myers eut payé la caution.

Peu de temps après, il avait été refoulé aux portes de la riche maison des Myers où Hélène était exposée. On ne voulait plus de lui.

Il avait erré sans but dans la ville, négligeant l'université où il était montré du doigt, se perdant dans le parc du Mont-Royal et dormant avec les itinérants.

Le jour des funérailles, repoussé de nouveau par des individus baraqués, il n'avait pu que se tenir en retrait au moment de l'inhumation au cimetière Notre-Dame-des-Neiges.

Il s'était tenu plus loin, sur une petite butte verdoyante, complètement détrempé par une pluie contrariante et verticale, qui avait rendu la journée encore plus lugubre, obligeant le port des imperméables et des parapluies noirs.

Lorsque les hommes des pompes funèbres descendirent le cercueil dans la boue, Édouard tomba à genoux, incapable de supporter la pensée de l'eau froide s'infiltrant par le couvercle non hermétique pour aller tremper les restes de celle qu'il adorait par-dessus tout.

Il pleura bruyamment, enterré par le bruit de la pluie qui tombait dru.

La douleur qu'il ressentait était insupportable. Il semblait n'y avoir qu'une seule issue et c'était la mort. Rien ne pouvait le retenir en ce bas monde, excepté peut-être l'envie de retrouver le responsable d'un acte aussi ignoble.

Les proches de la victime entouraient le lieu d'inhumation, bloquant la vue de leurs parapluies ouverts. Cette scène regroupant des gens tous vêtus de noir, protégés de parapluies noirs, sous un ciel maquillé de noir, paraissait sortir tout droit du monde noir et morbide d'Edgar Allan Poe.

Il ne pouvait s'arrêter de pleurer, ses larmes se mêlant à la pluie et ses sanglots criant son désespoir comme un orage en furie. Plus rien n'avait d'importance.

À la fin, l'attroupement se dispersa, révélant les fossoyeurs en train de combler la tombe de façon précipitée.

James Myers, accompagné de deux solides gaillards, vint vers Laberge qui se releva tant bien que mal.

Le père d'Hélène se tint à bonne distance pour engager la conversation.

— Je serai direct avec toi, Édouard, lui dit-il en anglais comme pour établir une distance encore plus grande entre eux. J'ai payé ta caution et je m'arrangerai pour que les charges qui pèsent sur toi soient abandonnées. Tu as agi contre des criminels, sous le coup de la colère. Tu t'es défendu vaillamment. Il s'agissait sans nul doute d'homicides involontaires. Lorsque tout ceci sera terminé, je ne veux plus jamais te revoir, ni de près ni de loin. Me suis-je bien fait comprendre?

Laberge était atterré. L'autre était à un cheveu de le rendre responsable.

— Comment pouvez-vous parler de la sorte, articula-t-il finalement entre deux sanglots. Vous savez à quel point j'aimais votre fille. Elle représentait tout pour moi!

— Peu importe ce qu'elle représentait pour toi. Elle est morte et tu n'as plus rien à faire avec notre famille. Elle aurait de toute façon mérité quelqu'un de son rang. Je me suis laissé attendrir par le fait que tu deviendrais un jour médecin et que vous pourriez vous épauler pendant vos études et au-delà. Regarde-toi donc! Vois ce que tu es devenu! Aurait-elle pu compter sur toi en cas de coup dur? Tu n'as aucun contrôle et tu me fais pitié. Que je ne te revoie jamais!

Les trois hommes partirent précipitamment, chassés par le vent qui s'élevait et qui leur poussait la pluie dans le dos.

Pendant que Laberge les regardait s'éloigner, il remarqua, sur un banc, sous un grand orme, un inconnu vêtu de noir se protégeant d'un parapluie.

Ne sachant pour quelle raison, il se dirigea vers ce dernier d'un pas défaillant, tout en jetant des regards résignés vers les fossoyeurs qui poursuivaient leur tâche à la hâte.

Dégoulinant, les cheveux hirsutes et la barbe négligée, Édouard vint s'asseoir à côté de l'étranger, à qui il demanda :

— Mais qui êtes-vous donc?

— Quelqu'un qui peut vous aider, répondit l'autre dans un français élégant.

— Personne ne peut m'aider.

— Oh que si, mon cher! Mais vous l'ignorez encore. Dans les circonstances, votre réponse était donc prévisible.

— Vous ne savez rien de moi.

— Je n'ai pas besoin de savoir, je n'ai qu'à observer. Tout est clair. Mais puisque tout est fini pour vous et que ces fossoyeurs achèvent d'enterrer votre passé, il serait peut-être bon de vous tourner dès maintenant vers l'avenir.

— Mon avenir est anéanti, j'ai tout perdu.

— Mais cessez d'être aussi pessimiste! Vous avez encore de la famille, des amis. Ce n'est pas rien. Et à partir d'aujourd'hui, vous m'avez moi aussi.

Laberge avait la tête au creux de ses mains et fixait le sol devant lui. Il avait envie de vomir.

— Si je vous proposais de donner un sens à votre existence au lieu de chercher à l'anéantir, que me répondriez-vous?

— Ma vie n'a plus de sens maintenant, plus rien n'a d'importance.

— Allons donc! Arrêtez de répéter la même chose et réfléchissez un peu! La vie en elle-même n'a certainement aucun sens. C'est l'individu qui lui donne un but, une raison d'être! Et si, plutôt que de vous centrer sur votre malheur en croyant qu'il a détruit l'unique but de votre existence, vous me laissiez vous montrer que votre esprit peut en receler d'autres, tout aussi importants, qui dorment au fond de votre âme, attendant d'être réveillés?

Laberge leva la tête et regarda pour la première fois l'homme assis à côté de lui.

— Je n'ai plus nulle part où aller, dit-il en cherchant son mouchoir. Vous prenez contact avec moi alors que je suis en position de faiblesse extrême. Je suis peut-être anéanti, mais pas encore complètement idiot. Vous seriez un sectateur illuminé que je n'en serais pas surpris. Alors, s'il vous plaît, fichez-moi la paix.

— Mon cher, répondit l'étranger en secouant son parapluie puisque l'averse venait de cesser, si je fais partie d'une secte, c'est sans contredit la plus grande de toutes. Celle de l'Église du Christ. Je m'occupe depuis peu des archives du diocèse de Valleyfield. Entre autres choses. Et je sens votre « talent », cette force que vous savez posséder mais que vous ne savez utiliser.

— Et en quoi l'Église aurait-elle besoin d'hommes comme moi?

— Elle en a bien plus besoin que vous ne pouvez l'imaginer. Vous êtes libre. Libre de choisir. Libre de faire le bon ou le mauvais choix. Accompagnez-moi et votre choix sera judicieux. Restez-en là et votre existence sera misérable.

Un silence aux allures de temps de réflexion s'installa entre les deux hommes. Au bout d'un moment, Laberge explosa.

— Mais pourquoi monsieur Myers réagit-il ainsi? Pourquoi me rejette-t-il? Qu'ai-je fait pour mériter pareil traitement? Son rejet me blesse presque autant que la mort de sa fille! Ne réalise-t-il donc pas ce qu'il me fait? Et…

L'étranger l'interrompit d'un geste de la main.

— Je ne voudrais surtout pas me perdre en conjectures ou en de gratuites allusions, mais il faut bien peu de temps pour se faire une idée de l'homme.

— Que voulez-vous dire?

— C'est simple. Cet homme fait partie d'une vieille famille de la noblesse anglaise. Que peut-on espérer alors? Il est froid, hautain, condescendant et bourré de préjugés, de principes dépassés et d'idées préconçues.

— Vous avez en effet mis peu de temps pour vous en faire une idée…

— Vous vous posiez des questions, je vous dis ce que j'en pense en m'efforçant de vous apporter des réponses! Pourquoi diable croyez-vous que cet homme, si influent, a pu s'intéresser à vous? C'était uniquement à cause de sa fille! Elle était le centre de son univers! Cela n'avait rien à voir avec vous. Elle disparue, votre présence devient superflue! C'est un politicien, pardieu! Il est habitué à l'art de trahir, mais pas à celui de souffrir!

Laberge le regardait intensément, attentif à ses paroles.

— La perte de sa fille provoque en lui une réaction qu'il n'avait jamais anticipée, continua l'étranger, et vous êtes comme le bois sec qui alimente le feu de sa souffrance. Pour votre bien, oubliez cet homme…

Édouard avait baissé les yeux. Il s'alloua quelques instants pour remettre ses idées en place avant de prendre une bruyante inspiration.

— Vous avez dit Valleyfield, n'est-ce pas?

— C'est ce que j'ai dit.

— Ça tombe bien. Mes parents habitent Saint-Louis-de-Gonzague.

— Vous me voyez enchanté par votre décision, mon jeune ami, renchérit l'homme en lui tendant la main. Je me nomme Coppegorge, Théodore Coppegorge. Allons chercher vos affaires.

Fuyant ses souvenirs, Laberge dévala les marches de la tour pour se retrouver dehors sur le parvis de la cathédrale. Il se concentra sur son Centre Divin, cette colonne d'énergie qui animait tout son être et où il puisait force et persévérance.

Redevenu calme, citoyen du monde qui allait son chemin au gré du temps et des missions qu'on lui confiait, il ajusta son chapeau sur sa tête avant de se perdre dans les rues tortueuses de la ville.

La descente du Danube se poursuivait sur les eaux calmes du long fleuve, révélant sur son parcours les richesses de son histoire, par d'admirables architectures et les beautés de la nature. Les villes et villages traversés représentaient des siècles, voire des millénaires d'existence, de coutumes et de traditions.

Laberge dormait peu. Il ne savait pas s'il était excité ou trop calme. Il se plongeait dans l'histoire qui défilait devant lui, nourrissant ainsi sa gourmande et insatiable curiosité.

Après avoir quitté Ulm, le bateau avait fait halte à Igolstadt[1] – ville de forteresses militaires –, à Regensburg puis à Passau – surnommée la Venise de la Bavière –, avant d'arriver en Autriche. Ce pays où le fleuve passe au milieu de l'un des plus beaux paysages de la vallée du Danube, la Wachau, qui s'étend de Dürnstein jusqu'à Krems. Il traverse enfin la capitale, la magnifique ville de Vienne.

Le curé se voyait de nouveau frustré de ne pouvoir passer qu'une seule soirée dans la capitale de l'Empire des Habsbourg. Il se lança donc à l'assaut de la ville aussitôt débarqué, avec une seule idée en tête, boire un café viennois.

Il se trouvait en Autriche pour la première fois de sa vie et il aimait déjà ce qu'il voyait. Il pouvait ressentir la douceur de cette ville où les gens, déambulant à pied ou à

---

1. Pendant la Première Guerre mondiale, les forteresses d'Igolstadt ont retenu prisonnier l'homme qui allait plus tard devenir le général de Gaulle.

bicyclette, semblaient vouloir lui communiquer un nouvel art de vivre.

Il aboutit dans le centre, au fond de la rue Dorotheer, pour se retrouver nez à nez avec la façade du café Hawelka, à l'intérieur duquel il entra.

Étrangement, il s'y sentit bien tout de suite. Une dame d'âge mûr s'approcha de lui et il retira son chapeau en vitesse afin de la saluer. Elle lui indiqua une banquette en velours dans laquelle il se cala en laissant échapper un soupir de satisfaction.

L'atmosphère de ce café respirait le mystère, et le jour tombant ne faisait qu'ajouter une touche énigmatique à la scène dans laquelle il venait de faire intrusion.

L'établissement, un peu vieillot et suranné, avec ses confortables banquettes et ses grosses tentures rouges, restait gentil malgré son mystère. Affiches, dessins et caricatures tapissaient les murs entre les boiseries patinées, révélant du coup une clientèle colorée et artistique. Des recoins tentants et intimes accueillaient amants langoureux ou rêveurs solitaires, attablés pour y écrire lettres d'amour ou poèmes intimistes. Un disque fatigué, gravé d'une valse de Strauss, jouait en sourdine sur un gramophone installé à l'abri des regards.

Laberge considéra son chapeau sur la table devant lui, symbole de protection du voyageur qu'il était. Il lui servait à se protéger de la pluie et aussi des regards, à se cacher du soleil ou à s'endormir sous un arbre... Son chapeau lui rappelait qu'il n'avait pas d'attaches, qu'il allait là où le vent le poussait.

La dame de l'entrée déposa un petit gâteau devant lui et lui demanda ce qu'il désirait boire. Voyant qu'il ne comprenait pas sa langue et qu'il ne pouvait que hausser les épaules, la femme leva les yeux au ciel.

Provenant de la table voisine à demi cachée dans les ténèbres, une voix calme à l'accent britannique vint à sa rescousse en anglais.

— À voir votre mine, étranger, je serais tenté de vous conseiller le *kaisermelange*.

— Merci de m'informer, répondit Laberge dans la même langue. Mais pourquoi celui-là en particulier?

— Parce qu'il est tonique! C'est un café noir avec un jaune d'œuf battu.

— Ah bon? C'est assez inhabituel comme mélange, non?

— Pas pour ici, mon cher. Ce café est apparu dans les années 1910, lors de la Grande Guerre, alors que le lait était rationné et qu'il fallait lui trouver un substitut.

— Ai-je donc l'air si mal en point pour que vous me suggériez un tonique?

— Cela ne vous ferait sûrement pas de mal. Et puis, vous essayeriez quelque chose de nouveau!

Laberge se tourna vers la serveuse, l'air perdu.

— *Kaisermelange?* demanda-t-elle.

Pour toute réponse il hocha la tête de manière affirmative alors que son voisin passait devant lui, visiblement sur le point de quitter les lieux.

— Merci de votre aide, lui dit Laberge.

— Oh, ce n'est rien, lui répondit l'autre, c'est que je me rends compte que, sans le vouloir, j'ai appliqué une idée tirée de ce bouquin. Voyez un peu.

Laberge s'approcha pour lire le titre de l'ouvrage. C'était *How to betray*[1].

Il resta sans voix et regarda l'étranger dans les yeux, tout en dressant instinctivement ses remparts mentaux, dans l'appréhension d'une mauvaise surprise.

— Il est dit ici, reprit le Britannique, et c'est un très court passage d'ailleurs, qu'il ne faut pas croire que la trahison n'existe que dans l'individu. Elle existe aussi dans ses gestes. Si certains gestes ont pour but de rassurer, leur trahison réside justement dans le fait qu'ils donnent des assurances sans diminuer le danger.

Laberge essaya de retrouver à quand remontait la dernière fois où il avait eu ce genre de discussion philosophique inutile qui faisait tellement de bien.

— Ainsi, si je vous conseille de prendre ce café, poursuivit l'homme, sans pouvoir vous prouver que *vous* le trouverez bon, je suis tout simplement coupable de trahison à votre endroit!

— Soyez sans crainte, dit Laberge, je ne vous en tiendrai pas rigueur.

L'homme donna un tour supplémentaire au foulard autour de son cou tout en souriant à Laberge. Puis il enfonça son chapeau sur sa tête.

---

1. *Comment trahir.* (Angl.)

— Puisse la chance vous accompagner tout au long de votre périple, eut-il pour toute réponse avant de sortir.

Laberge ne trouva rien à ajouter.

Il regarda l'étranger s'éloigner pendant que la serveuse déposait devant lui le verre renfermant le *kaisermelange*.

Il s'approcha du récipient pour humer les arômes qui s'en dégageaient et fut convaincu que le café serait bon.

Mais il devait faire vite. Le temps passait et il voulait se rendre au *Graben*, la plus célèbre place de Vienne, et ensuite à la cathédrale Saint-Étienne.

Il arpenterait cette ville toute la nuit s'il le fallait. Le *Marxheim* ne repartait qu'à sept heures trente demain matin.

Il saisit le grand verre entouré d'une serviette de table et but prudemment le chaud liquide.

Il écarta immédiatement tout sentiment de trahison.

En ce matin frisquet du 9 septembre, le *Marxheim* appareilla à l'heure prévue. Laberge s'effondra dans sa petite cabine, ayant passé la plus grande partie de la nuit à marcher dans les rues de la capitale autrichienne.

Le bruit tranquille du moteur du bateau, qui servait tout aussi bien la marine marchande, de commerce ou le transport de passagers tout au long de ce fleuve légendaire, acheva de faire sombrer le curé dans un sommeil ponctué de rêves agréables.

Lui, à qui manquait cruellement la présence des femmes, rêva des bras d'Hélène. Elle, si douce et si suave, dont le regard communicateur parlait au même titre qu'une voix de sirène. Son corps ferme et invitant qu'il ne pouvait s'empêcher de toucher, provoquait chez lui une attraction comparable à celle d'un gros aimant sur de la limaille de fer. Ses mains se posaient sur sa taille solide et élancée, comme sur un trésor inestimable que l'on découvre pour la première fois. Elle se retrouva soudain éloignée de lui, inaccessible, refoulant ses demandes.

— Tu es un prêtre, lui susurra-t-elle. Il ne faut pas…

Il s'éveilla un peu amer, perdu pendant quelques instants avant de pouvoir se rappeler pourquoi il se trouvait sur ce bateau.

Son choix premier n'avait jamais été de devenir prêtre. Avait-il pris la bonne décision? Avait-il agi avec inconséquence? N'aurait-il pas pu s'instruire et joindre les rangs de la confrérie de Tiffauges ou de l'ARC sans prononcer ses vœux?

Définitivement.

Il s'était protégé. L'habit d'homme de Dieu lui permettait d'avoir toutes les excuses possibles pour ne plus jamais avoir mal.

La sirène du long navire retentit alors qu'il traversait la ville d'Eckhautsau.

Il se laissa retomber sur sa couchette et se couvrit les yeux de son chapeau pour chercher de nouveau le sommeil.

Plus qu'une cinquantaine de kilomètres à faire.

Ce soir il marcherait dans Bratislava, la capitale slovaque.

Les jours passèrent, ponctués d'arrêts et de départs.

Le *Marxheim* se délestait et se chargeait de vivres et de matériaux, de courrier et de passagers.

Laberge avait hâte d'atteindre la frontière roumaine.

Après avoir franchi Budapest et la Hongrie, longé la Croatie à l'est et traversé le nord de la Serbie en passant par l'une des plus anciennes cités européennes – Belgrade –, le grand défilé des Portes de Fer se profila enfin à l'horizon.

Seize jours s'étaient écoulés depuis son départ de l'Allemagne.

Un voyage différent, comme il n'en avait jamais fait auparavant. Il avait marché pendant des nuits entières sur le sol de quatre capitales et de neuf pays.

En seize jours.

Agenouillé à l'avant du bateau, le curé fixait au loin la silhouette des hautes falaises à travers lesquelles se faufilait le Danube et qui lui apparaissaient comme des golems[1] de pierre géants, intemporels gardiens du pays roumain.

Avant le coucher du soleil, il débarquerait à Orşova.

---

1. Le Golem est un monstre anthropoïde d'apparence humaine créé par des procédés magiques. Le mot Golem apparaît une seule fois dans la Bible et signifie en hébreux « matière première ». La forte puissance de cette créature est associée à l'élément terre, et sa taille et son pouvoir de destruction peuvent croître au fil des jours. Le Golem est habituellement muet et peut avoir la fâcheuse habitude d'échapper au contrôle de son créateur.

Agrippa

Lorsque Laberge quitta le navire après avoir réglé au capitaine le solde du prix de son voyage, il retira son chapeau et leva les yeux au ciel pour remercier Dieu d'être parvenu à destination sain et sauf.

Ici, au pied des Carpates et des hautes falaises des Portes de Fer, s'étendait l'insolite ville d'Orşova, bâtie sur les ruines romaines de l'antique cité de Dierna.

Orşova s'imposa soudain à Laberge comme un mirage en plein désert.

Entourant le golfe et son isthme, baignant dans ce soleil de fin de journée, elle respirait le calme et provoquait l'envie du voyageur qui venait de loin. Le parfum des fleurs était omniprésent. On avait beau marcher, il nous accompagnait constamment, au même titre que le doux climat méditerranéen. Accrochées aux bords d'une colline, d'élégantes villas s'alignaient gracieusement sur la falaise.

Le Danube, lui, poursuivait son cours insensible, après avoir abandonné Laberge sur les quais du port. Les eaux du grand fleuve continueraient de creuser la frontière entre la Roumanie et la Bulgarie, avant de se jeter dans la mer Noire à travers le large delta qui borde la frontière avec l'Ukraine.

Dans son dos, une voix arracha le curé à sa rêverie.

— *Mă bucur să te revăd, prietene*[1]*!*

Laberge sourit avant de se retourner.

— Christian Cartarescu! Je t'en prie, mon vieux, dis-moi que ton français s'est amélioré au cours des huit dernières années!

---

1. Heureux de te revoir, mon ami! (Roum.)

— Qu'est-ce que tu crois? Je viens de passer un an en France!

— Mais c'est vrai que tu parles bien! Je suis fier de toi!

Les deux hommes tombèrent dans les bras l'un de l'autre.

— Et ton roumain, Édouard?

— Tu sais, je n'ai pas beaucoup l'occasion de le pratiquer. Mais j'ai repassé mes manuels en cours de route.

— Ça te sera utile. En plus, ici, tu pourras passer au cours pratique!

Christian entraîna son ami par l'épaule vers l'extrémité du port.

L'homme qui dépassait le mètre quatre-vingt-dix avait un peu vieilli depuis la dernière fois que Laberge l'avait vu. Ses longs cheveux qui rejoignaient ses épaules étaient fortement teintés de gris, toutefois son regard lumineux et ausculteur, lui, n'avait rien perdu de son intensité. Les rides avaient quelque peu parcheminé son visage astucieux, mais son sourire respirait toujours la bonté. Son pas cadencé, aux grandes enjambées nonchalantes, raviva à la mémoire du curé le souvenir de leurs aventures passées.

— Quel âge as-tu, Christian? demanda Laberge formellement.

— Cinquante-quatre ans. Déjà.

— J'avais oublié... Mais au fait, comment as-tu su que je serais là aujourd'hui?

— Je ne le savais pas. Je suis là depuis trois jours et je surveille le port et les bateaux qui accostent. Je connaissais la date de ton départ, celle-ci m'ayant été annoncée par une lettre du bureau de l'Église unitarienne de Transylvanie. J'ai

donc évalué à quelques jours près le moment où tu arrive-
rais ici.

Aux limites des installations portuaires, Christian s'arrêta
devant la porte d'un petit hangar.

— Qu'est-ce qu'il y a dans ce hangar? demanda Laberge
sur un ton soupçonneux.

— Notre moyen de transport pour rejoindre Târgovişte.

Il fit coulisser la porte de bois qui se déplaça bruyamment
sur un rail fatigué.

Laberge fut ravi de trouver deux coursiers déjà sellés et
harnachés, qui attendaient paisiblement.

— C'est encore le moyen de transport que je préfère pour
me déplacer à travers le pays. Rien de tel pour traverser les
montagnes! Je crée ainsi mes propres routes! Et puis, il y a
toujours un château en ruine dans les Carpates pour accueillir
entre ses murs les cavaliers solitaires le temps d'une nuit.

— N'as-tu donc pas peur de tous ces monstres qui
hantent les Carpates? Vampires, strigoïs, spectres, vârcolacs
et broucolacs...

— Arrête avec ces clichés à la Dracula et compagnie,
le coupa Christian sans lui laisser le temps de finir son
énumération de créatures fantastiques. Tout ça, c'est du
passé. Le monde d'avant... n'est plus. C'est tout.

— Puisque tu le dis... Mais je suis heureux de remonter à
cheval, lança Laberge pour ramener à la surface le plaisir de
leurs retrouvailles. On part quand? Demain?

— Tout de suite. Nous coucherons cette nuit au monastère Sfânta Ana qui se trouve au sommet de la colline. Nous
y serons avant la nuit. On y dort très bien et l'endroit est

accueillant. C'est tout neuf, il a été construit il y a à peine quatre ans. Et la vue sur le golfe est magnifique de là-haut!

Laberge vida son sac dans les sacoches de cuir attachées derrière la selle. Puis il sauta sur sa monture, qui ne broncha pas. Il passa la porte en se penchant en avant et attendit Christian qui referma derrière eux.

Un éclair de malice illuminant son regard, ce dernier – après avoir monté sur son cheval –, s'approcha de Laberge.

— Tu es prêt? demanda-t-il simplement.

Le curé hocha la tête.

Christian fit faire quelques pas à sa bête puis la lança brusquement au galop.

Riant et criant tout à la fois, Laberge planta les talons dans les flancs du hongre, qui fonça aussitôt dans un nuage de poussière pour rejoindre l'autre cheval.

Ils quittèrent la ville à bride abattue en direction de la colline, couchés sur leur monture, comme si le diable lui-même avait été à leurs trousses.

Le vent contraire leur brouilla la vue.

Ils atteignirent ensemble le portail du monastère et sautèrent à bas de cheval afin de mener les bêtes par la bride dans la cour intérieure de l'établissement. Un moine silencieux referma la grille derrière eux.

— Crois-le ou non, Édouard, mais la construction de ce monastère a été financée par un reporter.

— Tu me fais marcher!

— Pas du tout. Il se nomme Pamfil Şeicaru. Il a simplement… fondé un monastère.

— C'est étonnant, en effet. C'est la première fois que je vois un monastère si neuf!

Un bruit de percussion suscita l'intérêt de Laberge, qui s'arrêta net devant le curieux spectacle qui s'offrait à lui.

Un moine, qui venait de tourner le coin du bâtiment principal, frappait de façon rythmée sur un grand morceau de bois avec un bâton. Il tenait la pièce sous son bras et regardait au loin, comme si son regard avait pu apercevoir une quelconque réponse à son appel. Il passa lentement devant eux sans même leur prêter attention puis disparut derrière le mur opposé.

— Mais qu'est-ce qu'il fait? s'étonna Laberge.

— Il frappe la *Toaca*, tout en marchant autour du monastère.

— La *Toaca*?

— Ce rite très ancien est pratiqué dans tous les monastères de Roumanie. Chaque soir, un moine doit marcher autour du monastère en frappant la *Toaca*. C'est dans le but de repousser les forces obscures ou encore les créatures malfaisantes qui pourraient se risquer à pénétrer dans l'enceinte du cloître.

Laberge toisa son ami d'un air sévère.

— Il y a quelques minutes à peine, tu m'affirmais que toutes ces histoires de monstres étaient des clichés démodés! Heureusement!

— Bon, tu sais, répondit Cartarescu, gêné, on ne peut jamais être sûr de rien…

— Sacré Christian! fit Laberge en riant. J'ai une faim de loup. Crois-tu que ces braves moines auront quelque chose pour nous?

— La meilleure façon de le savoir, c'est de se rendre aux cuisines! Mais allons d'abord dételer les chevaux. Ils ont sûrement faim, eux aussi.

Alors qu'ils marchaient vers les écuries, Laberge aborda pour la première fois le sujet qui l'amenait en ce pays.

— Dis-moi, Christian, est-ce que tu sais pourquoi je suis ici?

— Tout à fait.

— Et tu sais par où nous devrions commencer?

— Bien sûr. Je dois aussi te dire que je suis passé par Târgoviște avant d'arriver ici. J'ai déjà sondé le terrain. Je sais qu'il y a au moins un homme qui a été témoin de ce qui s'est passé. Il a vu un étranger, qui tenait dans ses mains un livre enchaîné, traverser un mur de pierre.

— Ça me paraît un peu nébuleux, toute cette histoire. Mais pas impossible…

— On en a vu d'autres, en effet.

— Même si toutes ces histoires de créatures animées par le côté sombre de la nature ne sont plus que contes et légendes!

Ils quittèrent les écuries en riant pour filer droit vers les cuisines afin de s'assurer d'avoir un couvert au réfectoire.

— On sera à Târgoviște après-demain? s'enquit Laberge, pourtant sûr de la réponse de son compagnon.

— Après-demain, oui, assura Christian en poussant la porte arrière donnant accès directement aux cuisines du monastère. Et en soirée, je t'amènerai rencontrer le *Bulibaşa*. Tu auras tous les détails.

— Le *Bulibaşa*? Qui est-ce?

Christian choisit deux grosses pommes dans un panier posé à même le sol et en lança une à son compagnon.

— C'est le roi des Tziganes!

10

Sainte-Clotilde-de-Châteauguay, Québec.
Tard le soir, le vendredi 31 août 1928.

— Tu es fou! lança Emma Tremblay, qui contenait difficilement sa colère. Ce n'est pas du tout ce que le message te demandait de faire! Pourquoi veux-tu aller te fourrer dans les bois en pleine nuit alors que tu n'y verras pas à vingt pieds[1] devant toi? Et...

— Arrête, s'il te plaît, l'interrompit Albert avec un calme et un regard qui muselèrent Emma aussi efficacement qu'un bâillon.

Elle recula, comme poussée par ces yeux qu'elle aimait tant, jusqu'à ce qu'elle trouve appui sur l'échelle verticale qui menait au pailler – niveau intermédiaire entre le sol et la toiture – de la grange. La grosse lampe à huile, prisonnière d'un solide support forgé attaché au bout d'une chaîne, projetait sa lumière anémique sur Albert et sa

---

1. Six mètres.

235

femme, masquant partiellement l'expression inquiète de leurs visages.

— J'y verrai très bien, ne t'inquiète pas, poursuivit-il. Le temps est clair et la lune est pleine. Regarde dehors, on voit jusqu'aux ombres projetées sur le sol. Et puis je sais très bien où je vais, je ne serai pas en territoire inconnu.

— Ce qui est inconnu, c'est justement ce que tu risques de rencontrer.

— Je serai prudent. Je sais très bien où se trouvent cette clairière et la grande pierre dont parle l'évêque. Je m'approcherai discrètement et, s'il y a des gens là-bas, je les verrai bien avant qu'ils remarquent ma présence.

— Tu vas t'armer?

— Oui.

Quelques semaines auparavant, Albert avait fait fabriquer, chez le cordonnier de Saint-Rémi, un étui de cuir rigide équipé d'une ceinture ajustable avec une boucle, ce qui rendait possible le port en bandoulière. Le fourreau, de forme légèrement conique et ouvert aux deux extrémités, permettait à Albert d'y enfiler son Bayard calibre 12 jusqu'au renflement créé par la garde de la détente et l'angle de la crosse. Les canons jumeaux, quant à eux, dépassaient librement à l'autre bout. Ce harnais porté en écharpe facilitait le port de l'arme tout en permettant de la récupérer facilement dans son dos en cas de besoin.

Albert se prépara sous le regard intrigué d'Emma. Puis il entraîna son cheval à l'extérieur.

— Ne t'en fais pas, dit-il à sa femme en l'embrassant et en la serrant contre lui. Je serai de retour avant l'aube.

Elle ne parvint pas à lui répondre et le laissa sauter agilement sur le dos du grand pur-sang qui ne broncha pas, solide comme une statue grandeur nature.

— On y va, souffla Albert au cheval, qui réagit aussitôt.

Emma avança jusqu'au coin de la grange pour regarder son mari et la bête descendre le chemin menant à la route. Albert fit passer sa monture au pas sous le lampadaire électrique, puis jusque de l'autre côté du pont, avant de la lancer brusquement dans un galop fougueux, qui les fit disparaître tous deux dans les ténèbres de la nuit.

Emma resta plantée là, en haut de la côte, jusqu'à ce que le rythme effréné des coups de sabots sur la terre battue ait disparu à ses oreilles.

Elle serra sur elle les pans de sa veste et marcha lentement jusqu'à la maison de pierre.

Albert passa sa main sur le cou en sueur du fougueux cheval. Le galop qu'ils venaient de se payer, ajouté à la température à peine fraîche de cette nuit de fin d'été, augmentait la forte odeur de l'animal.

— Tu devras m'attendre à l'entrée de la forêt, mon vieux, dit le cavalier doucement pendant que son obéissant compagnon bougeait la tête de bas en haut comme pour signifier son assentiment.

Juste devant la grande croix de chemin, ils entrèrent au pas dans l'entrée menant à la demeure d'Ernest Ste-Marie, un des amis d'Albert. Ils passèrent non loin de la maison dans un silence complet, les pas appuyés de la robuste bête les menant au-delà des bâtiments arrière. Albert se sentait un peu comme un voleur et en éprouva un léger sentiment de culpabilité qu'il s'efforça de chasser aussitôt.

Ils atteignirent la lisière de la forêt, quelque deux cents mètres plus loin, et l'animal stoppa de lui-même, appréhendant la volonté de son maître. Après avoir descendu, Albert vint appuyer la grosse tête allongée contre sa poitrine.

— Tu vas m'attendre ici bien sagement, chuchota-t-il à l'oreille du cheval. Je ne devrais pas être long. Mais tiens-toi prêt, on ne sait jamais ce qui nous pend au bout du nez quand on se promène en forêt au milieu de la nuit.

Puis il recula lentement. Le pur-sang leva la tête pour fixer son maître de ses grands yeux noirs.

— Je ne t'ai jamais donné de nom, reprit Albert qui ne savait trop pourquoi cette pensée lui venait à l'esprit. Je n'en ai jamais ressenti le besoin et je suppose que toi non plus puisqu'il ne m'est jamais nécessaire de t'appeler ou de t'imposer quoi que ce soit, excepté peut-être la selle et le harnachement. C'est un peu comme s'il y avait un lien entre nous qui se passait de paroles. Je n'aurais pu souhaiter meilleur compagnon de route.

Complètement immobile, le cheval le regardait toujours, son ombre projetée au sol par la brillance de la pleine lune.

— Et puis, qu'est-ce que tu ferais d'un nom stupide que tu n'aurais pas choisi de toute façon?... Il y a de l'herbe ici. Je ne t'attache pas, mais tu ne t'éloignes pas, d'accord?

À mesure qu'Albert s'enfonçait dans la forêt, les ténèbres se firent plus épaisses – la lumière de l'astre de la nuit se trouvant filtrée par les grands arbres. Il se concentra à marcher en droite ligne afin de dévier de son chemin le moins possible. La clairière n'était plus très loin.

Le coassement des grenouilles, le grésillement des grillons, les combats de chats, le jappement des chiens et le hurlement des loups composaient une inquiétante symphonie nocturne qui ne produisait pas le même effet au beau milieu d'une forêt qu'aux abords d'un village.

Albert s'arrêta net quand une branche craqua sous ses pieds. Mais ce n'était pas ce bruit qui l'avait saisi. Il avait cru entendre des voix plus loin devant lui. Il resta un moment sans bouger et les voix reprirent, faibles mais bien réelles.

Il vérifia l'accessibilité de la crosse du Bayard au-dessus de son épaule droite et la tira un peu vers le haut afin de s'assurer que l'arme glissait librement dans le fourreau de cuir.

Il se remit en marche à pas étouffés, aidé par le sol tapissé d'aiguilles de pin, suivant les sentiers naturels faiblement éclairés par les rayons de lune qui se glissaient entre les branches des hauts conifères.

Les premières lueurs des torches lui apparurent un peu plus loin à travers les branches. La voix d'un seul homme se faisait entendre, portée délicatement par l'écho. Un fin brouillard, créé par la fraîcheur de l'air qui avait soudainement embrassé la terre chauffée durant le jour, courait au sol entre les troncs, poussé par un courant d'air imperceptible.

Jugeant s'être suffisamment approché de l'endroit dégarni d'arbres où trônait l'imposante pierre marquée de caractères mystérieux, Albert se cala derrière un gros érable qui lui offrirait une cachette propice à l'observation des lieux.

Agrippa

La clairière était illuminée de plusieurs torches supportées à hauteur d'homme par des bâtons plantés dans le sol de façon circulaire. Au centre, la pierre d'autel gravée de signes runiques occupait un espace important de par ses dimensions. Albert en évalua les proportions à environ deux mètres de long par un mètre, tant en largeur qu'en hauteur. Étant donné les inscriptions qui y étaient tracées et du petit bassin qui y était creusé, la pierre se devait d'être relativement friable, tel le calcaire. Et bien qu'Albert sût pertinemment que de mémoire d'homme ce gros fragment rocheux s'était toujours trouvé à cet endroit, il savait aussi qu'il ne se trouvait pas de roche calcaire à proximité.

Devant cet autel de fortune, un feu brûlait dans un rond de pierres.

Et derrière, se tenait un homme vêtu d'un grand manteau rouge sombre, la tête couverte du capuchon et le haut du visage caché par un masque de même couleur. Ses bras étaient écartés, et sur ses mains il y avait des lignes concentriques formées de multiples petits points pourpres. Les lèvres de l'homme bougeaient. Toujours collé au gros tronc de l'érable, Albert dut se pencher légèrement afin de garder l'inconnu dans son champ de vision et pour tenter de saisir des bribes de son discours.

Des hurlements de loups retentirent tout près, ce qui fit sursauter Albert. Ils provenaient de derrière la clairière et il fallut peu de temps avant qu'apparaissent deux énormes loups au pelage hivernal d'un blanc de pleine lune.

Albert songea tout de suite au vent. Il était venu à cheval et portait l'odeur de la bête en plus de la sienne. Mais la

240

nuit était calme et qui plus est, entre les arbres, le vent avait beaucoup plus de mal à se faufiler. Jusqu'à présent, tout se passait bien. Un homme et deux loups, ça représentait un risque acceptable.

Mais les choses se corsèrent lorsque l'officiant appela ses fidèles d'une voix plus forte.

Onze personnes sortirent du bois face à Albert et vinrent se placer en demi-cercle juste derrière l'homme. Ils portaient tous les mêmes vêtements et leurs gestes étaient calmes, précis et calculés. L'un d'eux tenait en laisse un jeune mouton, d'une blancheur immaculée. Les loups regardèrent avec envie l'animal, mais ils ne quittèrent pas leur maître.

Ce dernier, après s'être assuré que ses pairs étaient en place, se lança dans une prédication vive, presque déchaînée, à leur endroit.

— Mes frères! Enchanteurs et adeptes de la magie rouge et du culte du sang! Je suis Fenrir! Nous sommes les douze enchanteurs chassés d'Europe qui ont pour mission de préparer le retour des sources germaniques! À nous tous, nous représentons les douze cycles lunaires de chaque année qui passe et qui nous rapproche invariablement du but ultime! La venue du Ragnarök[1]! Nous y avons cru lors de la Grande Guerre de 1914, mais les orgueilleux seigneurs, les adorateurs de faux dieux, se sont unis contre nous pour nous vaincre. En vérité je vous le dis, tôt ou tard leurs fautes les rattraperont, car sur l'échelle de la vie, ils n'ont gagné qu'une

---

1. Le Ragnarök était le crépuscule des dieux, l'inévitable aboutissement qui marquerait les temps de la fin d'une ère et l'apogée du drame cosmique. On peut comparer le Ragnarök à l'Apocalypse.

bataille et non la guerre. Très bientôt viendra le temps où les outils qui nous manquaient pour provoquer la chute de ces mécréants seront à notre portée! Les mages blancs travaillent pour préserver le monde tel qu'il est, avec ses races faibles et ses défauts. Les mages noirs, avec leur esprit tordu, ne pensent qu'à détruire et à provoquer le chaos. Le culte du sang et la venue du Ragnarök nous permettront à nous, mages rouges héritiers de l'univers, de créer une lignée parfaite et immortelle qui régnera pour l'éternité! Cet endroit sacré fut un lieu de culte pour nos pères depuis la venue des Français en ces terres avec la fondation de Ville-Marie et de La Prairie[1]. Les hommes ont peut-être ralenti notre quête au fil des siècles, mais jamais ils ne pourront nous arrêter!

Albert, les yeux agrandis de surprise, essayait d'enregistrer la cascade de mots. Les mages vêtus de rouge ne démontrèrent pas la moindre émotion face au discours.

Le chef poursuivit.

— En ce moment même, mes frères, l'Église travaille pour nous. Elle a déjà encrypté, dans le sous-sol d'un lieu de culte abandonné, un livre magique auquel l'alchimiste Henri Corneille Agrippa aurait insufflé la vie éternelle et l'invulnérabilité. À l'heure où je vous parle, un mage au service de l'Église se trouve en Europe de l'Est pour tenter de récupérer un autre de ces agrippas. Cela sert nos desseins, puisque pendant que nous préparons ici le pouvoir magique imparable, nos frères européens mettent au point les armes

---

1. Lors de sa fondation en 1642, la ville de Montréal portait le nom de Ville-Marie. La Prairie fut fondée en 1647 sur la rive-sud du Saint-Laurent, en face de Montréal.

mécaniques et regroupent les effectifs humains qui nous aideront demain à conquérir le monde et à instaurer la race supérieure. Une race forte, intelligente, voire immortelle! La race des Géants! Et dès lors, les religions s'effondreront à nos pieds et disparaîtront de la surface de la Terre. Oui, le règne des dieux tire à sa fin. Vient le règne des Géants! À cause de leur arrogance et de leurs fautes passées, les religions alliées aux gouvernements ont été les artisans de leur propre chute! Nous avons été patients. Plutôt que de nous engager prématurément dans un combat perdu d'avance, nous avons attendu que le destin réunisse les forces naturelles.

« L'année est proche où l'instrument guerrier prendra contact avec le pouvoir de la magie. Plus rien ne pourra nous arrêter. Il ne restera que la race des Géants pour diriger les mondes! L'aboutissement de la prophétie que les hommes de toutes races ont redouté à travers leurs mythes et leurs religions est arrivé! Ainsi surviendront la chute des dieux – ceux d'en haut comme ceux d'en bas – et la venue du règne des Géants. Quand prendra fin la prochaine Grande Guerre, tout sera accompli. Comme je vous le disais, mes frères, contrairement aux mages blancs qui s'évertuent à garder le peuple dans l'ignorance afin de faire obéir et stagner le monde, contrairement aux sorciers et aux jeteurs de sorts qui, par leur magie noire, ne cherchent qu'à provoquer le chaos et à faire tomber l'ordre établi pour leur propre profit égoïste, nous, mages rouges et enchanteurs, transformerons le monde à notre image. Une seule race, un seul but, une seule vision. Laissons les autres nous affronter avec leur orgueil. Ils disparaîtront avec leurs dieux et leurs démons. Le loup gris guette le palais des dieux! L'Âge de la Hache, l'Âge de l'Épée, l'Âge des Vents et l'Âge des Loups sont arrivés! Et que dans les veines du Destin coule la Magie Rouge qui nous y mène! Sacrifions! »

Cette fois, les mages rugirent tels des lions lancés dans une horde de gazelles. On coucha le mouton sur le côté, afin de lui attacher les pattes, avant de le soulever et de le déposer sur la pierre. Le pauvre animal essayait tant bien que mal de se débattre, mais il était fortement retenu par deux hommes. L'officiant s'approcha pour procéder au sacrifice.

L'un des enchanteurs commença à frapper à coups sourds sur un grand tambour composé d'un arceau de bois sur lequel était tendue une peau épilée. Sur celle-ci étaient peints divers motifs géométriques. Le marteau utilisé pour battre le tambour ressemblait à un bois de chevreuil, d'après ce que pouvait en voir Albert.

L'officiant tira une dague de sous sa cape et plaça la tête de l'animal tout près du bassin creusé dans la pierre. Sans autre préambule, il enfonça brutalement la lame dans le cou de l'animal pour la ressortir aussitôt. Le sang se mit à gicler dans la vasque de pierre alors que le pauvre mouton se détendait en perdant son énergie vitale. Une légère fumée s'éleva au-dessus de la mare de sang chaud. Le premier enchanteur se recula pour que les deux hommes transportent le mouton mort un peu plus loin. Ils le jetèrent au sol et les deux grands loups blancs se jetèrent sur le cadavre, le déchirant violemment de leurs crocs acérés.

D'un geste mesuré, le mage rouge trempa un calice d'argent dans la vasque de sang, puis l'éleva, tout dégoulinant, devant lui afin de le consacrer. Le feu brûlant au sol devant la pierre sacrificielle se réfléchissait sur le calice, pour projeter de toutes parts, tels autant de rayons de lune, une myriade de reflets chatoyants. Les vapeurs que produisait toujours le chaud et stimulant liquide du fond de la pierre taillée venaient lécher les bras de l'officiant qui porta d'un coup le vase à ses lèvres.

Albert eut une réaction de dégoût quand il vit les autres membres de la secte faire la queue pour boire chacun leur tour le sang du sacrifice.

Lorsqu'ils eurent regagné leur place derrière leur chef, celui-ci éleva de nouveau le calice d'argent et déclama d'une voix forte, en une langue inconnue d'Albert, une phrase unique, tenant plus de l'ordre que de la remarque.

C'est à ce moment précis que la nature en entier sembla basculer dans un monde parallèle.

La flamme des torches augmenta en intensité tout comme le brasier devant l'autel. Le vent se mit à souffler d'un seul coup d'un seul, et les hommes présents se mirent à crier et à se contorsionner tels de véritables animaux – accompagnés par les loups qui venaient de délaisser la carcasse démembrée de ce qui avait déjà été un mouton. Leur physionomie se transforma au point de perdre toute trace d'humanité.

Albert pouvait sentir vibrer du plus profond des entrailles de la terre le grand arbre contre lequel il était appuyé. Le cri des insectes de la forêt se fit plus insistant, tout comme le chuintement des chouettes et l'ululement des hiboux et des autres rapaces nocturnes.

Tout à coup, aussi soudainement qu'il avait fait son apparition, le phénomène cessa.

Albert se déplaça prudemment sur la droite afin d'avoir vue sur le groupe d'enchanteurs.

Ils regardaient tous dans sa direction.

Il se plaqua derrière l'érable, s'efforçant de calmer les battements de son cœur. Les fruits secs du grand feuillu, munis de leur paire d'ailes, tombaient autour de lui dispersés par le vent mourant.

Albert avança la tête, trop curieux de voir ce qu'augurait ce silence. Pas de doute, tous les mages le regardaient. Le chef du groupe abaissa lentement son capuchon, dévoilant un visage masqué dans sa partie supérieure, et une mâchoire exagérément prognathe, rappelant le loup.

Il s'adressa directement à l'intrus.

— Cela vous a-t-il intéressé, cher ami?

Le cœur d'Albert ne fit qu'un bond. La voix semblait provenir de derrière Albert même si le mage était devant lui. Le cantonnier se retourna brusquement et tomba nez à nez avec le maître vêtu de pourpre sombre.

Quand Albert bascula en arrière, il buta contre l'érable. Les grands loups apparurent de chaque côté et les onze membres du groupe sortirent de l'ombre en demi-cercle, face à lui.

Il était coincé.

— Qui diable êtes-vous donc? finit-il par dire d'une voix bouleversée. Il réagissait exagérément, perdant tout contrôle.

— Mais tu le sais, répondit l'autre gravement à travers sa mâchoire déformée. N'as-tu pas écouté?

Albert tendit la main droite au-dessus de son épaule et extirpa d'un mouvement vif le Bayard de son fourreau. Le déclic du cran de sûreté ne laissa aucun doute sur ses intentions.

— Reculez tous, les invectiva-t-il en pointant l'arme vers la tête du mage, et laissez-moi passer. Si l'un de vous tente quoi que ce soit, qu'il soit homme ou animal, je lui ferai éclater le crâne.

L'homme masqué fixa avec intensité l'extrémité du canon de l'arme. Une lueur mauvaise, qui n'échappa pas à Albert, illumina ses yeux.

— Vous ne parlez pas sérieusement, mon ami, dit-il avec amusement. Vous risquez beaucoup plus que moi à épauler ainsi ce serpent venimeux.

Albert sentit soudain une froideur désagréable et reptilienne lui glisser entre les mains. Il tenait un énorme serpent qui se retourna lentement sur lui-même pour lui faire face, paré à cracher son venin.

D'un geste rageur, Albert jeta au loin le reptile, avant de s'adosser à l'érable. Il préférait ne pas avoir à gérer le doute d'une quelconque agression venant de derrière. L'arbre lui assurerait une certaine sécurité aussi longtemps que les mages resteraient dans son champ de vision.

Loin de s'avouer vaincu, Albert plongea la main dans sa poche revolver pour en tirer son petit Derringer qu'il brandit encore une fois à la figure du mage qui se faisait appeler Fenrir. Il pouvait voir trembler le canon de l'arme au bout de son bras et il chercha désespérément à reprendre le contrôle de ses nerfs. L'émotion qu'il ressentait exerçait un puissant ascendant sur son esprit, ce qu'il n'arrivait pas à s'expliquer.

— Mais vous voilà plein de ressources, mon cher, reprit Fenrir sans s'en laisser imposer par l'arme pointée sur lui. Vous n'avez de cesse de me surprendre! Je souhaite seulement que vous ne vous brûliez pas les doigts…

À ces mots, Albert sentit une douleur fulgurante lui traverser la main. Il ne parvenait plus à voir son petit pistolet et, lorsqu'il ouvrit la main pour tenter de chasser la brûlure qui lui faisait mal, il ne vit qu'une pierre chauffée à rouge s'enfoncer dans le creux de celle-ci. Il avait beau essayer de se débarrasser de la pierre brûlante en secouant son bras de façon désespérée, ses chairs brûlées et fondues gardaient le minerai incandescent collé dans sa main.

Bien malgré lui, il échappa des cris de terreur. La douleur associée à la peur lui faisait perdre tout contrôle. En outre, l'impassibilité des hommes qui, tous, gardaient les yeux fixés sur lui le faisait paniquer.

— Mais arrêtez de crier ainsi! lança Fenrir alors que ses deux grosses bêtes blanches se mettaient à hurler. Vous allez finir par ameuter tous les loups de la forêt!

C'est alors qu'une quantité effroyable de hurlements provenant des quatre coins de la forêt se firent entendre, ce qui ajouta un peu plus de poids à la frayeur d'Albert.

— Je crois que le mal est fait, ajouta ironiquement le maître des mages.

Albert tenta le tout pour le tout.

Il fonça droit devant lui sans trop réfléchir, dans l'espoir de surprendre ses adversaires et de rejoindre la limite de la forêt où se trouvait son cheval. Les branches lui fouettaient le corps et le visage, alors qu'il courait à en perdre haleine entre les conifères et les morceaux de roc qui dépassaient du sol. Il buta contre un de ceux-ci et son épaule alla frapper le tronc d'un gros pin. Après avoir perdu l'équilibre, il tomba face contre terre.

La nouvelle vision qui apparut à Albert le fit crier. Sa main droite, qui le faisait toujours atrocement souffrir, s'était transformée en pierre solide. Couché à plat ventre dans les aiguilles de pin, il écarquillait les yeux d'étonnement devant son poing fermé à l'apparence de roc.

Les hennissements de frayeur qui lui parvinrent le poussèrent à se relever.

— Mon cheval! hurla-t-il pour lui-même avant de se remettre à courir.

Lorsqu'il déboucha dans le pré, il s'arrêta net, médusé par la vision d'horreur qu'éclairait la pleine lune.

Une quinzaine de loups entouraient le cheval terrorisé qui hennissait de plus belle en tournant sur lui-même, incapable de trouver une issue pour fuir les carnivores au pelage gris.

La voix de Fenrir retentit encore dans le dos d'Albert. Il se retourna si brusquement qu'il sentit une douleur irriter ses vertèbres cervicales.

— Ton cheval servira cette nuit de repas aux Bêtes de la Lune!

Les loups tourmentaient le pauvre cheval de tous les côtés à la fois en lui mordant les pattes et le bas ventre. Albert sentait les larmes couler sur ses joues tant cette scène lui tordait le cœur.

— Qu'allez-vous faire de moi maintenant? finit-il par demander au mage.

— Toi? Tel un vulgaire animal, tu serviras de sacrifice aux Êtres de la Lune, c'est-à-dire à nous…

Le sol devint mouvant et Albert s'y enfonça rapidement jusqu'aux mollets. Des racines, des vignes – ou quelques arbrisseaux grimpants de même nature – surgirent de ce sol instable et s'accrochèrent en vrille autour de ses membres pour l'immobiliser en quelques secondes. Il s'enlisa ainsi jusqu'au cou, avant de rencontrer une résistance sous ses pieds, ce qui lui permit de garder la tête hors de terre.

Fenrir se pencha près d'Albert et découvrit une dentition de canidé qui fit frissonner ce dernier. Un filet de bave s'échappa de la mâchoire inférieure du mage et coula sur la joue de son prisonnier.

— Vois, dit-il de sa voix rauque et altérée par la forme de ses maxillaires, vois ton seul ami ici cette nuit être dévoré sous tes yeux…

Le cheval tomba sur le côté à trois mètres d'Albert qui sentit la secousse du choc à travers le sol, jusque dans son corps. Les loups se ruèrent sur le long cou de la bête et déchirèrent ses chairs sous les yeux horrifiés de son maître, qui ne cherchait même plus à contenir le flot de larmes qui le submergeaient. La scène était d'une violence inouïe. Les carnassiers se défoulaient avec une brutalité hors de l'ordinaire sur leur proie qui avait cessé de bouger. Le sang et les autres fluides giclaient jusqu'à la figure convulsée du cantonnier.

N'en pouvant plus, il ferma les yeux pour chercher une solution extrême qui ne vint pas.

Puis le silence se fit.

Le sentiment d'oppression contre sa poitrine semblait plus grand. La terre paraissait durcie. L'incapacité de mouvement était plus forte.

Albert ouvrit doucement les yeux.

— Non! cria-t-il, hors de lui. C'est un cauchemar! Ça ne peut pas être possible! Je ne vous crois pas, je ne vous crois pas! Non…

— Si ce n'est qu'illusion, l'interrompit Fenrir, pourquoi ton esprit ne peut-il pas s'en défaire?

— Dieu Notre Père, venez à mon aide…

— Dieu… Mais il t'a abandonné mon pauvre ami, il n'est plus là pour toi. D'ailleurs, il est étonnant de voir comme les hommes se souviennent de lui quand tout va mal…

Albert avait toujours le corps enfoncé jusqu'au cou. Mais il se trouvait maintenant enchâssé dans la massive pierre sacrificielle, la vasque à moitié remplie de sang de mouton lui faisant face. Les feux brûlaient toujours dans la clairière et la lune plongeait ses rayons à la surface du sang à demi coagulé. Le captif agita la tête lorsqu'une mouche vint se poser au coin de l'un de ses yeux.

— Vois la lune, reprit l'enchanteur, c'est la seule qui pleurera pour toi cette nuit.

Et à la surface lunaire, deux cratères, qui semblaient presque former un regard bienveillant, se mirent à pleurer des larmes de sang.

— Voilà la puissance d'un enchanteur, pauvre ignorant. Jusqu'à l'heure de ta mort, ne l'oublie jamais!

La solidité sous les pieds d'Albert disparut, puis la pierre sembla se liquéfier autour de sa tête en une couleur rouge sombre qui exhalait une odeur âpre. L'homme continua de s'enfoncer au cœur du bloc de roche, lentement, inexorablement…

La panique s'empara de lui.

Sa dernière pensée en fut une de regret. Le regret de ne pas avoir été plus prudent; de ne pas pouvoir alerter l'évêché; de ne pas avoir écouté Emma; de ne plus les revoir, ni elle ni ses enfants.

Il retint son souffle aussi longtemps qu'il le put, jusqu'à ce que la pierre se referme au-dessus de lui en un claquement sec.

Au bout d'un moment, ses poumons lui parurent sur le point d'exploser.

Il s'appliqua de son mieux à se convaincre que tout cela ne pouvait être qu'illusion.

Le noir.

Le silence.

Puis, au loin, le chant des oiseaux. Un hennissement.

Albert sentit qu'on le touchait. Aussitôt, la douleur envahit tout son corps. Ses lèvres étaient sèches; sa gorge, irritée.

Nouveau frôlement.

Il se décida à ouvrir les yeux, comme pour s'arracher à un mauvais rêve qui avait duré trop longtemps.

Il rencontra la bonne bouille de son grand étalon qui le poussait délicatement pour le forcer à se réveiller.

Revenant soudainement à lui, Albert sauta de la pierre sacrificielle, ce qui fit peur au cheval. Il était taché de boue et de sang séché, mais il était entier! Non loin de la pierre, il retrouva dans l'herbe son Bayard et son petit Derringer.

Albert sourit de soulagement. On lui avait laissé la vie sauve. Ce n'était pas un rêve : les cendres chaudes du feu devant l'autel et le sang séché au fond du bassin de pierre le prouvaient. Mais cette secte des Êtres de la Lune, avec à sa tête le dénommé Fenrir, était extrêmement dangereuse. L'évêché devait être informé des derniers événements. Et si on l'avait laissé vivre, c'était probablement uniquement dans ce but. Il faudrait être prudent à l'avenir. Très prudent. Et moins téméraire. Cette expérience lui servirait de leçon, qui lui serait salutaire en d'autres occasions, car il était certain que son chemin croiserait de nouveau celui de Fenrir. Il en avait la certitude. Même s'il avait eu la peur de sa vie, il n'en resterait pas là. Maintenant, il savait. Il connaissait son adversaire. L'enchanteur était un maître illusionniste. Mais la prochaine fois, Albert serait préparé.

Le soleil qui inondait la clairière ne lui avait jamais paru si beau, ni l'air si bon.

Il tira sur la chaîne de sa montre pour la sortir de sa poche et constata qu'il était à peine six heures.

Quand le cheval vint vers son maître, ce dernier lui fit signe de le suivre.

— Viens, mon vieux, sortons d'ici.

L'animal le suivit docilement.

Au sortir de la forêt, Albert se demandait toujours comment il serait possible à son esprit de repousser ce qu'on voulait lui imposer. Édouard, lui, saurait.

11

Târgovişte, province de Valachie, Roumanie.
À la tombée du jour, le lundi 17 septembre 1928.

Édouard et Christian arrivèrent en vue du campement tzigane. Poussiéreux et fourbus, ils étaient soulagés d'y être parvenus avant la nuit tombée. La brunante permettait de distinguer les feux déjà allumés dans la clairière, cachée juste derrière l'orée de cette grande forêt située au nord de la ville de Târgovişte.

Une voix tranchante retentit dans le dos des deux hommes, les sommant de s'arrêter.

— *Cine este*[1]?

Le curé et son compagnon firent faire lentement demi-tour à leur cheval. Ils se retrouvèrent nez à nez avec deux types à l'allure martiale. L'un, grand et maigre, pointait sur eux le canon d'une vieille carabine Mannlicher.

---

1. Qui va là? (Roum.)

— Ne braque pas ton arme sur nous, déclara aussitôt Christian Cartarescu. Nous ne t'avons pas menacé.

— Tu m'excuseras, étranger, mais je préfère être menaçant que menacé. Ceci dit, tu n'as pas répondu à ma question. Qui êtes-vous?

Édouard Laberge avait déjà repéré le manège du deuxième homme qui se tenait un peu de côté, la main droite cachée. Il ne douta pas un instant que celui-ci puisse dissimuler un couteau paré pour le jet.

Il attira son regard et s'attarda longuement à le dévisager tout en chassant l'air autour de lui dans le but de le désta-biliser. Au bout de quelques secondes, l'homme détacha le bouton du collet de la chemise usée qui lui serrait le cou. Sa respiration, à peine haletante, s'accélérait graduellement. Laberge ne le lâchait pas. Il le mettrait tout doucement hors d'état de nuire, sans le blesser et sans même que son compagnon s'en rende compte.

— Ne te souviens-tu donc pas de moi? fit Christian à l'endroit du porteur de la Mannlicher. Je suis venu il y a quelques jours rencontrer le *Bulibaşa*.

— Je ne t'ai pas vu, étranger. Pourquoi es-tu encore ici alors?

— Parce que je dois conduire mon ami au *Bulibaşa*. Il vient de très loin pour enquêter sur ce qui s'est passé dans les ruines du château des *Drăculea* au printemps dernier. Il doit voir l'homme qui se trouvait là et qui a tout vu. Sais-tu au moins de quoi je parle, *Tigane*[1]?

---

1. Tzigane. (Roum.)

— Ne m'appelle pas ainsi, étranger. Et puis oui, je sais très bien de quoi tu parles...

Il s'arrêta tout à coup lorsque son compagnon, visiblement mal en point, vint s'agripper à son épaule. Le couteau que ce dernier tenait dans sa main chuta au sol.

Le grand Tzigane abaissa le canon de son arme pour soutenir son acolyte. Il leva des yeux implorants vers Laberge.

— Laisse-le, mage, dit-il simplement. Tu n'as pas à faire cela, je vous conduirai au *Bulibaşa*.

Le curé lui fit un signe de tête afin de rassurer le Tzigane.

— Et pourras-tu nous trouver l'homme qui a poursuivi l'étranger jusqu'au château? s'informa Christian.

Si celui-ci se montrait aussi insistant, c'est qu'il avait toujours considéré la courbure des mots comme une arme aussi tranchante que la lame d'un sabre.

— Venez, je vais vous conduire au camp, émit l'autre sans répondre à la supplique de Christian. Vous semblez fatigués, vous pourrez vous restaurer un peu avant de voir le *Bulibaşa*.

Il passa près des deux étrangers d'un pas rapide pour se diriger vers la forêt. Son complice se pencha lentement vers le sol pour ramasser son couteau et le glisser dans un fourreau fixé à son avant-bras sous la manche de son manteau. Il emprunta une autre direction pour vite s'évanouir dans le crépuscule qui basculait rapidement dans la nuit noire.

— Mais est-ce que tu connais le poursuivant de l'étranger qui a fui dans les ruines? Sais-tu s'il est ici? questionna encore Christian alors que les chevaux emboîtaient le pas au Tzigane.

Marchant devant eux, l'homme laissa échapper un soupir. Puis il dit d'une voix coupante, sans se retourner :

— Cesse tes questions, étranger. Celui que tu cherches est
ici et je le connais mieux que quiconque. C'est moi.

Ils durent mettre pied à terre pour traverser la lisière
de la forêt. Ils menèrent leurs chevaux par la bride le long
d'un sentier qui les fit déboucher peu de temps après sur
une vaste clairière parsemée de quelques grands arbres qui
abritaient, tels des parapluies géants, un village entier de
caravanes recouvertes d'épaisses toiles huilées, de tentes,
ou autres abris de fortune aménagés tant pour les humains
que pour leurs montures. Des chiens jappaient sur leur passage, effrayant momentanément leurs chevaux. Partout,
les torches accrochées aux caravanes et les feux de camp
éclairaient cet étonnant village d'une lumière jaune et
tremblante. Une musique triste et mélancolique, provenant
d'un violon et d'un accordéon, était renforcée par le chant
envoûtant et mystérieux d'une femme aux longs cheveux
et aux jupes multicolores. Alors qu'il passait devant elle,
Laberge ne put quitter la Tzigane des yeux. Celle-ci lui rendit son regard, chantant et dansant sur la mélodie plaintive
tout en frappant un petit tambour basque, les ombres
projetées par les feux traversant son corps félin comme la
chaleur d'une passion. Malgré la fatigue, Laberge sentit le
désir l'envahir à travers les yeux maquillés de noir de cette
femme ensorceleuse. Il s'arracha à son emprise, détournant

la tête, la voix capiteuse continuant toutefois de le caresser comme des dizaines de mains magiques et invisibles. Encerclé par la forêt qui apparaissait comme une haute et infranchissable fortification, ce village nomade émergeait tout droit d'un conte féerique ou d'une histoire d'Edith Nesbit. *L'île des neuf tourbillons* lui revint en mémoire; cette île était située à mille lieues de tout. Comme cet insolite caravansérail... dont la communauté marginale semblait condamnée, par un étrange caprice du destin, à errer pour toujours sur la surface de la Terre.

Sur une butte, à l'autre extrémité de la clairière, parut la caravane du *Bulibaşa*, illuminée par des torches plantées dans le sol. La peinture dorée qui avait autrefois recouvert une grande partie de la demeure conférait à celle-ci une aura surnaturelle et hors du temps, qui seyait parfaitement au chef de ce petit royaume.

Quand Laberge et son ami arrivèrent près d'une grande table, dont l'une des extrémités était fixée à une énorme souche, leur guide leur intima de la main l'ordre de s'arrêter.

— Attendez ici, leur dit-il. On vous servira du café et de quoi manger.

Puis il parla à l'oreille d'une vieille dame qui récupéra aussitôt après une cafetière bosselée qui chauffait près du feu.

La voix languissante de la chanteuse emplissait toujours l'air que Laberge respirait.

La tasse brûlante qu'on lui mit dans les mains le ramena à la réalité.

Un jeune garçon vint prendre les chevaux. Christian lui glissa une pièce dans la main.

Il s'approcha ensuite du feu avec Édouard pour y absorber quelque chaleur. Après avoir grimacé à la suite de leur première gorgée de café très amère, les deux hommes se sourirent.

— C'est la première fois que tu pénètres dans l'antre d'une communauté tzigane, n'est-ce pas?

La question de Christian rappela à Laberge la première fois où il avait mis les pieds à Caughnawaga. Son ami Francis Fall Leaf l'avait présenté à un groupe d'hommes qui les avaient entourés. Au premier abord, Édouard avait été intimidé. Mais la gêne peut parfois causer la gêne. C'était justement pour cette raison que, malgré la quantité impressionnante de paires d'yeux qui les suivaient présentement, il ne s'empêchait nullement de sourire.

— Ça se voit tant que ça? répondit-il, amusé. Je dois avouer que c'est un monde à part. Je perçois des sentiments et des émotions que je pourrais presque qualifier de nouvelles. Je n'ai jamais senti pareille projection énergétique de la part des membres d'une même communauté. C'est très différent de ce que j'ai croisé dans ma vie. C'est peut-être ce qui rend cet endroit si mystérieux. Et cette musique…

— Tu veux dire cette chanteuse…

— Cette musique et cette chanteuse, poursuivit Laberge avec un large sourire, sont envoûtantes, comme si elles provenaient d'un autre monde. Un monde triste, imprégné de souvenirs nostalgiques.

— Et que dire de ce café…

— Il est imbuvable!

Ils rirent encore sous le regard sévère de la vieille femme qui venait de déposer un plat en cuivre martelé rempli de petits pains.

— On peut voir beaucoup d'accessoires de cuivre et de laiton autour des feux et des caravanes, remarqua Laberge en prenant un petit pain.

— C'est que la communauté que tu vois ici, l'instruisit Christian, fait partie de la confédération des *Căldărari* – ou Kalderash, comme le disent les Français. Il s'agit d'une confédération de forgerons et de ferblantiers. Cela explique la présence de tous ces articles en cuivre.

Laberge commençait à ressentir la fatigue de cette journée de voyage. Il aurait préféré se retrouver de nouveau dans une cellule de monastère afin d'y chercher le sommeil. Des odeurs de viande grillée qui parvenaient à ses narines rendaient le quignon de pain qu'il tenait dans sa main bien insignifiant.

— Tu devras te montrer patient et subtil avec le *Bulibaşa*, dit encore Christian. Ton attitude envers lui et ce que tu pourras lui apporter décideront de l'aide qu'il daignera t'accorder. Il étalera devant toi son importance, son savoir et son or, il te racontera probablement l'histoire de son peuple à travers les âges et tu devras t'en montrer impressionné. Tu devras attendre le bon moment pour lui expliquer qui tu es et la raison de ta présence ici. Tu ne le provoqueras pas, tu éviteras les réponses et les commentaires sarcastiques et tu le remercieras en affirmant que sans son aide, il te sera impossible d'accomplir ta mission. Je te suggère aussi de lui dire la vérité sur ton identité. Bien que les Tziganes gardent une façon bien à eux de croire, ceux-ci ont tout de même adopté la religion dominante de ce pays. Il sera plus enclin à vouloir aider un prêtre qui a traversé la terre pour circonscrire le mal dans son pays. N'oublie pas que ce qui peut te paraître superstition ou folklore est pour lui croyance véritable.

— Je tâcherai de m'en souvenir.

Une voix basse et cajoleuse se faufila d'entre les ombres pour glisser sur les épaules d'Édouard Laberge avec la froideur d'un serpent. Il se retourna vivement, surpris par ce qui venait de franchir les remparts de son esprit.

Une femme d'une cinquantaine d'années, qui avait dû être belle, s'arracha à la pénombre pour s'approcher de lui.

— *Îti ordon să vorbeşti pe limba mea*, lui dit-elle en le forant du regard. *Ştiu că mă poţi înţelege*[1]...

Déstabilisé, Laberge n'arrivait pas à redresser le mur qui le gardait à l'abri des attaques mentales sournoises. Il tenait à lui répondre, et les mots vinrent à ses lèvres, aussi facilement que s'il avait voulu parler en anglais. Il sentait un canal s'ouvrir entre ses pensées, charroyant tous les souvenirs oraux ou écrits que son subconscient avait pu enregistrer jusque-là concernant la langue roumaine.

— Tu dois me le demander... déclara-t-elle, certaine cette fois de bien se faire comprendre à la façon dont Laberge la regardait.

Cartarescu mit la main sur le bras de son ami, mais celui-ci se dégagea doucement pour s'approcher de la Tzigane.

---

1. Je t'ordonne de parler ma langue. Je sais que tu peux me comprendre... (Roum.)

— *Spune-mi, femeie, dacă ştii ce mă aşteaptă*, s'exprima-t-il enfin avec un accent qui la fit sourire. *Vorbeşte-mi de viitor*[1].

— Alors tu crois, homme de foi, tu crois en Dieu et même en moi! lui lança-t-elle en jetant sur la table un paquet de cartes anciennes et usées. Tu crois que je suis aussi forte que toi!

— Je crois que tu es différente de moi et, pour cette raison, tu as tout mon respect.

— Le respect... Il y a fort longtemps qu'un homme ne m'a pas parlé d'aussi belle façon, étranger... Mais je vois la sincérité dans ton regard, tu ne saurais me mentir. Souviens-toi de mon nom, on m'appelle Mercedesa...

Leurs regards restèrent accrochés l'un à l'autre pendant quelques instants alors que la triste musique du violon et de l'accordéon embaumait l'air comme un parfum de feuilles mortes.

— Je m'en souviendrai.

— Tire cinq lames[2], étranger. Puisque tu es un homme de foi, tu les disposeras en croix, selon ton choix. Il doit y en avoir une au centre et quatre tout autour.

Laberge leva les yeux vers Christian qui l'observait attentivement. Il choisit une carte au hasard qu'il retourna sur la table. Il décida aussitôt qu'il en ferait sa carte centrale.

Jamais il n'avait vu pareil jeu de tarots. Les cartes semblaient très anciennes et possédaient des figures qu'il découvrait

---

1. Dis-moi, femme, si tu sais ce qui m'attend. Parle-moi du futur. (Roum.)
2. Nom parfois donné aux cartes composant un jeu de tarots.

pour la première fois. Il tira ainsi quatre autres cartes qu'il retourna avant de les disposer autour de la première.

La femme s'approcha, ses yeux noisette brillants des reflets lancés par le feu qu'une brassée de bois sec avait ravivé. Laberge pouvait voir danser les flammes alors qu'il plongeait dans son regard.

— La carte centrale représente tout ce qui importe, comme tout ce qui reste imprévu, annonça-t-elle. Tu cours tout droit vers le danger et l'imprévu, mais tu y es habitué et cela t'importe peu. Et tu as tort! Car rester en vie est ce qui importe!

Reprenant son analyse, la femme porta son attention sur les quatre autres cartes. Elle étudia tout d'abord celle du haut, puis suivit le sens des aiguilles d'une montre pour la suite.

La Tzigane posa sa main sur la poitrine du curé.

— Pourquoi ton cœur bat-il si vite, étranger? Tu as la chance avec toi malgré ce que tu peux penser. Tu te crois abandonné depuis des années et, pour cette raison, tu cours comme un dément au-devant de la mort qui refuse de te prendre! Ne vois-tu pas que la chance t'accompagne? Que le cruel destin te favorise?

Laberge se sentait incapable de répondre. Son cœur battait vite, dépassant même le rythme d'une nouvelle chanson que plusieurs hommes avaient entonné de leurs voix barytonnantes. Les coups d'archet sur le violon étaient plus agressifs, l'accordéon plus rapide, et quelqu'un frappait de deux bâtons la roue cerclée de fer d'une caravane afin de battre la mesure.

— De nombreux obstacles se trouvent sur ta route, maints dangers tu devras affronter! Mais il t'est possible de les éviter. Tu as le choix. Le choix de rentrer chez toi ou de poursuivre ton voyage qui te mènera encore plus loin. Si loin que même le temps n'aura plus aucune importance. En toi réside la solution à ce que tu es venu chercher ici. Et je peux déjà te dire que nous t'aiderons, car le mal tu combats… La dernière carte affirme que rien ne t'arrêtera une fois que ta décision sera prise. Je ne saurais dire si je te reverrai, étranger. Mais ce que je peux affirmer, c'est que tu vivras.

Christian tira son ami par la manche.

— Notre homme va nous recevoir, dit-il. Il nous attend.

Puis il se fit plus tranchant à l'égard de Mercedesa.

— Ça suffit, *piranda*[1]. Laisse-le tranquille.

Laberge se laissa entraîner sans quitter la cartomancienne des yeux. La musique provenant du centre de la clairière était fluide et enivrante. Il avait l'impression d'évoluer à l'intérieur d'un rêve qui posait devant lui les jalons de sa mission.

— Tu vivras, étranger! cria la tireuse de cartes en riant alors que le curé et son ami se dirigeaient vers la demeure du *Bulibaşa*. Tu vivras!

Quand ils arrivèrent au pied de l'escalier de bois fixé à la caravane du *Bulibaşa*, l'homme à la Mannlicher qui les avait interceptés à l'entrée du campement leur fit signe de s'arrêter. Puis il toisa les deux étrangers d'un regard sombre.

---

1. Femme tzigane. (Roum.)

— Je vais vous introduire au *Bulibaşa*.

Christian inclina la tête en signe de remerciement et monta les marches menant à la porte de la caravane, suivi de Laberge. Le guide écarta la tenture au tissu rouge qui fermait l'entrée et laissa passer les deux hommes. Ceux-ci eurent aussitôt l'impression de traverser dans un autre monde.

L'intérieur de la caravane du roi de la petite communauté leur apparut comme une véritable caverne d'Ali Baba. Les bois sombres et patinés par le temps de cette demeure sur roues se mélangeaient avec harmonie à une quantité impressionnante de tissus rouge sombre. Quoique vieux, les fauteuils avaient l'air confortables et de gros coussins jonchaient le sol tout autour, parmi une multitude d'objets hétéroclites qui fabriquaient un semblant de décor.

L'homme qui leur adressa la parole, du fond de son large fauteuil à haut dossier de bois, se révéla être une vivante caricature. Son visage, partiellement voilé dans l'ombre, émergeait à intervalles réguliers, éclairé par la flamme vacillante des quatre bouches d'une vieille lampe à huile en cuivre, suspendue à la charpente.

— Je suis Iorgu Stănescu, lança-t-il avec assurance, le roi de cette communauté.

Et roi, il l'était.

Laberge détailla le personnage après s'être légèrement incliné, imitant son compagnon.

À prime abord, le *Bulibaşa* Stănescu était un homme assez grand, de forte stature, avec une voix qui imposait le respect. Entièrement vêtu de noir, il se fondait à son décor qu'on pouvait presque qualifier de mauresque. Le curé n'avait jamais vu autant d'or sur une même personne. À partir de sa couronne sertie de rubis et de topazes, de son bienveillant sourire parsemé de dents dorées, de sa lourde chaîne supportant un gros médaillon aux inscriptions étranges, de sa ceinture à la boucle d'or, de ses bracelets mêlant le précieux métal au cuir, jusqu'à ses bagues qu'il portait dans pratiquement chacun de ses doigts, Iorgu Stănescu respirait la royauté.

Tel que Christian l'avait prévu, le *Bulibaşa* se lança dans un monologue à saveur historique avant même de demander aux deux hommes la raison de leur venue ou encore leur identité. Laberge fut tiré de ses observations, n'ayant d'autre choix que de l'écouter.

— Messieurs, commença-t-il en élevant sa main droite lourdement baguée, vous vous trouvez ce soir en sécurité, au sein d'un peuple qui tire ses origines de l'Inde du Xe siècle. Certains autres groupes se disent les descendants de mages de la Syrie, de la Chaldée ou de l'Égypte ancienne. Moi je vous dis que nos ancêtres – caste guerrière – furent mercenaires, envoyés à l'ouest après l'an mil afin de contrer l'avancée des forces musulmanes. Malgré des générations d'esclavage sous la domination des Turcs ou des Perses, jamais notre peuple n'a baissé les bras. L'Histoire nous a faits méfiants et réticents. C'est ce qui nous a permis, avec la *marime*[1], de survivre jusqu'à ce jour en marge de nos voisins. Donc, si vous vous trouvez aujourd'hui devant moi, au

---

1. La *marime* est la loi sur la pureté. Le comportement social des Tziganes est réglé par cette loi, encore respectée par la plupart d'entre eux. Cette règle affecte beaucoup d'aspects de la vie courante et s'applique aux actions, aux choses et aux individus.

cœur de notre monde, c'est que vous avez besoin et confiance. Je vous rendrai cette confiance car vous semblez motivés par une cause juste et importante. Je vous demanderai donc qui vous êtes et pourquoi vous vous présentez devant moi ce soir.

L'introduction du *Bulibaşa* Stănescu avait duré moins longtemps que prévu par Christian, qui s'en montra visiblement soulagé. Il répondit aussitôt aux interrogations de son hôte.

— Je me nomme Christian Cartarescu, grand *Bulibaşa*, et cet homme, qui est mon ami, vient de très loin. C'est un prêtre du Canada d'origine française et il se nomme Édouard Laberge. Il est ici pour aider et pour prévenir, dans un but noble.

— Et quel est ce noble but? interrogea le roi des Tziganes en visant Laberge.

— Je viens en effet quérir ton aide, *Bulibaşa*, se risqua Laberge, qui est primordiale. Comme tu le sais, au printemps dernier, dans les ruines du château de Târgovişte, un homme est disparu en emportant avec lui un livre noir fermé par des chaînes.

— Je suis au courant, en effet, l'interrompit Stănescu. Cet événement est inquiétant. Si cet homme a pris la peine de défoncer une tombe pour s'emparer de ce livre, c'est que celui-ci a une certaine importance.

— Oui, et le danger est bien réel, le coupa à son tour Laberge. J'ai personnellement eu affaire il y a trois ans à pareille situation impliquant le même type de livre de magie. Ceux qui les volent le font pour s'en servir. C'est en cela que réside le danger.

— Je comprends ton inquiétude, prêtre. Mais devant témoin, l'homme a disparu à travers un mur de pierre. Cet homme est un mage, c'est certain, et si ce livre est un recueil d'incantations, il avait toutes les raisons du monde de vouloir s'en emparer.

— Et tu as sûrement raison, noble *Bulibaşa*. C'est pourquoi je fais appel à toi et aux tiens. Je dois retrouver cet homme, savoir d'où il vient et où il a fui afin de récupérer le livre noir. Ce recueil ne peut en aucun cas « demeurer en liberté », si je puis m'exprimer ainsi. Il en va de la sécurité de tous.

— Je vois…

Stănescu invita de la main l'homme resté en retrait à s'approcher. Laberge et Cartarescu se tournèrent vers lui.

— Je vous présente Esmerald Fulgeran. Il est le dernier à avoir vu l'étranger avant qu'il ne se fonde dans le mur de pierre. Je vous invite d'abord à vous asseoir, messieurs.

Le *Bulibaşa* ouvrit la porte d'une petite armoire sur sa gauche et en tira quatre verres courtauds et une bouteille de *tuică*, une féroce eau-de-vie de prune, qui départageait sans mal les hommes des petits garçons.

— Esmerald, peux-tu raconter à nos invités tout ce que tu as vu ce soir-là?

Puis il servit la boisson alcoolisée, sans même prendre garde d'en renverser.

Après de longues minutes de récits, d'explications et de questionnements, après aussi une quantité appréciable de petits verres de *tuică*, Esmerald Fulgeran mit un terme aux détails de son aventure.

— *Uşă, deschide-te, şi ghidează-mă până la destinaţie[1]!*

— C'est exactement ce qu'il a dit? s'informa Laberge, fort intéressé.

— Textuellement. Je l'ai clairement entendu. J'épaulais ma Mannlicher au moment où il a prononcé ces mots. Ensuite, il s'est fondu à travers les pierres. J'étais tellement étonné que j'ai mis du temps avant de me décider à tirer. Mais il était trop tard.

— Si je comprends bien, tu voulais abattre cet homme parce qu'il te semblait dangereux. Il avait blessé et même tué sur son chemin et tu ne voulais pas le laisser fuir.

Laberge était conscient d'avoir adopté un ton inquisiteur, mais c'était pour lui le seul moyen de découvrir la vérité sur cette affaire.

— C'est exact. Cet homme était un sorcier, je vous le dis! Vous m'avez entendu, il a usé de magie pour nous ralentir et nous maîtriser, mes compagnons et moi. Il tenait un bâton au bout duquel se trouvait une pierre lumineuse! Il portait des vêtements moyenâgeux, des tissus anciens qu'on ne voit plus ici, des armes blanches. Il savait où se trouvait le livre. Même des vârcolacs ont tenté de l'arrêter!

— Ça va, je te crois, lui dit doucement Laberge. Et je te remercie de m'avoir donné tant de précisions, surtout en ce qui concerne la phrase qui lui a permis d'ouvrir cette « porte » dans le mur.

---

1. Porte, ouvre-toi et guide-moi jusqu'à destination! (Roum.)

— Tu peux partir si tu veux, Esmerald, dit le *Bulibaşa*. Je crois que tu as dit tout ce que tu savais. Je m'occuperai de ces messieurs et leur trouverai un endroit pour la nuit.

Fulgeran s'inclina et quitta la grande caravane. Une fois la tenture retombée, le roi des Tziganes se leva.

— Et maintenant, dit-il en jetant quelques grains d'encens d'oliban dans un petit brasero, que comptez-vous faire?

— L'oliban favorise la puissance créatrice et la maîtrise de soi, blagua Laberge, je suppose donc que la nuit me portera conseil. De toute façon, nous irons demain au château voir ce fameux mur.

— L'oliban inspire aussi la dignité, l'autorité et la loyauté, répondit Stănescu en riant. C'est principalement pour ces raisons que je le brûle…

Laberge se réveilla courbaturé. Les conséquences du trajet à dos de cheval dont il n'avait plus l'habitude, l'heure tardive à laquelle il s'était endormi ainsi que les effets sournois de la *tuică*, rendaient son réveil difficile. Il quitta la tente où il avait dormi avec Christian, qui vint vers lui café en main.

— Imbuvable ou pas, je crois que nous en avons bien besoin ce matin, dit ce dernier avec un sourire forcé.

— Merci. Tu crois que nous pourrons nous rendre au château ce matin? demanda Laberge avec une voix rauque qui prouvait qu'il prononçait là ses premiers mots de la journée.

— Bien sûr. Je crois qu'Esmerald nous fera une visite guidée des lieux de son aventure.

— Nous aurons besoin de lui pour connaître l'endroit exact où l'étranger a franchi le mur. C'est tout ce qui m'intéresse. Ensuite nous le renverrons, car je voudrais tenter une petite expérience à laquelle je préférerais qu'il n'y ait pas d'autres témoins.

— Sans problème. Mangeons d'abord, nous devons reprendre des forces. Viens avec moi, il y a de la viande à rôtir là-bas.

Ils sursautèrent tous les deux lorsqu'un chien, sorti de derrière une caravane, aboya sur leur passage.

Les trois cavaliers parvinrent sans peine devant l'entrée de ce qui restait du palais de Târgovişte. Les ruines, toujours isolées par un grand fossé qui en faisait le tour, se révélaient dans le léger brouillard matinal, comme les vestiges d'une civilisation inconnue ayant abandonné son île. Ils attachèrent leurs chevaux et entreprirent de descendre au fond de l'ancienne douve. Le temps sec des derniers jours en avait heureusement asséché le fond, ce qui permit aux hommes de remonter de l'autre côté sans grande difficulté et à pied sec.

Alors qu'ils passaient sous l'arche abîmée de la tour d'entrée, Laberge sentit la vie et la mort qui avaient animé cet endroit au fil des siècles. Des choses terribles s'étaient passées ici, des décisions éprouvantes y avaient été prises et les règnes d'hommes farouches s'y étaient succédé.

Ils pénétrèrent dans la cour intérieure où les restes d'une enceinte, qui avait jadis ceinturé l'intérieur des douves, apparaissaient toujours en certains endroits. La grande tour circulaire qui s'élevait encore au-dessus d'une base massive et angulaire semblait inébranlable devant les ruines de l'église qui s'était depuis longtemps écroulée. Bien des gens étaient venus ici chercher des pierres pour la construction d'autres bâtiments au fil des siècles.

À droite de l'église se trouvait le logis principal, large bâtiment construit de grandes briques rouges et possédant trois niveaux en y incluant le sous-sol. D'ailleurs, dans ce grand soubassement, les murs de soutènement ainsi que les murailles en arche qui soutenaient le centre du palais étaient d'une épaisseur surprenante. Alors qu'ils se tenaient avec ses compagnons au bord d'une partie défoncée qui permettait de voir les sous-sols, le curé réalisa tout le travail et les efforts mis en œuvre pour réaliser pareil ouvrage. L'architecture était fort différente de celle des châteaux d'Europe de l'Ouest, mais on ne pouvait nullement mettre en doute le talent des architectes qui avaient calculé les charges.

Après avoir longé la partie effondrée jusqu'au porche avant, les hommes purent entrer dans le grand logis. Esmerald les mena directement à la chambre où il avait tenté d'abattre Octavian quatre mois plus tôt. C'était la première fois qu'il pénétrait au cœur des ruines du palais des *Drăculea* depuis cette nuit de mai où il avait combattu le sorcier et les vârcolacs. Il traversa la vaste pièce d'un pas agité et s'arrêta devant la saillie en pierre pour montrer de la main l'emplacement sur le mur par où avait disparu le mage. L'impact du coup de feu apparaissait clairement, ne laissant aucun doute quant à l'endroit où se trouvait la « porte ». Laberge tendit la main à Esmerald.

— Je te remercie beaucoup pour ton aide. Tu peux partir maintenant. Tu as fait beaucoup et tes explications ont été d'un grand secours. Je dois à présent réfléchir à ce que je vais faire, ce dont j'informerai ensuite le *Bulibaşa*.

Le Tzigane s'inclina, respectant la décision de Laberge. Il s'éloigna pour s'arrêter un peu plus loin, dans l'ouverture où s'était autrefois trouvée une solide porte.

— Cette pièce était la salle de réunion des chevaliers de l'Ordre du Dragon, dit-il tout à coup. Elle devait être magnifique…

Puis il disparut sans attendre de réponse.

Laberge et Christian gardèrent un moment de silence, étonnés par la remarque d'Esmerald et aussi, par respect pour l'endroit où ils se trouvaient. C'est Cartarescu qui rompit ce mutisme.

— Je t'avais dit que je n'habitais plus les Carpates?

— Non, dit Laberge en s'arrachant à sa réflexion. Je ne savais même pas que tu habitais quelque part! Toi, l'éternel nomade, tu aurais dû être un Tzigane!

Christian éclata d'un rire spontané qui se répercuta contre les murs de pierre.

— J'aurais pu devenir *Bulibaşa*! Mais blague à part, il y a trop de loups et de fantômes qui hantent les Carpates… J'ai trouvé la tranquillité dans la demeure d'une belle et dévouée Transylvanienne... Et puis, je suis plus près du bureau de l'ARC qui se trouve à Scarişoara.

— Je comprends... Serais-tu en train de te poser?

— Je ne refuse pas une petite aventure de temps à autre. Quand j'ai su que tu serais celui qui viendrait ici, je me suis aussitôt porté volontaire pour te donner un coup de main.

— Tu as bien fait. Et j'en suis très heureux. Je suis aussi très content que tu aies trouvé la belle Transylvanienne. Je m'inquiète plus pour elle, par contre...

Ils rirent encore comme pour s'efforcer de chasser la tension qui les retenait au bas de la tribune de pierre.

— Qu'est-ce que tu comptes faire? demanda Christian après avoir retrouvé son sérieux.

— Tenter d'ouvrir cette porte.

— Tu veux utiliser la formule du mage?

— Tout à fait.

— Tu n'as quand même pas l'intention de...

— Peut-être.

Un nouveau silence, pesant, tomba entre les deux hommes.

Laberge grimpa les marches usées, suivi de Christian, pour se rendre sur la saillie. Il s'arrêta devant la pierre éclatée par la balle de calibre 6,5 millimètres de la Mannlicher.

— Il n'y a qu'un seul moyen de le savoir, ajouta le curé en ramassant un caillou.

Laberge se concentra sur la pierre du mur en face de lui. Il y visualisa une porte, l'entrée d'un tunnel dont il ne voyait pas la fin. Il s'y projeta en tant qu'énergie, qu'onde vibratoire.

Le silence était encore plus lourd, brisé seulement par le chant des oiseaux.

Les mots glissèrent de sa bouche, comme prononcés par une autre personne.

— *Uşă, deschide-te, şi ghidează-mă până la destinaţie!*

Instinctivement, Christian recula, mal à l'aise. Ses yeux s'agrandirent de surprise en voyant la pierre devant lui devenir trouble. Il se frotta les yeux, persuadé d'éprouver un trouble de vision. Mais lorsque le curé se tourna vers lui le sourire aux lèvres, il fut convaincu de la réalité de ce qu'il voyait. La surface du mur se mouvait en de lents tourbillons qui mêlaient les pierres et les joints qui se trouvaient entre elles. La région affectée devait s'étendre sur trois mètres carrés et ressemblait de plus en plus à une tempête miniature qui se déplaçait sans bruit dans un ciel grisâtre. De petits phénomènes lumineux éclairaient çà et là le mur flou comme pour ajouter des éclairs à cette illusion de petite tempête.

Hypnotisé par ce prodige, Laberge continuait de se projeter telle une onde énergétique au cœur de l'ouverture pour la sonder le plus profondément qu'il le pouvait. Lorsqu'il avança la main vers le mur, le grand Roumain l'arrêta aussitôt et le tira en arrière.

— Je crois qu'il serait préférable que tu ne touches pas à ça, lui dit Christian, la respiration haletante.

Perturbé, Laberge pensa au caillou qu'il avait ramassé un peu plus tôt et qu'il tenait toujours au creux de sa main. Il le jeta délicatement à travers le mur où il fut aspiré dans un silence complet.

Les deux hommes basculèrent presque en bas de la saillie dans les secondes qui suivirent, lorsque le mur se referma brusquement et sans avertissement en un souffle bref.

— Dieu tout-puissant! Tu as vu cette porte de transplanation, Christian? Du pur génie, elle était magnifique, parfaite!

— Tu me fais peur quand tu parles comme ça, répliqua Cartarescu. Ce n'est peut-être pas aussi magnifique que tu le crois.

— Il faut vite que je me prépare, fit Laberge sans même entendre son compagnon. Nous devons revenir ce soir. Je dois agir sans perdre une minute. J'ai bien senti l'ondulation de cette porte et je suis convaincu qu'elle ne mène nulle part!

— Mais qu'est-ce que tu me racontes là? À quoi peut-elle bien servir si elle ne mène nulle part?

— Tu ne comprends pas, Christian! C'est justement la raison pour laquelle je dois agir très vite! Il ne s'agit pas de savoir « où » mène cette porte, mais plutôt « jusqu'à quand »!

— Jusqu'à quand? Mais…

— Cette porte n'est pas un passage vers un autre lieu, le coupa Laberge, mais une ouverture sur le temps! J'en suis persuadé! L'homme qui est venu récupérer l'agrippa devait venir d'ici! De l'intérieur du palais! Et souviens-toi de ce qu'a dit Esmerald : il portait des vêtements moyenâgeux!

Furieux, Christian descendit les marches de la tribune. Arrivé au milieu de la salle, il se retourna vers son ami et le montra du doigt.

— C'est impossible! Et même si cela se pouvait, il faudrait être fou pour tenter pareille entreprise! Mais toi! Toi, tu es sûrement assez cinglé pour le faire! Tu n'as aucune idée de ce qui t'attend de l'autre côté en admettant que tu puisses y arriver! Crois-tu seulement que des hommes du Moyen Âge t'accueilleraient à bras ouverts en te voyant surgir d'un mur? Ils te tueraient avant même que tu n'aies le temps de reprendre ton souffle!

Puis il vida les lieux sans rien ajouter de plus.

Laberge resta seul sur la saillie, les poings sur les hanches, le regard déterminé.

Cinq siècles plus tôt, dans la salle des chevaliers du palais de Târgovişte, deux femmes, affairées à remplacer les chandelles et à remplir d'huile les lampes, sursautèrent lorsqu'un bruit singulier attira leur attention. Elles se dirigèrent vers la tribune où reposait le grand siège du voïvode sous les bannières colorées.

Aux côtés du trône de leur prince se trouvait un caillou de la grosseur du pommeau d'une épée, portant des traces de givre. Lorsque l'une d'elles le toucha, elle constata avec stupeur qu'il était froid.

Laberge pénétra le premier dans la cour du château avec Christian sur ses talons. La nuit était sur le point de tomber et les loups avaient déjà commencé à hurler dans les bois.

Le *Bulibaşa* avait affirmé qu'il laisserait des hommes postés en permanence autour des ruines. Discrètement, ils se relaieraient pour surveiller le retour du curé et pour lui venir en aide le cas échéant.

Après que les deux hommes eurent grimpé les marches menant au mur dégradé, Laberge tendit sa torche à son compagnon. Comme tout bagage, il n'avait qu'une petite besace militaire de tissu jaunâtre rescapée de la Grande Guerre.

— Je ne m'explique pas comment pareille chose puisse être possible, dit enfin Christian. Comment peut-on voyager à travers le temps?

— C'est assez complexe, lui répondit Laberge en attachant son vieux manteau de cuir. Tu dois comprendre que la matière qui nous compose n'est pas seulement discontinue et corpusculaire, elle est aussi ondulatoire. Non seulement cette énergie ondulatoire nous permet de recevoir et d'émettre, elle permet aussi à certains hommes d'influencer. C'est ce que je suis capable de faire, comme tu le sais depuis longtemps. Prends un caillou par exemple et jette-le à l'eau. Sa chute provoquera une vague tout autour de lui qui s'éloignera de plus en plus loin du point d'impact. C'est l'onde. Et notre propre corps – la matière corpusculaire – est comme le caillou; il possède des corps énergétiques – les ondes vibratoires – qui peuvent se déplacer à des distances plus ou moins éloignées. C'est ce côté vibratoire qui se déplace à travers les portes de transplanation tout en échangeant des informations avec notre corps physique. Et comme les corps énergétiques se déplacent à des vitesses supérieures et doivent immanquablement se superposer au corps physique pour survivre, ils attireront celui-ci tout aussi rapidement, pour partager avec lui les informations récoltées de l'autre côté. Ce sont en fait les échanges obligatoires avec nos corps énergétiques qui permettent de voyager dans le temps et l'espace. En fait, jusqu'à aujourd'hui, je n'aurais jamais cru qu'il soit possible de voyager dans le temps.

— Et c'est la raison pour laquelle tu es si excité?

— En gros, oui.

— Je ne sais quoi dire, Édouard. Je ne peux être d'accord avec cette expérience et je ne peux non plus t'empêcher de la réaliser.

— Tu comprends que si le mage qui est venu prendre l'agrippa s'en sert pour influencer le passé, le monde que nous connaissons aujourd'hui risque de disparaître dans les jours ou les semaines à venir.

— J'espère en effet que ce monde sera encore tel que tu le vois aujourd'hui lorsque tu reviendras.

— Ne m'oublie pas, mon ami. Souviens-toi de Mercedesa la cartomancienne! Elle m'a affirmé que je vivrais! Alors je reviendrai!

Christian serra Laberge dans ses bras.

— Adieu, mon ami. Et que Dieu soit avec toi.

— Il se souviendra de moi.

Christian descendit les marches de pierre puis fit un dernier salut à son compagnon.

— Je t'attendrai, dit-il encore. Je serai là quand tu reviendras!

L'autre lui fit un signe de tête. Il pouvait voir le doute envahir le visage du curé et sa poitrine se soulever de plus en plus vite alors qu'il appuyait son dos contre la pierre froide.

— *Uşă, deschide-te, şi ghidează-mă până la destinaţie!* prononça Laberge en serrant sa besace tout contre lui.

Le mur devint trouble tout autour de lui alors qu'il esquissait un sourire à l'endroit de son ami.

Quand les pierres aspirèrent brutalement le curé, Christian ne perçut qu'une amorce de cri qui s'évanouit dans la nuit. Il resta planté là, jusqu'à ce que la porte se referme en un souffle court. À cet instant précis, il se dit que rien maintenant sur cette terre ne pouvait laisser présager qu'Édouard Laberge existât encore.

Il quitta la salle en secouant la tête, incrédule.

Le néant.

Le sentiment d'être mort. Voilà ce que cela devait être.

Ne plus exister.

Soudain la conscience, le souvenir, l'appréhension, le froid, la douleur…

Un voile invisible contre lequel vous êtes poussé, et qui broie tout votre corps avant que vous parveniez à le crever.

Édouard Laberge s'effondra face contre terre après avoir percuté ce qui lui sembla être une massive chaise de bois.

Il avait froid. En ouvrant ses paupières glacées, il vit du givre sur la manche de cuir de son manteau. Le silence régnait autour de lui. Il se déplaça sur ses coudes pour voir ce qu'il y avait devant la chaise qui lui cachait la vue.

Il s'essuya les yeux du dos de la main afin d'y voir clair.

Il était bien dans la salle du château, pas de doute. Son raisonnement était juste. Il pouvait apercevoir le gros blason de pierre fixé au mur opposé à l'autre bout de la pièce. Et toutes ces bannières, ces couleurs... Et cette table gigantesque au milieu de la salle!

Toutefois, une seule ombre au tableau. Un détail.

Douze chevaliers en armes, entourés d'autant de gardes, le fixaient avec étonnement.

— Laissez-moi vous expliquer... articula Édouard avec difficulté juste avant que la poigne de fer du géant Tihomir ne l'agrippe pour le tirer en bas de la saillie.

Laberge heurta le sol avec force, sa mâchoire cognant contre le dallage du plancher. Puis, soulevé par le collet de son manteau, il se laissa traîner un peu plus loin jusqu'à ce qu'on le mette debout devant le voïvode. Le chef des gardes tira sa dague et la lui appliqua contre la gorge, l'obligeant à se tenir sur la pointe des pieds pour ne pas être égorgé vif.

— Ne faites pas ça, s'il vous plaît... Attendez...

— Ta politesse ne te mènera nulle part, sorcier! cria Vlad Dracul sur un ton de mépris en dominant Laberge de toute sa hauteur. Nous avons tout vu!

— Je ne suis pas un sorcier, dit Laberge faiblement, encore sous le choc du voyage à travers la porte de transplanation. Je suis un mage et je viens pour t'aider. Te prévenir...

— Tais-toi! Comment oses-tu m'interrompre? Crois-tu vraiment que je t'autoriserai à me fournir quelque explication après la façon surnaturelle dont tu es entré dans le château dans le but de nous espionner? Je ne veux même pas savoir si tu réponds des Turcs ou des Hongrois! Et la seule raison qui explique le fait que tu sois encore en vie est que je ne veux pas salir le plancher de cette salle de ton sang impur dans lequel je te noierai de mes propres mains!

Le voïvode s'arrêta brusquement lorsqu'une femme déposa délicatement la main sur son épaule. Elle parla à l'oreille de son prince sans quitter Laberge des yeux. Ce dernier, oubliant la dague pointée sur sa gorge, ne voyait que les yeux verts de l'étrangère. Il se souleva de nouveau sur le bout des pieds lorsque la pointe s'enfonça sous son maxillaire.

Pour une raison qui lui échappait, cette femme magnifique à la robe rouge et noir brodée d'or, était en train de lui sauver la vie. Il pouvait sentir une coulisse de sang chaud glisser le long de son cou. Il souhaita ardemment que l'homme à la prise d'acier qui le soutenait retire sa dague.

Le voïvode s'approcha en faisant signe à Tihomir de relâcher son emprise.

— Gardes! Mettez le sorcier aux fers! Je jugerai plus tard de son sort.

Tous les hommes entouraient Laberge, qu'ils ne trouvaient visiblement pas très dangereux. Leurs regards menaçants en disaient toutefois assez long sur leurs intentions. Et celui de l'un des personnages parlait plus que les autres. Son possesseur vint se placer devant le curé pour l'examiner de plus près.

— Je ne le laisserais pas vivre inutilement, grand voïvode, dit Octavian sans aucune pitié dans la voix. C'est un sorcier, nous avons vu comment il est entré. C'est ainsi que font les adorateurs de démons. Il vient pour nous nuire. Mieux vaut nous en débarrasser.

— Non, attendez, dit Laberge. Je viens uniquement dans le but de récupérer…

Et Octavian le frappa violemment au visage avec son avant-bras sans lui donner la chance de finir sa phrase. Les genoux du curé ployèrent sous le choc et il remercia le ciel de ne plus avoir la dague du guerrier plantée sous sa mâchoire.

— Tue-le tout de suite. Nous n'avons que faire de ce genre de prisonnier!

— Non! s'interposa de nouveau la femme à la robe rouge et noir. Cet homme n'est pas apparu ici sans raison. Il est inoffensif, je ne sens pas la colère en lui. Je ne crois pas qu'il en ait contre nous. Sa venue entre ces murs est motivée par une autre raison. Et je veux la connaître.

— Sânziana! ragea Octavian. Tu n'as pas à te mêler de cette affaire qui ne te regarde en rien!

— Si je ne te connaissais pas si bien, Octavian, répondit Sânziana, je croirais que tu as quelque chose à cacher telle-ment tu mets d'ardeur à vouloir l'exécution de ce pauvre mage. Je suggère que nous tentions d'en savoir plus sur sa venue. Mais regardez donc ses vêtements! Et vous avez entendu son accent? Vous voyez bien qu'il n'est pas d'ici. Il vaut toujours mieux poser les questions avant de tuer quelqu'un. Après, c'est trop tard.

— Emmenez-le, jeta le voïvode. Sânziana a raison. Nous tâcherons d'en apprendre plus sur cet homme. Ne soyons pas trop impulsifs!

La géomancienne confronta les yeux courroucés d'Octavian, qui finit par tourner les talons et sortir de la salle.

Lorsqu'elle croisa ensuite le regard de Laberge, elle fut convaincue d'avoir agi pour le mieux. Cet étranger ne la laissait pas indifférente. Et il avait des choses à dire. Elle devait en apprendre plus sur lui.

Le visage en sang, Laberge lui sourit néanmoins lorsqu'il quitta la salle, traîné par les gardes.

Il était encore en vie.

12

Valleyfield, Québec.
Neuf heures vingt, le dimanche 9 septembre 1928.

Albert Viau cherchait des réponses.

Il en avait besoin.

Le train avançait lentement dans la grande courbe à l'approche de l'entrée de la ville de Valleyfield, ses roues de fer lançant des cris stridents au passage des joints de rails.

Plus d'une semaine s'était déjà écoulée depuis la dernière pleine lune, depuis cette fameuse nuit où il avait vu la mort de près, où de simples illusions avaient failli le tuer.

D'ailleurs, Albert s'en voulait d'avoir réagi de la sorte face à ce que lui avait laissé percevoir celui qui se faisait appeler Fenrir. Il n'arrivait pas à s'expliquer la perte de contrôle survenue alors ni pourquoi il avait été incapable, pendant ce court laps de temps, de penser froidement, avec justesse et cohérence, comme cela lui arrivait habituellement.

Emma avait été profondément choquée par son récit, bien qu'il lui en ait caché les détails les plus troublants.

AGRIPPA

Albert avait pour la première fois utilisé le raphigraphe fourni par l'évêché afin de préparer un message codé en braille, qu'il avait envoyé par le train du lundi matin. Il tenait absolument à rencontrer l'évêque pour lui raconter ce qu'il avait vu. Tout cela était trop important, trop incroyable, pour être simplement poinçonné sur un bout de papier sans qu'aucun détail puisse être ajouté. En plus de décrire les événements, il exigerait des réponses sur ce type de pratiques qui, selon ce qu'il avait entendu dans la forêt ce soir-là, semblaient exister depuis fort longtemps. Ces douze types vêtus de rouge étaient fous à lier. S'il n'en tenait qu'à lui, ils seraient bons pour l'internement à perpétuité sans aucun espoir de libération. Ou encore pour la potence. Une pendaison à la douzaine. Mais Albert chassa vite cette pensée qui l'attirait dans le piège facile de la violence gratuite, chose qu'il abhorrait par-dessus tout.

Il avait obtenu une réponse le vendredi suivant, qui l'invitait à se rendre à Valleyfield le dimanche matin. Son ami Alphonse Chevigny – le chef de la gare Holton à Sainte-Clotilde –, conscient des raisons qui pouvaient l'amener à Valleyfield, l'avait laissé monter dans le train gratuitement. Le rôle du coopérant revêtait selon lui une telle importance pour la protection du pays qu'il n'hésitait pas à prendre les moyens qu'il fallait pour faciliter le travail de ses collègues. C'était sa façon à lui de coopérer.

Albert se cala dans son siège alors que le train atteignait la ville. À entendre le crissement des grandes roues de fer sur les rails à mesure que le convoi perdait de la vitesse, il se félicita intérieurement de vivre loin d'une voie ferrée.

Mais les gens qui regardaient passer les wagons tirés par la locomotive semblaient habitués à ce va-et-vient presque quotidien qui faisait partie de leur vie de citadins, ou de Campivalensiens, comme le lui avait appris Édouard quelques semaines plus tôt. Étant sans nouvelles, il s'inquiéta pour ce dernier encore une fois, le sachant si loin. Tout au fond de lui, Albert aurait souhaité pouvoir l'accompagner. C'était quelque chose qu'il n'aurait jamais cru possible de vouloir encore. Un désir oublié depuis sa jeunesse refaisait surface. Un désir de liberté, d'aventure et de terres inconnues. N'y avait-il pas été introduit par son oncle Thomas alors qu'il n'avait que neuf ans? Son père, qui l'avait confié à cet oncle vivant aux États-Unis après la mort de sa mère, n'avait-il pas été le premier responsable de l'homme qu'il était devenu? Il avait dû s'adapter à un nouvel univers, apprendre une autre langue, apprendre à survivre et à gagner sa vie, puis patienter sept longues années avant de pouvoir rentrer dans son pays, avec un baluchon pour seul bagage. Cette période où il avait traversé nombre d'États au sud de la frontière avait semé en lui le goût de l'aventure. Et bien qu'il ait réfréné l'envie de voir le vaste monde depuis son union avec Emma, les événements des dernières années avaient jeté le doute sous ses pas. Il se retrouvait maintenant en train de faire tout son possible pour éviter de marcher dessus. Laberge lui avait fait voir que le monde ne se limitait pas à l'Amérique du Nord et que les voyages étaient possibles au delà des mers.

Le train s'arrêta le long des quais de la gare du CN dans un sifflement aigu et la libération de la pression de vapeur dans les cylindres actionnant les lourds leviers des roues motrices.

Albert tira de la poche intérieure de son veston sa grosse Waltham. Il ajusta ensuite l'heure après avoir jeté un coup d'œil à l'horloge encastrée dans le pignon de la gare.

Une fois que tous les passagers eurent quitté le wagon, il se leva à son tour, l'air pensif mais le regard déterminé.

Fidèle à lui-même, le jeune homme affable reçut Albert à l'évêché avec la délicatesse d'un propriétaire de funérarium.

— Veuillez me suivre, s'il vous plaît, monsieur Viau, déclara-t-il avec un sourire bienveillant.

Les deux hommes empruntèrent un corridor. Puis le jeune clerc indiqua à Albert l'escalier menant à la salle des archives et l'invita à descendre d'un geste de la main, sans dire un mot et sans que le quitte son angélique sourire.

L'autre s'exécuta, ses pas résonnant sur les marches de marbre froid.

Quand Albert arriva en bas, la grande bibliothèque de la chancellerie du diocèse de Valleyfield lui apparut. La vaste étendue de la pièce le surprit, éclairée çà et là par quelques ampoules électriques fixées au plafond, reliées par des fils qui couraient le long des poutres et des murs. Une quantité incroyable de volumes emplissait les multiples étagères de bois qui comblaient tout l'espace disponible. À l'autre bout du local, Albert pouvait deviner la lumière d'une lampe, vacillant sur le mur du fond et le plafond juste au-dessus.

Une voix le tira de son examen.

— Approchez, monsieur Viau.

Se faufilant entre deux étalages de bouquins anciens qui couraient jusqu'au fond de la salle, Albert parvint devant le bureau du maître des lieux, Théodore Coppegorge.

— C'est vous? dit le visiteur, surpris. Je n'avais pas reconnu votre voix.

— Je crains d'avoir pris froid, précisa le Français. Je n'ai jamais pu m'ajuster aux changements de saison de ce pays.

— Le fond de l'air est frais en effet.

— Mais changeons de sujet. Nous avons suffisamment parlé de ma santé. Je ne veux pas vous garder ici toute la journée. Monseigneur Langlois est en réunion à Montréal et sera retenu là-bas jusqu'à mercredi. Il m'a chargé de vous recevoir afin que vous puissiez m'expliquer les causes de votre embarras. J'espère que vous n'aurez pas d'objection à vous adresser à moi. J'ai osé penser que vous n'y verriez aucun inconvénient puisque nous nous connaissons déjà.

— Je me ferai un plaisir de vous exposer la situation, monsieur Coppegorge. Je ne doute pas que vous pourrez répondre à mes interrogations après avoir entendu mon récit.

— Donc, il y a un peu plus d'une semaine, tel que recommandé par le message que nous vous avons fait parvenir, vous vous êtes rendu à Saint-Urbain-Premier dans le but d'aller vérifier la fameuse pierre-autel. Sauf que, si j'ai bien compris, vous y êtes allé en pleine nuit, vendredi dernier, et vous êtes retrouvé face à un groupe de sacrificateurs.

— Sommairement… c'est cela, admit Albert, gêné. Mais laissez-moi reprendre depuis le début. Ensuite, j'espère que vous pourrez m'expliquer ce que tout cela signifie.

— Je vous écoute, mon cher. Et je me ferai un plaisir d'éclairer vos lanternes au mieux de ma connaissance.

Albert se lança dans l'explication détaillée de ce qu'il avait vu et subi cette nuit-là. Il raconta comment il avait été surpris par les membres vêtus de rouge de la secte et comment ceux-ci avaient usé de magie pour le terroriser et lui faire perdre toute contenance.

Après plus d'une heure, Albert s'arrêta au bout de son histoire. Il recula au fond de son fauteuil et s'appuya au haut dossier capitonné pour soulager son dos. Coppegorge le considéra un moment avec gravité avant d'éteindre la lampe à huile sur son bureau. Après s'être levé, il invita Albert, légèrement mal à l'aise, à en faire autant.

— Allons dîner, mon ami, suggéra-t-il. Tout cela trouvera meilleures réponses si nous avons le ventre plein. Il y a une petite salle de réunion bien ensoleillée là-haut où nous pourrons nous faire servir le repas. Ce sera plus propice à la discussion.

Albert, dont l'estomac criait déjà famine, ne se fit pas prier pour emboîter le pas à son hôte.

— Comme le disait Victor Hugo dans ses *Contemplations*, dit Coppegorge en versant un verre de Saint-Émilion à Albert, « Dieu n'avait fait que l'eau, mais l'homme a fait le vin »!

Ils savourèrent en silence une première gorgée. Puis Albert s'exclama :

— Je n'ai jamais bu un aussi bon vin, déclara-t-il avant de prendre une seconde gorgée. C'est délicieux.

— C'est que je le fais venir de France, précisa Coppegorge, d'un ami viticulteur qui habite la commune de Saint-Christophe-des-Bardes, sur laquelle s'étend le vignoble de Saint-Émilion. Ce bordeaux est, bien sûr, introuvable ici.

Albert posa son verre et reprit son sérieux.

— Pouvez-vous m'expliquer ce que j'ai vu l'autre nuit? demanda-t-il. Cela m'a sérieusement bouleversé; j'ai perdu mon calme, mon sang-froid, mon pouvoir d'analyse et de réaction. Cela ne me ressemble en rien. Cet homme m'a humilié comme je ne l'ai jamais été dans ma vie et je réalise maintenant à quel point j'ai pu être en danger. Car le danger ne venait pas seulement de cet homme. Il se trouvait tapi à l'intérieur de mon être et n'attendait qu'un élément déclencheur pour se retourner contre moi. J'ai été dangereux pour moi-même, non seulement à cause de mon imprudence, mais aussi à cause de ma perte de contrôle. Je ne comprends pas ce qui a pu se produire, monsieur.

Coppegorge mit fin aux propos d'Albert entre deux bouchées de rôti de veau.

— Ne soyez pas si dur envers vous-même, mon bon ami. Vous avez rencontré là un adversaire de taille pour lequel vous n'étiez pas préparé. Je crois qu'il est temps maintenant que je vous explique certains faits cruciaux qui seront non seulement utiles à votre travail de coopérant, mais qui pourraient aussi vous être salutaires et, du coup, vous permettre de vivre un peu plus vieux.

Albert acquiesça d'un hochement de tête, soulagé qu'on lui fournisse des explications. Il plongea sa fourchette dans la purée de pommes de terre qui contenait crème et beurre en généreuse quantité.

— Tout d'abord, il faut que je vous dise que vous avez été extrêmement téméraire. Voire imprudent! Vous auriez pu y laisser votre vie, que diable! Mais vous n'êtes pas le seul à blâmer dans cette histoire. Nous avons aussi une grande part de responsabilité dans ce qui vous est arrivé et ceci dénote une lacune évidente dans la formation des coopérants. Nous avons cru, à tort, que les événements dont vous avez été témoin il y a trois ans en compagnie d'Édouard vous donneraient la présence d'esprit et le jugement nécessaires pour faire face à des phénomènes étranges. Il ne faudrait pas croire, monsieur Viau, que parce que vous vous en êtes tiré une fois à bon compte, il en sera de même chaque fois. Même si nous sommes du côté du bien, cela ne signifie pas pour autant que nous soyons à l'abri de tout mal et de tout danger. De là viennent peut-être votre audace et votre témérité. De plus, Édouard Laberge n'était pas avec vous! Et même si cela avait été le cas, il n'est pas certain qu'à lui seul il serait parvenu à mettre en déroute une douzaine de mages réunis! Et par surcroît, des mages rouges qui, selon vos dires, sembleraient constituer une puissante guilde d'enchanteurs. Laissez-moi vous guider à travers un petit cours d'histoire des sciences naturelles et surnaturelles. Je crois que cela vous sera très profitable et vous permettra de mieux évaluer les risques lorsqu'ils se présenteront.

— J'apprécie beaucoup. Merci.

— Je ne sais trop par où commencer, admit Coppegorge. Il y aurait tant à dire.

— Dites-m'en plus sur les magiciens, proposa Albert, et sur les magies. Expliquez-moi d'abord les différences entre les pratiquants, et aussi les raisons qui les poussent à agir de la sorte. Nous pourrons ensuite en venir à ce que je vous ai raconté quant à cette cérémonie dans les bois de Saint-Urbain.

— C'est une bonne idée. Je bois à votre bon sens, cher ami, en espérant que dorénavant, vous saurez l'écouter plus souvent!

Albert vida son verre et observa le Français le remplir de nouveau. Il appréciait le temps que l'autre lui consacrait et prenait goût à l'instruction que cela lui procurait. Et que dire de ce vin capiteux et gouleyant!

— À mon tour de faire une suggestion, émit Coppegorge. Finissons ce repas avant qu'il ne refroidisse. Nous discuterons ensuite.

Albert abonda dans le même sens.

Les deux hommes mangèrent dans un silence brisé seulement par le bruit des ustensiles.

Après avoir quitté la table et installé face à face deux fauteuils qui semblaient les attendre, lui et son invité, au fond de la petite salle de réunion, Coppegorge joignit les mains dans une attitude pensive comme pour mettre en ordre ses idées.

Il se lança finalement, trouvant en Albert un auditeur des plus attentifs.

— Séparons d'abord les pratiques de leurs adeptes, commença-t-il. Il existe quatre grands courants magiques dans le fleuve de l'énergie universelle. Cette puissante énergie, que je compare ici à un fleuve, se déverse sur la Terre, et nous traverse continuellement, nous alimentant de ses possibilités. Toutefois, il n'est pas donné à tous de pouvoir puiser dans cette énergie. Ceux qui en ressentent l'appel pourront cultiver leur pouvoir. On dit de ceux-là que le fluide magique coule dans leurs veines. Ainsi le fleuve se déverse-t-il en eux afin d'alimenter chaque fibre de leur être. Tout comme un virtuose du piano à qui l'amalgame des notes réparties sur un clavier apparaît clairement à l'esprit, l'homme prédisposé – que l'on appelle communément un mage – saura utiliser sa pensée comme une force canalisatrice, afin de parvenir à faire dévier un courant du fleuve à son avantage.

— Mais d'où vient cette énergie? s'enquit Albert

— Qui sait? Des confins de l'univers, du rayonnement du Soleil, de l'attraction des planètes? On n'en sait trop rien. En revanche, nous savons que le mouvement oscillatoire du niveau des mers, ce que nous appelons les marées, est causé par l'effet d'attraction de la Lune et du Soleil sur la masse des océans. Si l'astre de la nuit et celui du jour peuvent déplacer des mers en joignant leurs efforts, ne pourraient-ils pas faire de même pour les êtres humains, les bêtes et les plantes? Ne sommes-nous pas tous composés d'eau? Pourquoi croyez-vous que les douze mages que vous avez observés l'autre nuit se sont réunis à la pleine lune? Pourquoi vous sont-ils apparus à un certain moment avec une physionomie modifiée? C'est parce que la lune pleine provoque des modifications dans les champs énergétiques du grand courant de fluide magique tout comme dans le plus petit qui alimente chaque organisme vivant. Les Êtres de la Lune se sont adaptés à ces changements énergétiques. Ils savent comment les appliquer à leur système nerveux pour modifier le signal des influx électriques qui entretiennent la forme et la tonicité de leurs tissus musculaires. Ils parviennent ainsi à modifier leur apparence jusqu'à lui donner une allure bestiale.

— Mais c'est là pure démence! s'insurgea Albert. À quoi cela rime-t-il? Qu'est-ce que tout cela peut-il leur apporter? Nous entretenons une supériorité par rapport au règne animal grâce à notre intelligence. Pourquoi diable vouloir se rabaisser maintenant à ce niveau?

— Vous vous méprenez, mon ami, le critiqua Coppegorge. Gardez bien en vue que celui qui parviendra à allier l'intelligence humaine à la force, à l'endurance et à l'instinct des bêtes sera loin de se rabaisser! Il deviendra un être de race supérieure. Et s'il parvient, grâce à cet état de fait, à maîtriser les animaux et à faire en sorte qu'ils lui obéissent, plus rien ne saura l'arrêter. Et les pauvres hommes que nous sommes pourraient alors être appelés à disparaître.

Albert se massa les tempes du bout des doigts. Il ne savait pas encore s'il assimilait correctement tout ce que l'autre lui racontait, ou si simplement l'exposé lui donnait mal à la tête.

Le gardien des archives du grand diocèse lui laissa à peine le temps de digérer ses dernières paroles.

— Je m'éloigne de mon explication de départ, enchaîna-t-il. J'avais débuté avec les quatre courants magiques. Il y a d'abord la magie blanche, puis la magie noire, la magie rouge et la divination. Il faut savoir que ces quatre types de pratiques ont été créés par des hommes fort différents, de par l'orientation de leur pensée.

« Notre ami Édouard est bien sûr un adepte de la magie blanche. Il la possède et ne l'utilise que lorsque nécessaire. Il met ses capacités au service de ses semblables et combat les êtres nuisibles qui tentent de faire reculer la progression du genre humain en tant que collectivité unie. C'est un mage puissant, qui pratique les formes les plus élaborées des arts occultes. William Black[1], quant à lui, caressait des rêves de puissance et de contrôle sur tout ce qui l'entourait. Il est tombé tête baissée dans le piège que la magie noire lui tendait, et qui plus est, sans y être préparé. Vous savez ce qu'il en est advenu. On pourrait le qualifier de sorcier. Il ne représentait que l'aspect pernicieux en jetant des sorts aux quatre vents. Malheureusement pour lui, le dernier sort qu'il a jeté lui a nui plus qu'à quiconque. Il y a aussi les devins qui, eux, pratiquent les arts divinatoires. Ils sont fascinés par l'avenir. Ils consacreront leur vie entière à tenter de trouver des moyens de prévoir le futur ou encore à influencer le cours du destin. Ce qui n'est pas non plus sans danger, mais au moins ne le font-ils pas dans un but malfaisant. »

— Mais qu'en est-il de ceux que j'ai vus? interrogea Albert, impatient.

---

1. Voir *Agrippa – Le livre noir*, Éditions Michel Quintin.

— J'y arrive, mon bon ami, j'y arrive. Il est évident que la guilde de mages rouges que vous avez vue trempe dans l'enchantement.

— En plus de tremper dans le sang…

— Comme vous dites. Certains croient que le sang est le véhicule du fluide magique. Il coule en nous et en chaque être vivant, tel ce fleuve d'énergie universelle dont je vous ai parlé plus tôt. C'est pourquoi ils vénèrent le précieux liquide rouge en lui conférant toutes sortes de propriétés essentielles dont, entre autres, d'être le gardien de la génétique de la race supérieure.

— Je comprends maintenant pourquoi ces mages attachent autant d'importance au sang. Mais par contre, pourquoi boire celui d'un mouton?

— Pour s'en approprier tout simplement la vie. N'est-ce pas là une façon de démontrer la supériorité de la race? En dégustant ce rôti de veau tout à l'heure, n'avons-nous pas affirmé notre ultime supériorité sur la race bovine? L'homme n'a pas seulement tué ce veau, il l'a également dévoré. Dites-vous bien que les sacrifices d'animaux ne sont que prémices aux sacrifices humains.

— Vous avez une façon bien particulière de faire apparaître la vérité, constata Albert.

— La vérité, en effet…

— Mais parlez-moi des enchanteurs. Quel est leur pouvoir?

— Leur pouvoir est grand, précisa Coppegorge, il est même différent. Vous devez d'abord savoir que l'enchanteur est un traître. Il maîtrise l'artifice de la trahison, de la tromperie, tout comme celui de faire d'une personne une victime. Les êtres humains ne devraient jamais être victimes de leurs semblables. Victimes de maladie, d'accident ou de catastrophe naturelle, peut-être, mais pas d'un autre homme. Seule la mort…

Coppegorge avait les yeux dans le vague. Cela provoqua un malaise obscur chez Albert qui détourna le regard et prit une gorgée de vin. Il pouvait voir la bouteille vide sur la table et son étiquette partiellement déchirée, probablement à la suite du long voyage qu'elle avait fait et aux multiples manipulations qu'elle avait subies avant d'arriver jusqu'ici. Il chercha sans trouver de réponse à savoir comment ce vin, qui avait été brassé et secoué sur des milliers de kilomètres, en plus supporter des écarts de température considérables, pouvait avoir abouti dans son verre sans avoir tourné. Il fut tiré de sa rêverie, dans laquelle il avait échappé au gênant malaise, par l'archiviste qui avait repris de façon soudaine son explication.

— L'enchanteur utilise, en plus de l'énergie qu'il puise dans le grand fleuve, le pouvoir des mots et des sons que l'on doit utiliser pour les prononcer. Saviez-vous que les ondes vibratoires causées par l'intonation de certaines paroles ou de certains sons peuvent engendrer toutes sortes de désagréments?

— De désagréments?

— Dans certains pays d'Europe, il est interdit aux militaires de traverser un pont au pas cadencé. Ils ont ordre de rompre le pas pendant la traversée.

— Mais pourquoi donc?

— Parce que la cadence régulière du pas d'un contingent d'hommes synchronisés peut produire une onde vibratoire assez forte pour provoquer, par exemple, l'effondrement d'un pont. Ça s'est déjà vu en France.

— Je ne connaissais pas ces effets de la vibration.

— Nous avons tous entendu la blague sur la cantatrice qui peut briser un verre de cristal sur une note précise. C'est un autre exemple de cause à effet des ondes vibratoires. Mais l'enchanteur n'utilise pas que les mots. Il utilise aussi l'illusion.

— Ça, par contre, j'en connais bien les effets, ironisa Albert. Et je vous répète que j'ai perdu tout contrôle sur moi-même, ce qui ne me ressemble pas.

— L'enchanteur arrive à faire voir des choses qui paraissent si réelles que nul ne peut douter de leur existence. C'est ce qui cause habituellement la panique. Il suggère des images par la force des mots. Et croyez-moi, les mots peuvent parfois devenir une arme redoutable. Prononcés avec l'intonation vibratoire correcte et puisant dans le courant d'énergie universelle, les paroles citées par un enchanteur portent une force sans limites! Celui qui vous a maîtrisé, Albert, est non seulement puissant, mais dangereux aussi. Il se sert de la force de la Lune, la grande Déesse Blanche. Et ses visions de Ragnarök ne me disent rien qui vaille. Lui et ses semblables veulent pousser le monde à la guerre!

— Mais pourquoi? Pourquoi mener le monde à la guerre? N'avons-nous pas assez souffert du grand conflit? Nous avons perdu des milliers d'hommes au Canada seulement, qui ont dû aller se battre par obligation pour le gouvernement britannique dans un combat qui nous était étranger. L'Europe n'a même pas fini de se rebâtir! Que veulent donc ces mages? La fin du monde?

— C'est précisément ce que signifie le Ragnarök.

Un temps mort tomba entre les deux hommes. Albert réfléchissait à toute vitesse. Il ne voulait pas d'une autre guerre. Il détestait la guerre.

— Cet enchanteur s'est joué de vous, tout simplement. Vous avez de la chance qu'il vous ait laissé en vie. Vous devriez lui en être reconnaissant. Apprenez de cette leçon et réajustez votre façon de faire, vous n'en serez que plus efficace. Et comme je vous l'ai déjà dit, vous vivrez plus vieux.

— Selon vous, pourquoi m'ont-ils laissé la vie sauve?

— C'est pour que vous veniez tout nous raconter. Pour nous lancer un message et nous faire savoir que désormais, nous devrons compter avec eux. Ils sont installés et ont un plan. Nous devrons être vigilants.

— Et que viennent faire les loups là-dedans? Je semble toujours avoir un compte à régler avec ceux-là.

— Ils sont les Bêtes de la Lune, leurs alliés et serviteurs.

— Dites-moi comment on peut se prémunir contre un enchanteur. Je crois que la méfiance seule ne suffit pas.

Coppegorge sourit. Albert le bombardait de questions. Il regarda l'heure et décida que la conversation tirait à sa fin.

— La méfiance est source d'aveuglement, mon ami, répondit-il tout de même. Il faut faire attention. Se méfier, c'est aborder la défaite. C'est placer l'illusion que l'autre veut nous faire voir sur une marche plus haute que celle où se trouve notre propre réalité! La route de la méfiance mène tout droit au cimetière. Méfiez-vous de vous-même, de votre propre méfiance. Faites attention. Et n'ayez pas peur, c'est ce qui peut faire toute la différence. Il ne faut pas céder à la panique. Il faut pouvoir réfléchir rapidement. Et pour réfléchir dans de pareilles circonstances, il faut même risquer de mourir. Et rester modeste, tiens! Car personne n'est irremplaçable et le monde courra vers son destin malgré votre perte.

— Dites-moi… Édouard est-il un mage puissant?

— Vous avez le don de détourner le sujet lorsque celui-ci vous rend mal à l'aise, n'est-ce pas?

Albert plongea au fond du regard de Coppegorge. Ce dernier détourna les yeux avant de répondre.

— Oui, Édouard Laberge est un mage très puissant. Mais il est surtout sage et très intelligent. Il possède cette caractéristique de l'homme qui ne craint pas la mort et s'affiche devant elle en toute humilité. En ce domaine, il est un exemple à suivre. Il sait vaincre la peur et ne se laisse pas guider par ses premières impulsions. Il réfléchit à la vitesse de la pensée et se donne comme consigne de toujours trouver une solution dans les plus brefs délais. Je crois qu'au-delà de ses pouvoirs, c'est ce qui le rend encore plus redoutable! C'est une chance pour nous d'avoir cet homme à nos côtés.

— En effet. Et il est un ami sincère. Je vous avoue que je me fais du souci pour lui.

— C'est tout à fait normal. Il en va de même pour moi.

— Dites-moi, monsieur, rapporterez-vous notre conversation à l'évêque?

— Je vais faire un marché avec vous, mon ami. Car je vous considère d'ores et déjà comme tel.

Albert observa longuement son vis-à-vis, comme accroché à son regard. Il se sentait soulagé d'avoir été capable de livrer son message et d'avoir gagné les faveurs de cet homme qui contribuait à son apprentissage de ce milieu, à l'intérieur duquel se livrait une guerre secrète et sans merci.

— Nous n'avons qu'effleuré le sujet aujourd'hui, c'est évident. Mais nous aurons d'autres occasions de discuter. D'ici là, voici ce que je vous propose.

— Dites.

— N'hésitez jamais à vous confier ou à poser des questions. Je serai toujours là pour vous entendre et pour vous répondre au mieux de ma connaissance. Comme un confesseur!

— Je ne l'oublierai pas, affirma Albert en riant. Je sais que monseigneur Langlois est très occupé. Si vous n'y voyez pas d'inconvénient, j'adresserai mes messages à votre attention à l'avenir.

— J'en serais ravi.

Albert tira sur la chaîne de sa Waltham et fut surpris de voir comment le temps avait filé. Il sentait sa chemise blanche lui coller au dos à cause du contact prolongé avec le cuir du fauteuil.

— Je dois me rendre à la gare, dit-il en se levant.

Coppegorge lui serra chaleureusement la main.

— Ce fut un réel plaisir. Soyez prudent, voulez-vous. Venez, je vais vous reconduire.

Albert le suivit jusque dans le hall d'entrée, puis quitta son hôte d'un simple signe de tête.

Alors qu'il marchait le long de la rue de l'Église, il se sentit envahi par un sentiment irrévocable.

Tôt ou tard, son chemin viendrait à croiser de nouveau celui de Fenrir l'enchanteur.

Il en était persuadé.

Et quand viendrait ce jour, il serait prêt.

13

Caves du palais de Târgovişte, Valachie.
À la nuit tombée, le lundi 30 septembre 1444.

Octavian se tenait tapi dans le noir au creux d'une arche, derrière un massif pilier de pierre. Devant lui se trouvait l'entrée de la section des caves du palais comprenant les cachots.

Devant la porte, un seul garde, qui peinait visiblement à garder les yeux ouverts.

Facile.

Le mage se concentra d'abord sur une évidence. Le point faible du garde à cette heure tardive.

La fatigue.

Il ferma les yeux et s'appliqua à composer en pensée une énergie de forme humaine. Cette énergie possédait la couleur de l'ombre et la douceur d'un duvet de canard.

Octavian ouvrit les yeux et poussa délicatement en avant la forme énergétique qu'il venait de créer. Celle-ci longea le mur et contourna le garde pour venir l'envelopper par-derrière de ses bras chauds et rassurants. Les bras de Morphée.

Le garde s'appuya au mur juste derrière lui et se laissa glisser lentement vers le sol jusqu'à s'y asseoir. Sa tête bascula en avant et il sombra dans un sommeil de plomb, rempli de rêves paisibles qui le menèrent très loin de sa réalité.

Octavian vint vers l'homme et s'assura qu'il était bien endormi. L'ombre continuait d'envelopper celui-ci comme une mère protectrice. Il était définitivement parti pour un bon moment.

Le mage décrocha une torche enfilée dans un support de fer fixé au mur et ouvrit la porte donnant accès aux cachots. Il y avait bien longtemps qu'un prisonnier n'avait pas séjourné ici. On les exécutait plutôt que de les garder. C'était beaucoup moins laborieux. Octavian jugea donc plausible que l'inconnu ait été placé dans la cellule se trouvant la plus près de l'entrée et aussi, de la lumière.

Il approcha la torche de la petite fenêtre grillagée pratiquée dans la lourde porte en bois. Il aperçut l'homme qu'il recherchait, couché sur le banc de bois. La paille accumulée dans un coin du cachot et destinée aux besoins naturels dispensait une odeur exécrable et attirait les mouches en un vol bourdonnant et zigzagant.

Octavian se pencha et étudia sommairement le verrou rouillé qui condamnait l'ouverture de l'huis. Réflexion faite, il pointa l'index et vint l'appuyer contre le trou de la serrure avant de le tourner lentement d'un demi-tour vers la gauche. Il entendit le vieux mouvement de fer tourner sur lui-même, puis se libérer en un claquement sec, poussé par son ressort.

Ébauchant un sourire, le grand mage se releva sur toute sa hauteur.

Pas même fermé à double tour.

Il souleva le loquet et poussa lentement la porte, qui frotta au sol et tourna difficilement sur ses gonds en un grincement inquiétant.

L'homme couché sur le banc se redressa lentement. Bien que blessé et affaibli, Octavian le sentit sur la défensive. Une solide cloison fermait la porte de son esprit. Il ne serait pas aisé d'y ménager une ouverture. La partie n'était pas encore gagnée.

— *Ne înțelege-ți limbajul[1] ?*

Le grand homme devant Laberge écarta la torche afin que celui-ci puisse voir son visage. Au moins, il commençait par poser une question avant de frapper. Le prisonnier s'efforça de lui répondre de façon cordiale, cherchant les bons mots, les prononçant lentement.

— *Fac eforturi, dar cunoștințele mele sunt limitate[2]…*

Octavian acquiesça de la tête puis recula jusque dans le passage, laissant la porte grande ouverte. Il fit signe à Laberge de le suivre.

Surpris, ce dernier se leva tant bien que mal et traversa la cellule en claudiquant, souffrant d'une foulure à la cheville provoquée par la poussée d'un de ses gardiens. Ceux-ci ne l'avaient pas ménagé et, bien qu'il se soit tenu tranquille, il avait pris beaucoup de coups inutiles. Le curé voyait s'écouler

---

1. Comprenez-vous notre langue? (Roum.)
2. Je m'y efforce, mais mes connaissances sont limitées. (Roum.)

les jours sur les flots agités du temps, s'obligeant à d'abord guérir ses blessures avant d'entrevoir un plan d'évasion. Il ne tenait pas à influencer le cours de l'histoire, mais il lui fallait tout de même survivre et ensuite récupérer l'*Agrippa*. Le livre était ici et l'homme devant lui devait en avoir la garde. Il ne venait pas le chercher pour rien au milieu de la nuit. Il savait d'où il venait et comment il était arrivé là. Et il agissait en secret.

Alors qu'il passait la porte et sortait de son répugnant réduit, Laberge afficha deux options au tableau des choix. Ou bien le voleur du livre noir venait le sortir de là une fois pour toutes pour lui proposer une quelconque entente, ou bien il le conduisait tout droit dans un piège qui se fermerait sur lui tel un engin destiné à prendre une pauvre bête.

La deuxième option lui apparut comme la plus plausible et il se méfia davantage.

Non, ne pas trop se méfier, être conscient plutôt, ralentir le mouvement, voir venir, faire attention, renforcer les fondations des murs de mon esprit...

Mais les ordres du voïvode étaient clairs. S'il avait souhaité son exécution, il serait déjà mort. On ne viendrait pas le chercher pour le tuer en plein milieu de la nuit. On le donnerait en exemple devant tout le monde au petit matin. Non, l'homme imposant qu'il suivait présentement dans l'escalier les menant hors des caves ne lui tendrait pas un piège mortel. Il n'en avait pas le droit. Son attaque revêtirait une apparence plus subtile. Raison de plus pour être sur ses gardes.

Gravir les marches n'avait pas été une mince affaire avec sa cheville endolorie. La distance s'étant étirée entre les deux hommes, Octavian s'arrêta pour donner le temps à l'autre de le rejoindre. Ils empruntèrent un nouveau corridor conduisant vers l'arrière des grands logis seigneuriaux, faiblement éclairé par quelques lampes à huile disséminées le long des murs de briques rouges.

Une fenêtre ornée d'un vitrail se découpait sur le mur au fond du long corridor. Octavian ouvrit une porte sur sa droite et invita Laberge à entrer d'un geste de la main.

Celui-ci entra dans la pièce obscure, tous les sens aux aguets. Lampes et chandelles s'illuminèrent aussitôt, le faisant sursauter de surprise. Il connaissait trop bien ce principe de combustion spontanée que certains mages savaient utiliser. C'est alors que la pièce se révéla à lui.

Ce qu'il découvrit le laissa stupéfait.

Un appartement confortable et décoré avec goût, chargé d'objets hétéroclites qui se mêlaient à un décor fastueux de tapisseries, de tentures et de coussins qui adoucissaient par leurs couleurs les murs de pierre et les lambris. Deux hautes fenêtres, dont la moitié supérieure était ornée de vitraux, devaient inonder l'endroit d'une lumière bienveillante, même à la pique du jour. Laberge avança lentement vers le fond de la grande pièce pour atteindre une ouverture dans le mur de pierre qui donnait sur une autre salle. Il ne demanda aucunement la permission à son hôte avant de s'y introduire. Le plus beau laboratoire alchimique qu'il ait jamais vu lui apparut dans toute la simplicité du savoir caché de ce XVe siècle. Il se tourna vers Octavian, le suppliant du regard.

— Je me nomme Octavian, dit ce dernier aussitôt après qu'il eut lu le trouble dans le regard du curé. Je suis mage et conseiller du puissant voïvode Vlad Basarabi Dracul, le deuxième. Je suis l'homme que tu cherches. Et je sais que tu viens du futur.

— Je ne te cherche pas, lui répondit Laberge sur un ton neutre, je cherche le livre. Et je sais qu'il est tout près, je peux le sentir.

Octavian étira le bras vers le fond du laboratoire-atelier afin de diriger le regard de son prisonnier. Laberge aperçut le livre noir, ouvert sur un lutrin de bois foncé. Ses pages bougeaient d'elles-mêmes en un frémissement nerveux et continu. Une ombre passa furtivement sur le mur opposé. Un frisson involontaire secoua Laberge.

— En quelle année sommes-nous? demanda-t-il soudain. Dis-moi aussi la date.

— Nous sommes le 30 septembre 1444.

— Mon Dieu… Tout ce chemin… Tu es donc celui qui a ouvert le caveau dans le cimetière de Târgovişte pour s'emparer de l'*Agrippa*.

— Tu connais donc toi aussi l'*Agrippa* puisque tu connais son nom! Mais je ne connais pas le tien, mage, alors dis-le-moi. J'aime connaître mes adversaires.

— Je ne veux nullement être ton adversaire, Octavian. Je suis venu récupérer ce livre, non pas pour mon usage personnel, mais pour le mettre en lieu sûr, là où il ne pourra nuire à personne.

— Tu sais que je ne peux pas te laisser faire ça…

— Mon nom est Édouard Laberge, le coupa l'autre. Je suis un prêtre de l'Église catholique et j'ai traversé temps et océans depuis l'année 1928 pour venir récupérer ce

livre. Ne crois pas que je sois homme à abandonner si facilement.

— Loin de moi l'idée de te sous-estimer, fit remarquer
Octavian. Tu possèdes bien un nom à consonance française,
mais je ne crois pas que tu puisses être mage et prêtre à
la fois.

— N'oublie pas que je viens d'une époque lointaine et
d'un continent qui se trouve de l'autre côté de l'Atlantique,
et qui n'a même pas encore été découvert par les Européens.
Alors je peux bien être mage et prêtre tout à la fois.

Laberge s'appuya contre la table de travail qui se trouvait
au centre du laboratoire pour avancer vers le livre noir.
Celui-ci frémissait, sous les allées et venues le long des murs
de l'ombre du démon Eurynome qui l'habitait.

Le curé se sentait si près de sa quête et à la fois si loin
de chez lui!

Il se retourna brusquement vers Octavian pour poser une
question, mais l'autre le surprit en lui soufflant au visage
une fine poudre qu'il ne put s'empêcher de respirer.

— Qu'as-tu fait? demanda Laberge en titubant. Que
veux-tu donc me faire?

Octavian essuya sa main contre son manteau puis se
concentra à fabriquer un support énergétique permanent
juste sous Laberge. Il imita le geste de le soulever à deux
mains et le curé s'éleva à soixante centimètres du sol,
suspendu par un harnais invisible.

Toute volonté abandonna Édouard et il resta là, pante-
lant, le souffle court, les bras ballants, incapable de la
moindre réaction.

— Que… que m'as-tu fait? murmura-t-il péniblement.

— En quelque sorte, expliqua Octavian, je t'ai rendu service! Je vais te permettre d'expérimenter quelque chose que tu n'as jamais connu. Un état si extatique qu'il ouvrira les portes de ton subconscient à un point tel que tu pourras y retrouver tout ce que tu as déjà pu y perdre! Et moi, je serai là, et je saurai tout de toi, je me nourrirai de tes connaissances et j'apprendrai la vérité.

— Mais je te l'ai dit, la vérité…

— Me crois-tu donc si naïf?

— Qu'est-ce que tu m'as fait respirer?

— Un simple petit champignon. On l'appelle amanite, ou *amanita muscaria*.

— Pourquoi m'as-tu fait…

— Ne crains rien. La montée te semblera un peu désagréable, tu te sentiras angoissé et confus, mais tu ne dois pas t'arrêter sur ces sensations car elles ne dureront pas. L'effet de cette drogue abaissera tes défenses psychiques et nous donnera accès aux zones les plus obscures de ton être.

— Nous…

— Oui, nous, car je t'y accompagnerai. Il n'en tient qu'à toi pour que notre rencontre au cœur de tes pensées soit exaltante ou angoissante. Ne lutte pas.

— Tu n'as pas le droit… Mes pensées m'appartiennent…

— Pauvre être! Il y a plus de dix mille ans que les humains utilisent les champignons hallucinogènes pour induire l'extase ou prédire l'avenir. Si les humains n'avaient jamais utilisé ces drogues, ils ne se seraient jamais élevés plus haut au niveau culturel. Comment crois-tu que nos ancêtres ont pu faire pour s'ouvrir sur le monde, se développer et évoluer? Ils ont catalysé leur conscience! Il sera facile pour moi de te le prouver par le langage!

— Mais de quoi parles-tu? Tes mots m'étourdissent. Tu es en train de me raconter que si l'homme a évolué, c'est à cause des plantes hallucinogènes? Tu es complètement fou! Laisse-moi partir, je ne veux plus rester dans ton laboratoire même s'il me plaît et que je voudrais bien étudier tes installations, car c'est la toute première fois que je vois un laboratoire alchimique du XVe siècle. J'espère que tu me crois... Je n'ai plus de force, je ne sens plus mes membres. Libère-moi tout de suite...

— Qu'est-ce que je te disais? s'exclama Octavian en s'installant face à Laberge. Vois comme ta capacité d'expression dans notre langue est fluide! Cela prouve bien que la parole est une activité extatique! Ne sens-tu pas pousser la connaissance en toi?

— Ce n'est sûrement pas le genre de piège auquel je m'attendais...

— Préférerais-tu que je te livre aux bourreaux du voïvode pour qu'ils te fassent parler?

— Pas particulièrement...

— Ton apparition soudaine m'a surpris, mage Édouard, avoua Octavian tout en préparant pour lui-même une décoction d'amanite dans du jus de canneberge. Je ne m'attendais sûrement pas à voir surgir quelqu'un de la porte. C'est sûrement l'homme au bâton à feu qui m'a entendu prononcer la clé. Ce ne peut être personne d'autre.

— Tu as vraiment une logique imparable...

— Savais-tu que si tu es encore vivant, c'est grâce à Sânziana la géomancienne qui a parlé pour toi?

— C'est un si beau nom… Sânziana…

Octavian avala la décoction, s'installa debout devant le curé toujours en lévitation, et ferma les yeux. Il sentit rapidement l'effet de la drogue envahir son esprit et le poids de son propre corps disparut de ses jambes. Se retrouvant seul avec lui-même au plus profond de son être, il s'imagina préparer un feu. Et cet endroit précis où il l'alluma devint dès lors le centre de l'univers. D'abord immergé dans ce contexte rituel, il émergea ensuite dans la lumière de la conscience unique. Cette conscience où chaque être pensant pouvait être retrouvé.

Lorsqu'il ouvrit les yeux, il se trouvait dans un monde insolite où gravitaient deux soleils et où les nuages glissaient rapidement dans le rose et l'indigo d'un ciel tourmenté.

Il aperçut Laberge, lévitant un peu plus loin, toujours prisonnier de la position dans laquelle il avait été laissé. Au moment précis où Octavian se mit à marcher, le décor se modifia. La forêt s'intensifia et les grands conifères poussèrent à une vitesse fulgurante. De hauts bâtiments apparaissaient derrière les arbres puis disparaissaient aussitôt, remplacés par d'autres, à l'aspect neuf ou même en ruine. Quand le mage s'arrêta, seuls les nuages continuèrent de se déplacer dans le ciel indigo. Lorsqu'il reprit le pas, le blé poussa rapidement tout autour et il leva instinctivement les mains lorsque les épis vinrent lui chatouiller les doigts. Il s'arrêta devant Laberge, alors que le vent d'ouest créait des vagues sur le champ doré qui les entourait.

— Sommes-nous dans ton esprit, mage Édouard? Que représente pour toi ce champ de blé?

— Il se trouvait juste devant chez moi lorsque j'étais enfant, expliqua Laberge d'une voix dolente. J'aimais bien regarder le blé onduler à la fin de l'été sous l'effet du vent.

— Entends ma voix, mage Édouard, et obéis-moi. Toute résistance serait inutile et ta volonté est maintenant mienne. Je suis déjà à l'intérieur de ton inconscient, de tes souvenirs et de tes secrets les plus lointains. Je veux savoir qui tu es, d'où tu viens, qui t'a formé et ce que représente l'*Agrippa* pour les personnes qui t'ont envoyé. Au fait, qui sont-elles?

— Dis-moi, mage Octavian, questionna Laberge avec un brin de sarcasme dans la voix, est-ce que tu disais vrai quand tu affirmais que tous les souvenirs enfermés dans les oubliettes de mon subconscient pouvaient être rappelés?

— Je les fouillerai un par un s'il le faut, répliqua Octavian, et je te laisserai vide comme une outre d'eau à la fin d'un voyage.

— Si ce que tu dis est vrai, j'ai bien peur que tu doives patienter un peu avant de fouiller mes secrets. Je crois plutôt que je vais en rappeler un pour me venir en aide. Tu auras la chance de le rencontrer si ça se trouve, car je ne sais toujours pas si tout cela est possible et si je peux utiliser mes souvenirs contre toi, pour t'empêcher de violer mon espace personnel. Ce que, soit dit en passant, je n'apprécie pas du tout!

Le doute s'insinua dans l'esprit d'Octavian comme la petite souris au pelage gris à travers la fente d'un vieux mur.

Il n'aimait pas le ton satirique de celui qu'il retenait contre son gré. Il avait la désagréable impression de se retrouver en désavantage sur le terrain de l'adversaire.

— Mais de quoi parles-tu? finit-il par dire, irrité par le discours assaisonné d'ironie de Laberge.

— Tu m'as toi-même donné le moyen de me prémunir contre ton attaque! Tu as oublié que j'ai cinq siècles d'avance technologique et d'études psychiques sur toi!

— Tu dis n'importe quoi pour arriver à gagner du temps!

— Non, mage Octavian, ne va pas croire ça! Tu nous as menés ici, au cœur de ma pensée, mais pour toi, la pensée n'est encore qu'un mot inventé par l'homme pour définir ce qu'il ne comprend tout simplement pas! Tandis que pour moi, la pensée est énergie!

— J'utilise aussi ma pensée comme énergie! Je suis un mage puissant et craint, que diable!

— Voilà la différence entre nous, en plus des cinq siècles qui nous séparent! Tu te sers de ton énergie vitale qui parcourt ton corps et tu tires des forces de la nature qui t'entoure, mais si tu savais que les canaux virtuels qui transportent ton énergie possèdent des portes – les chakras –, tu pourrais utiliser ces portes pour puiser dans l'inépuisable fleuve d'énergie qui se déverse perpétuellement sur la Terre. C'est un don de Dieu, dont tu ne te sers pas par pur narcissisme! Ne vois-tu donc pas plus loin que le bout de ton nez?

— Arrête! Qui donc est en position de force présentement? C'est moi!

— Encore l'égocentrisme… Tu as dû me droguer pour y parvenir! Je suis un homme, et en tant que tel, et par respect pour mes semblables, j'utilise la magie seulement en tout dernier recours.

— Tais-toi, mage! Tu devras répondre à mes questions! Je suis en toi!

— Oui… tu es en moi… et je te conduirai là où je le voudrai! Car rien de ce qui est en moi ne t'appartient!

Le vent se mit à souffler de façon inquiétante sur le champ de blé, malmenant les tiges dans tous les sens. De lourds nuages apparurent et les soleils plongèrent derrière l'horizon pour laisser la place à une nuit sans lune.

Puis le silence.

Octavian dégagea sa cape-manteau du côté gauche et posa sans geste brusque la main sur la poignée de son épée.

— C'est ce qu'on appelle avoir l'esprit fermé, murmura Laberge.

— Cela ne se peut, répliqua Octavian. Tu ne peux avoir un pareil contrôle dans l'état où tu es!

— Mon état peut évidemment m'empêcher de faire bien des choses, mais en revanche, il peut m'en permettre bien d'autres! Tu auras tous mes souvenirs, Octavian! Tel que tu le désirais! Tous! Et je t'en réserve un en particulier qui sera à la hauteur pour te faire abandonner mes pensées! Que le flot de mes souvenirs se déverse ici même! Sois-en le témoin et la victime, Octavian! Et quitte mon esprit!

Une bourrasque de vent fit reculer le mage et bouscula Laberge dans son état de lévitation. Le ciel s'éclaircit de multiples coloris et le décor apparut, en une clairière triste et déserte au centre d'une forêt, pavée d'un sol de roc solide.

La tête des grands arbres se mouvait au rythme des coups de vent qui rappelaient la venue de l'automne. Octavian cligna des yeux après que quelques grains de poussière lui eurent brouillé la vue. Les nuages noirs de tempête glissaient sur ce ciel rougeâtre et violacé à une vitesse anormalement élevée, produisant un effet de fin du monde au cœur de cet endroit qui n'existait que dans les souvenirs d'Édouard Laberge.

Toujours prisonnier de sa position inconfortable, ce dernier bomba le torse et cria à en perdre haleine, du plus fort qu'il le put.

— **Williammmmmm!**

Un éclair zébra le ciel torturé et éclata en un coup de tonnerre assourdissant qui lui coupa la parole.

Une tornade s'arracha aussitôt à un bas nuage noir pour foncer vers le roc comme un météore. Lorsque sa pointe percuta le sol solide, ses vents furent poussés tout autour avec gravats et poussières en un seul souffle puissant, forçant les hommes à détourner la tête.

La tornade s'était volatilisée aussi vite qu'elle était apparue. À l'endroit précis où elle avait touché le sol se tenait tête baissée un homme grand, aux cheveux aile de corbeau abondants et gominés, et au teint bilieux. Les pans de son long manteau noir s'animaient doucement sous le vent calmé. À lui seul, son charisme malsain suffit à inquiéter Octavian qui resserra les doigts sur la poignée de son épée.

William Black releva lentement la tête et foudroya Laberge de ses yeux de jais.

— Maudit curé, dit-il les dents serrées, je te hais.

— Pourtant, moi, je suis vraiment content de te retrouver, répliqua Laberge sur un ton presque sincère.

— Qui est cet homme? demanda Octavian.

— Que dit cet abruti? questionna Black.

— C'est William Black, un Britannique, annonça Laberge que les effets de l'amanite rendaient légèrement inconséquent. Même s'il est très méchant, il va m'aider à te jeter hors de mon esprit, car il n'est qu'un souvenir et s'il m'arrive malheur, il disparaîtra pour toujours et ne connaîtra plus jamais la conscience.

— Tu n'as pas répondu à ma question, curé, cria Black. Et pourquoi sommes-nous ici?

— Tu ne t'en tireras pas à si bon compte, mage Édouard, lança Octavian. Ce souvenir ne te servira à rien! S'il tente de m'empêcher de te sonder, je l'éradiquerai définitivement de tes pensées et j'aurai ensuite le champ libre. Tu devras trouver autre chose pour m'arrêter!

— Si j'étais toi, je m'arrêterais justement tout de suite parce qu'il arrive!

Octavian ne vit pas venir Black ni le coup qu'il lui porta.

Il tomba au sol et ses mains s'égratignèrent sur le roc en parant la chute. Il eut à peine le temps de se retourner pour voir l'Anglais ouvrir les bras et le foudroyer du regard.

Black le prit par surprise et l'entoura d'une énergie brute avant de le projeter au loin, à une dizaine de mètres de là, jusque dans les grands pins qui bordaient la forêt. Octavian disparut derrière les branches.

Ayant pleinement pris conscience de sa réalité à l'intérieur de l'esprit du curé, Black marcha rapidement vers celui-ci, laissant pousser la lame d'un sabre japonais du fond de sa main droite. La lame s'étira, légèrement courbe, à mesure qu'il avança.

Il bondit et fit mine de frapper Laberge au cou. Ce dernier cria de surprise sans toutefois quitter l'autre des yeux.

— William, non! Ne fais pas ça! Attends!

Black stoppa brusquement l'élan de la lame sur la carotide du curé avec la précision d'un chirurgien.

L'effet de l'amanite chuta d'un cran dans le cerveau de Laberge.

— Tu ne peux pas faire ça, poursuivit-il, je ne t'ai pas rappelé pour rien! Tu vois, tu existes et tu gardes conscience à l'intérieur de mon inconscient! Tu es une particule élémentaire virtuelle! Si tu me tues ici, tu disparaîtras à jamais! Et j'ai besoin de toi pour rester en vie! Tu dois arrêter ce mage qui s'est infiltré dans mon esprit et le chasser d'ici! Et si tu échoues, tu disparaîtras définitivement de mes souvenirs sans aucune possibilité de rappel! Tu n'as pas le choix, William, tu dois m'aider!

Black recula lentement en fixant Laberge droit dans les yeux. Sa physionomie se métamorphosa littéralement pendant qu'il assimilait le flot de paroles que l'autre venait de lui cracher à la figure. Sa rage était aussi perceptible que la venue d'un cheval au galop. Il cria pour évacuer la pression qui enflait son cœur d'une haine meurtrière, puis se retourna, guidé par le pressentiment d'un sixième sens. Il vit foncer vers lui un rocher de la grosseur d'une enclume de deux cents kilos.

Il réagit très vite, choisissant de le pulvériser plutôt que de l'éviter, sachant trop bien que Laberge se trouvait juste derrière lui.

Il plaça la main devant lui et suggéra une énergie subite issue d'une fissure du roc, se précipitant vers le ciel telle une éruption volcanique. Le rocher fut dévié vers le haut et alla s'écraser à plusieurs mètres.

Octavian se tenait plus loin, en bordure de la forêt. Son regard menaçant en disait long sur ses intentions.

Sous l'effet de cette tension soudaine, le cœur de Laberge passa en mode accéléré et les effets jusque-là euphoriques du champignon hallucinogène devinrent de plus en plus angoissants.

Le décor se transforma, construisant et dématérialisant une multitude de souvenirs confus, mêlant les lieux que le curé avait visités par le passé à cette forêt de Sainte-Clotilde entourant la clairière de roc.

Octavian et Black marquèrent un temps d'arrêt, surpris par les changements de décor. Les nuages fuyaient toujours rapidement dans un ciel rougeâtre et violacé de coucher de soleil, alors qu'autour de la clairière, derrière les arbres, apparaissaient divers monuments gigantesques tels le Colisée de Rome, la tour Eiffel ou le Dôme du Rocher à Jérusalem.

Le mage valaque reprit l'attaque au moment où la neige commença à tomber.

Utilisant sa propre réaction à la poussière qui lui avait un peu plus tôt piqué les yeux, il concentra toute son énergie en un déplacement brusque qui se transforma en puissant coup de vent. Un nuage de poussière fonça alors droit vers l'Anglais.

Black, toujours devant Laberge, leva ses deux mains devant lui pour faire écran à la menace qui glissa de chaque côté des deux hommes. Enivré de la puissance que lui conférait la virtualité de son état, il contre-attaqua sans attendre, faisant croître une dague dans chacune de ses mains. Puis il les lança de toutes ses forces vers Octavian. À une vitesse surprenante, celui-ci tira d'une fissure du sol un arbre mature dans lequel les lames se fichèrent.

Black ne sentit qu'un souffle derrière lui avant qu'une solide clé de bras appliquée par Octavian ne lui enserre la gorge. L'autre lui glissait à l'oreille des paroles qu'il ne comprenait pas, mais qu'il sentait incisives.

— Mais de quelle race est cet animal? cria-t-il en s'étouffant à l'endroit de Laberge qui, impuissant, observait ce combat irréel.

— C'est un Roumain!

Octavian eut un mouvement de recul lorsque, par transformation subite, Black se retrouva face à lui. L'Anglais prit tout de même le temps de sourire à son adversaire avant de lui asséner un violent coup de tête juste sous le nez qui jeta ce dernier à la renverse, butant de l'épaule contre le roc déjà couvert de neige.

Toujours au sol, Octavian se tâta la mâchoire pour vérifier que toutes ses dents étaient encore en position. Un filet de sang s'écoulait lentement de son nez.

— Sois heureux, Dracula! lança le dangereux Anglais tout sourire. Tu as du sang plein la figure!

Dans une attitude de vainqueur, William Black éclata d'un rire cynique. Il écarta ensuite ses bras et se souleva à cinquante centimètres du sol avant de reculer plus loin sur le terrain. Lorsqu'il toucha le roc de nouveau, il se mit à hurler comme une bête, la lune apparaissant aussitôt dans l'esprit de Laberge comme pour chasser les flocons blancs et attirer les loups.

Toujours assis par terre, mouillé de neige fondante, Octavian s'épongeait le nez avec un pan de sa cape déjà maculée de sang. Il jeta un regard méprisant vers Laberge qui contenait difficilement sa satisfaction.

Dans la direction opposée, Black avait cessé de hurler. De l'index, il fit signe au Roumain d'approcher.

— Viens vers moi, vampire, que je t'arrache les dents!

Octavian reprit ses esprits, consterné par la tournure des événements.

Les hautes constructions se succédaient encore tout autour, dépassant la cime des arbres. La neige avait cessé, laissant apparaître graduellement le roc solide à mesure qu'elle fondait. Un grand obélisque égyptien poussa du sol de roche à trois mètres sur sa gauche, l'obligeant vivement à se déplacer afin d'éviter les éclats de pierre brisée projetés à la volée. Lorsque le monument atteignit sa pleine hauteur, un calme précaire s'installa.

Des confins de la forêt, les hurlements sauvages de toute une meute se firent entendre.

Les Bêtes de la Lune répondaient à l'appel.

Les loups surgirent de l'orée du bois, puis passèrent sous l'une des grandes arches du Pont du Gard, qui avait surgi du néant quelques secondes plus tôt.

Octavian fit demi-tour. Il avait un choix à faire. Fondre sur Laberge et lui percer le cœur de sa dague, ou répliquer avec une contre-attaque qui le protégerait des loups qui passaient maintenant de chaque côté de Black en poussant de furieux hurlements. L'Anglais les imitait, en se moquant de son adversaire, qui paraissait légèrement décontenancé.

Le sourire de Black, jusque-là incoercible, s'effaça graduellement lorsqu'un bourdonnement inquiétant emplit l'air comme une humidité pesante.

Octavian avait choisi. Il ne pouvait se débarrasser de Laberge ainsi, sans risquer d'encourir de lourdes conséquences pour sa propre survie. Il n'avait pas prévu que les choses tourneraient de cette façon. L'étranger aurait dû perdre toute résistance et se soumettre docilement à sa volonté. Rien de tout ce qui se passait maintenant n'aurait dû arriver. Il se retrouvait en péril, dans un monde factice et instable qu'il n'arrivait pas à dominer.

Un essaim d'abeilles apparut, compact et menaçant, et fonça droit vers les loups. Octavian les montrait du doigt, désignant ainsi pour les ouvrières l'ennemi à abattre de leur aiguillon venimeux.

Le hurlement furieux des loups se transforma en glapissements aigus lorsque l'essaim s'abattit sur la meute. La charge fut si brutale que les canidés furent rapidement mis en déroute, s'enfuyant dans toutes les directions, gagnant la forêt pour tenter d'échapper à la brûlure impardonnable des petits aiguillons.

Usant une fois de plus de son index, Black le déplaça de gauche à droite devant lui en fixant intensément son adversaire.

— Ce n'était pas très gentil, affirma-t-il sur un ton neutre alors que le sol se mettait à trembler sous ses pieds.

Sur sa gauche, au-dessus de la cime des grands pins, la pointe d'une pyramide parut. À mesure qu'elle s'élevait, on pouvait entendre les arbres s'arracher au peu de terre qui recouvrait le roc. Un coin de la pyramide déchira le voile formé par la lisière de la forêt et se dirigea vers le centre de la clairière alors que la magistrale construction surgissait toujours du sol. Instinctivement, Black courut pour s'éloigner du phénomène. Il se retrouva filant entre deux rangées de sphinx – monstres mythiques à corps de lion et à tête humaine – qui apparaissaient sous ses yeux comme les gardes d'un nouveau sanctuaire : celui de Gizeh en Égypte.

De partout jaillissaient les grandes constructions en un bruit assourdissant de pierres fracturées. Les pyramides de Chéops, de Kephren et de Mykerinus émergèrent du roc, accompagnées par le Sphinx géant, temples en ruine et colonnes solitaires.

Black et Octavian fuyaient en tous sens afin d'éviter tout ce qui sortait du sol de façon inattendue.

Arrivé à proximité de Laberge, Black fonça sur lui, sautant habilement par-dessus une stèle renversée. Puis il vint frapper violemment le curé dans l'estomac. Le choc sembla faire basculer le monde dans lequel ils évoluaient.

La lumière se tamisa de façon subite pour laisser apparaître tout autour une série d'éclairs qui illuminèrent momentanément cet univers dantesque pourtant issu des souvenirs d'un seul homme. Alors que le Britannique s'élançait pour frapper de nouveau, il retint son geste avec un mal fou, trop conscient des conséquences que cela pourrait engendrer.

— Je te déteste tellement, lança-t-il à Laberge en lui postillonnant à la figure. Tu m'as tout pris, tu as fait échouer mes plans d'études sur l'agrippa qui m'appartenait! Ma vie terrestre a été écourtée par ta faute. Mais je ne suis pas mort! Mon âme n'a jamais rejoint l'éther[1]! Elle se trouve prisonnière d'un état vague et incertain, d'un monde de limbes d'où elle ne peut s'échapper. Mais grâce à cela, je resterai vivant dans ton esprit, maudit curé! Crois-moi, je reviendrai! Je reviendrai te hanter!

— Si tu reviens, répliqua Laberge sur le même ton, ce sera pour m'aider! Car si je meurs, tu n'auras même plus un esprit pour y être vivant! Tu disparaîtras avec moi! Alors tourne-toi et envoie ce mage hors d'ici!

Black recula en hurlant de rage. Il n'arrivait pas même à contenir sa colère qui débordait de lui comme une source d'eau jaillissant du sol.

Il se tourna vers Octavian qui venait d'apparaître à l'autre bout de l'allée bordée de chaque côté par les sphinx immobiles. Plongeant son visage au creux de ses mains, il

---

1. Fluide subtil et hypothétique qui, selon les Anciens, emplissait les espaces au-delà de l'atmosphère.

se massa le front du bout des doigts pour trouver une solution qui ne mit pas long à venir.

— Viens à mon aide une fois de plus, Bête de la Lune,
cria-t-il de toutes ses forces en relevant la tête, toi qui possèdes toute la force de la grande déesse blanche, toi qui
possèdes les griffes de la fin et qui provoque le destin! Sors
de là! Sors de là!

Le silence tomba avec la force d'un rocher se détachant
d'une falaise. On se serait cru au Caire sur le plateau de
Gizeh, tant le réalisme du grand sanctuaire funéraire était
rigoureux.

D'un calme tout à coup surprenant, Black se tourna vers
Laberge qui, immobile, flottait toujours à quelques centimètres du sol.

— Je dois admettre que tu as une excellente mémoire,
Édouard. Pour moi qui ne suis jamais allé en Égypte, c'est
vraiment très réussi. Je te remercie.

La réponse de Laberge mourut dans sa gorge lorsqu'il
entendit un grognement à la fois puissant et familier, juste
derrière son dos. Black le fit sursauter avec une nouvelle
réplique.

— Je t'ordonne de sortir de là!

Une odeur de chien mouillé parvint à Laberge.

Puis la bête passa tout près, sans lui porter la moindre
attention. Cela le rassura. L'imposant loup-garou s'arrêta
près de Black, la bave dégoulinant entre ses mâchoires.

Devant eux s'étendait l'allée bordée d'hommes-lions.
Et à son extrémité opposée, Octavian, bien campé sur ses
jambes, tirait lentement son épée du fourreau. Le bruit de la

329

lame glissant doucement sur la boucle de métal protégeant l'ouverture du fourreau se répandit parmi les monuments.

C'est alors qu'un grognement guttural et bestial résonna. Une créature surgit entre les colonnes d'un temple en ruine et s'approcha lentement d'Octavian.

Le mage valaque n'avait pas prononcé la moindre parole. Il savait très bien ce qu'il faisait. Le monstre se tint à ses côtés, dans toute son horreur, émettant sans arrêt des grognements à faire dresser les cheveux sur la tête et des sons s'apparentant à ceux produits par une trompette. Le terrifiant animal – mais était-il possible de le définir comme tel? – possédait un puissant corps de lion ainsi qu'un visage à forme humanoïde au centre de sa crinière fournie. Le visage d'Octavian.

Sa queue ressemblait en tous points à celle du scorpion des sables et son pelage rouge vermillon contrastait sévèrement avec le bleu glacé de ses yeux.

Simplement par la façon dont il se mouvait et à cause des sons qu'il produisait, l'animal glaçait le sang.

Octavian avait appuyé le bout de la lame de son épée contre le cou de la créature. Celle-ci semblait si belliqueuse qu'il ne lui faisait manifestement pas confiance. De cette façon, si l'envie lui prenait de se retourner contre lui, la lame s'enfoncerait dans ses chairs.

Black finit par articuler quelque chose, les yeux toujours rivés sur l'adversaire coriace qui lui faisait face et le monstre que ce dernier tenait en respect tout contre lui.

— Mais qu'est-ce que c'est que ça?… laissa-t-il échapper, blême de surprise.

— Je… je crois que c'est un Manticore, répondit Laberge, aussi ébahi que l'autre. J'ai d'abord cru que le mage avait animé un sphinx, mais je constate qu'il est aussi fou que toi, mon cher William. Le Manticore est aussi difficile à contrôler qu'un agrippa!

— Ferme-la! Je ne t'ai pas demandé de me faire la leçon! Rends-toi plutôt utile et dis-moi comment on peut arrêter cette chose.

— J'ai bien peur que ton loup qui sent le chien mouillé ne puisse pas y arriver.

Le loup-garou se tourna vers Laberge et dévoila une dentition meurtrière et un regard sombre. Laberge décida de ne pas pousser la moquerie.

— Le Manticore, poursuivit-il, est probablement le plus dangereux de tous les bestiaires fantastiques. Octavian n'y fait pas appel pour la première fois, il le maîtrise trop bien. Ce mage est très fort, il vient de remonter d'un cran dans mon estime.

— Cesse tes constats d'admiration, le coupa Black, ce n'est pas ce que je t'ai demandé! Veux-tu rester en vie, oui ou non?

— Et toi?

— Si seulement j'étais sûr que ce Manticore t'éventrerait le premier, ce qui me permettrait de te voir crever, je crois que j'opterais pour le suicide.

— Comme je le disais plus tôt, avant que tu ne m'interrompes, le Manticore, ou *Martichoras*, est l'un des plus cruels et des plus meurtriers bestiaires fantastiques. Il ne connaît pas la peur et tue par pur plaisir. Selon Aristote, qui citait Ctésias, un médecin grec du IVe siècle avant Jésus-Christ, ses grandes mandibules sont pourvues de trois rangées de crocs recourbés, aussi tranchants que la lame d'un rasoir et qui s'emboîtent parfaitement en se refermant. Ces crocs acérés peuvent déchiqueter presque tout, principalement la chair humaine ou la chair animale…

Excité par les paroles qu'il venait d'entendre, le loup-garou se tourna une fois de plus vers Laberge. Intimidé par le regard féroce de la bête, ce dernier se tut quelques instants avant de reprendre ses explications.

— Le Manticore est puissant, rapide, violent et intolérant. Il attaque tout ce qu'il voit sans raison aucune. C'est dans sa nature.

— Charmante créature…

— Mais plus que tout, c'est sa queue qui est le plus à craindre. Pareille à celle d'un scorpion, son dard divisé en de multiples segments peut non seulement infliger des blessures mortelles pour celui qui est à sa portée, mais aussi à celui qui se trouve plus loin. Le Manticore peut lancer ses dards empoisonnés à plus de cent pieds[1]. On dit aussi de lui qu'il pourrait parler comme un être humain.

— Avec trois rangées de dents, il pourrait bien se mordre la langue… Ça va, murmura Black en retrouvant son air décidé et en tapotant les flancs du grand loup-garou qui se tenait sur sa gauche.

Le temps sembla suspendu. D'un bout à l'autre de l'allée bordée de sphinx, les adversaires s'observaient en attendant

---

1. Trente mètres.

la première attaque. Le monde s'était arrêté dans ce décor égyptien. Seuls quelques légers souffles de vent venaient lancer aux pieds des hommes les grains de sable blond qui couraient sur le roc lisse.

Black se pencha vers la bête qu'il avait appelée. Il ne prononça qu'un seul mot.

— *Go!*

Le loup-garou bondit comme une pierre hors d'une catapulte.

Aussitôt, le fougueux Manticore avança de quelques pas en sifflant comme une trompette et en crachant une écume blanche qui forma une solution boueuse en se mêlant au sable. Il tendit la queue, marquant bien son intention d'attaquer, puis lança un premier dard empoisonné qui fendit l'air telle une balle tirée d'une Winchester 73.

Vif comme l'éclair, le loup-garou bondit de côté pour éviter le dard en même temps que Black plongeait sur Laberge pour le déplacer. L'aiguillon venimeux alla exploser contre la pyramide de Kephren, projetant un liquide noirâtre sur les pierres.

Tenté par la proie qui courait vers lui, le Manticore fonça droit devant en sifflant de façon discordante à la façon d'un train qui lance un dernier appel avant de dérailler.

Les deux bêtes se percutèrent au milieu de l'allée en une explosion d'os brisés et de chairs déchiquetées. Puis elles s'immobilisèrent dans une position grotesque qui ne laissait aucune possibilité de mouvement.

Plaqué au sol, le loup-garou gardait les griffes de ses pattes avant enfoncées dans le cou du Manticore en s'efforçant d'éloigner les puissantes mâchoires qui claquaient dans l'air en essayant de l'atteindre. Dans sa gueule, il serrait de toutes ses forces l'une des pattes avant de la créature fabuleuse, tirant pour tenter de la faire chuter, alors que les griffes de l'une de ses pattes arrière lacéraient les flancs de son ennemi. Son autre patte arrière avait été pratiquement sectionnée par le Manticore et le faisait horriblement souffrir. Jamais le grand loup n'avait rencontré un adversaire aussi puissant. Les deux monstres se retenaient ainsi, les muscles tendus, leur sang se répandant sur la fine couche de sable recouvrant le roc, s'agglomérant dans les fissures pour produire des cloaques rougeâtres.

Le loup faiblissait, ses grognements de désespoir enterrés par les sifflements stridents du puissant Manticore. Lorsque sa queue s'étira lentement vers le haut pour faire apparaître un aiguillon noir et paré à frapper, le loup-garou se mit à hurler, entrevoyant pour la première fois ce à quoi pouvait ressembler la peur.

Le coup asséné fut si bref et si brutal qu'il ne réalisa pas tout de suite que sa cage thoracique avait été enfoncée. Le venin se répandit rapidement, embrouillant sa vision et paralysant tous ses muscles en une atroce douleur.

Lorsque le Manticore se dégagea de son étreinte, il mit la bête en pièces avec une violence et une brutalité qui forcèrent les hommes à détourner le regard. Il la déchira encore et encore, jusqu'à ce qu'il n'y ait plus rien à déchiqueter.

— William! cria Laberge, trop conscient qu'il n'y avait pas une seconde à perdre. Un Golem! Il n'y a qu'un Golem solide pour arrêter cette créature!

Black eut un instant de panique et secoua la tête en tous sens, cherchant une solution. Ses yeux rencontrèrent ceux du premier sphinx à la droite de l'allée processionnelle au bout de laquelle lui et le curé se trouvaient. Il ramassa un caillou sur le sol. Puis, à bout de bras et sur la pointe des pieds, il toucha d'une main la tête de la statue couchée sur son socle et grava de l'autre avec la petite pierre le mot *èmet*[1].

Après avoir fermé les yeux, il récita la formule kabbalistique d'animation de la matière première, priant dieux et diables de se rappeler les mots justes.

— Qu'est-ce que tu fais, William? s'énerva Laberge sans parler trop fort pour ne pas exciter davantage le Manticore. Il vient vers nous! Qu'attends-tu pour l'animer, ce Golem? Qu'est-ce que tu es en train de faire, par tous les saints? Tu ne vas pas lui réciter les soixante-douze noms de Dieu quand même[2]!

Le Manticore se mit à marcher vers les deux hommes, comme une machine impossible à stopper, sifflant ses sons discordants qui donnaient froid dans le dos.

Black recula tout à coup, fixant intensément la statue devant lui, ouvrant les bras pour attirer vers elle toute l'énergie qu'il pourrait puiser au grand fleuve invisible. Il joignit les mains en un claquement sec au moment où le Manticore se décidait à passer à l'attaque.

---

1. Vérité. (Hébreux)
2. Dans le Talmud du judaïsme, on retrouve jusqu'à soixante-douze prononciations différentes du nom de Dieu. Les rituels magiques comprenant les noms de Dieu sont considérés de nature sainte.

Une fois de plus, un seul mot suffit. Le Britannique le cria de toutes ses forces en lui insufflant toute l'énergie disponible.

— *Live*[1] *!*

S'étant retourné, il vit venir le Manticore à fond de train. Il recula instinctivement, trébuchant dans les aspérités du roc, guidé par la peur que lui inspirait cette machine à tuer qui allait fondre sur lui d'une seconde à l'autre.

Au dernier moment, le sphinx de pierre s'arracha à son socle pour intercepter dans son élan le Manticore qui bondissait vers Black. Il écrasa la créature contre le socle d'un autre sphinx qui se trouvait juste en face, poussant dessus pour la briser. Le Manticore enragé tentait de mordre son adversaire au cou et s'y cassait les dents. Ses griffes désespéraient de lacérer la pierre, laissant tout de même des traces dans le matériau friable.

Black se plaqua derrière une colonne, entraînant Laberge avec lui, incapable de le ramener au sol. Il ne voulait pas rester à la vue du Manticore au cas où celui-ci se libérerait de l'emprise du Golem de pierre représenté par le sphinx. Le curé glissait dans l'air, guidé par son vieil ennemi, retenu par un filin invisible.

Quand le Manticore parvint à se dégager, il laissa chairs et sang sur le socle. Témoignant de ses blessures, des taches foncées maculaient son pelage rougeâtre.

Il hésita un instant avant de contre-attaquer le Golem, mais ne put réfréner l'envie meurtrière qui guidait natu-

---

1. Vis! (Angl.)

rellement son instinct. En des mouvements fluides qui s'enchaînèrent à quelques reprises, il dirigea des lancers d'aiguillons venimeux contre le sphinx qui ne broncha pas. Les dards éclatèrent sur le poitrail de pierre, explosant comme des ampoules de verre, répandant le liquide mortel. Le Manticore chargea et dirigea avec fureur son dernier aiguillon contre le cou du Golem. Le bout de sa queue frappa la pierre à de multiples reprises sans parvenir à la briser. Alors qu'il s'acharnait sur le sphinx à s'en blesser, celui-ci se tourna d'un geste inattendu et enserra le Manticore qui ne put retenir un sifflement de douleur. Les deux créatures tombèrent à la renverse. Le Golem ne relâcha jamais son étreinte. Sa prise était finale, il n'y avait nulle échappatoire. S'il n'arrivait pas à broyer les os du Manticore, il retiendrait ainsi sa proie jusqu'à ce qu'elle meure de faim. Pour le Golem, le temps n'avait aucune importance.

Octavian constata son échec. Il avait perdu une autre bataille, mais pas encore la guerre. Il opta pour une retraite temporaire, le temps de remettre ses idées en place et de préparer un plan qui le débarrasserait définitivement de l'Anglais.

Black sortit de derrière la colonne pour voir Octavian disparaître au pas de course derrière un haut bétyle[1] gravé de symboles hiéroglyphiques.

Il s'approcha prudemment des deux créatures immobilisées au sol, ramassant une pierre au passage. Il entendit les os du Manticore se fracturer après que celui-ci eut fait un

---

1. Pierre levée, symbole de la divinité dans les civilisations du Moyen-Orient.

mouvement brusque pour tenter de l'atteindre. Le sang coulait de sa gueule horrible, barbouillant ses triples rangées de crocs en une macabre peinture abstraite.

Il étendit le bras lentement pour atteindre la face du sphinx qui le regardait fixement de ses yeux vides. Des gargouillis répugnants s'échappaient de la gorge du Manticore qui commençait à s'étouffer avec son propre sang.

Avec précaution, Black gratta du bout de la pierre qu'il tenait dans sa main la première lettre du mot hébreux qu'il avait gravé sur le front du Golem avant de l'animer.

De *èmet*, le mot devint *met*[1].

L'implacable Golem ne mit que quelques secondes à totalement s'immobiliser pour redevenir à tout jamais la statue qu'il était à l'origine. Ses yeux vides fixant pour toujours l'éternité, il resterait là, plaqué au sol, avec le Manticore qui allait mourir entre ses bras inflexibles.

Black cracha à la figure du Manticore qui articula pour la première fois des paroles intelligibles.

— Je vais te tuer… homme…

— Et moi je ne te tuerai pas, rétorqua Black sèchement. Je vais plutôt te laisser crever au bout de ton sang. Et j'espère que tu y mettras beaucoup de temps.

Le mage anglais retourna vers Laberge, qu'il tira sans ménagement de derrière la colonne.

— Fais-moi disparaître ce foutu décor du Moyen-Orient pour qu'on puisse retrouver le Roumain. J'ai un compte à régler avec celui-là.

---

1. Mort. (Hébreux)

Pour toute réponse, le curé ferma les yeux. La drogue faisait encore son effet et, par moments, il semblait perdre l'esprit et sombrer dans une transe profonde. Black le secoua pour le tirer de sa torpeur.

— Mais remue-toi, bon sang! Rase-moi ce terrain pour qu'il se retrouve à découvert!

— Un peu de patience, ça vient...

Peu à peu, le décor amorça un changement majeur. Les grandes pyramides se dématérialisèrent lentement sous les yeux de Black, impressionné. Tout ce qu'il y avait d'égyptien autour d'eux disparut, remplacé du même coup par de nouveaux lieux insolites et mythiques : ceux de la Terre Sainte.

Alors que les deux hommes s'élevaient géographiquement, se retrouvant au sommet d'une colline qui poussait carrément sous leurs pieds, leurs regards furent d'abord attirés par la ville qui s'étendait plus bas sur la gauche. Puis ils repérèrent Octavian, debout sur de gigantesques rochers qui supportaient trois grandes croix de bois.

— Jérusalem... murmura Laberge, aussi impressionné que la première fois où il avait vu ce lieu. Nous sommes sur la colline du Golgotha, là où le Christ fut crucifié.

Le bas plafond de nuages se condensa pour former de gros nimbus menaçants, qui étaient presque à portée de main.

Un peu plus haut, sous les trois grandes croix symbolisant la crucifixion, Octavian les dominait épée en main, dévoilant ainsi ses intentions. Il fit signe à Black de venir le rejoindre.

— Ce salaud veut m'affronter, rugit aussitôt le Britannique. Il veut régler ça d'homme à homme!

Il tendit la main dans laquelle un sabre japonais se matérialisa graduellement, la lame légèrement courbe s'étendant juste devant lui.

— Ce n'est pas très européen, constata Laberge qui semblait toujours déstabilisé par les effets de l'amanite.

— J'apprécie sa légèreté, sa solidité et la vitesse du geste qu'il permet, précisa Black. L'épée médiévale du Roumain, bien que courte, est nettement plus lourde. Elle le ralentit sans qu'il le sache. Mais puisqu'il ne connaît pas autre chose…

Il se projeta aussitôt vers son adversaire, créant une proximité psychique si soudaine qu'Octavian eut un brusque mouvement de recul en sentant la concentration d'énergie lui souffler au visage. Il se contrôla néanmoins pour ne pas laisser paraître sa surprise. Il ne parvint pas à comprendre les paroles qu'il entendit. Mais il constata que, plus bas sur le flanc de la colline, Laberge se trouvait seul.

I will break you[1]…

Il se retourna juste à temps, levant instinctivement sa lame pour bloquer celle de Black qui s'abattait sur lui comme la tranche d'une guillotine. Le tintement clair du choc de l'acier retentit en écho, porté par le vent qui bousculait les nuages au-dessus de leurs têtes.

Le combat s'engagea sur le roc nu du sommet de cette colline légendaire, dans une atmosphère aussi sombre que celle du jour où le Christ y rendit l'âme.

---

1. Je vais te briser… (Angl.)

Les deux escrimeurs, se défendant tous deux de façon différente, prirent un moment d'arrêt le temps de reprendre leur souffle. Black, gêné par son long manteau malmené par le vent, décida de s'en départir et le jeta au sol. Octavian l'imita aussitôt en retirant sa cape; sa solide stature apparut sous sa chemise blanche aux larges manches. Il fit un signe de tête à Black pour lui signifier qu'il était prêt à reprendre le combat.

Aucune parole n'était échangée puisque la barrière de la langue empêchait toute communication. Seuls les gestes comptaient.

Black attaqua de nouveau et les lames s'entrechoquèrent à de multiples reprises, le bruit répété du métal trempé se mêlant au tonnerre grondant au loin.

Les effets du champignon hallucinogène semblaient vouloir se dissiper doucement. Les voiles qui obscurcissaient jusque-là le cerveau du curé se levaient un à un, laissant passer la lumière de la lucidité. Une idée percuta les bords de sa conscience pour tenter de s'infiltrer à l'intérieur de lui-même comme un moustique s'écrasant dans le radiateur de son coupé Chrysler. Ce fut la première comparaison qui lui vint à l'idée à la suite de cette intrusion indiscrète.

Sânziana!

Tentait-elle de le contacter? Était-ce le lien subtil les unissant qu'il avait perçu?

Il la connaissait. Du moins se plaisait-il à le penser. Et si Francis Fall Leaf, son ami amérindien, avait raison? Et s'il était inévitable que certaines âmes se retrouvent, peu importe le lieu, peu importe le temps?

Il se concentra sur la géomancienne et la recréa dans son esprit. Il s'attarda sur ses formes, son regard, ses longs cheveux, son ove énergétique. Il la percevait aussi véritablement qu'une odeur. Il pouvait toucher à son énergie avec l'un de ses propres corps. Il avait quitté son inconscient à travers un tunnel qui pouvait le relier à sa réalité à elle, pour lui faire sentir sa volonté, son besoin d'aide.

Il la désira fortement.

Ce rêve insensé lui arracha un cri.

Dressée dans son lit, sa poitrine haletante se soulevant en mouvements répétés, Sânziana rejeta ses couvertures et s'habilla nerveusement. Elle avait un mauvais pressentiment. Quelque chose n'allait pas, quelque part en bas. L'image d'un homme retenu prisonnier avait hanté ses rêves. Et il n'y avait présentement qu'un seul homme enfermé au palais.

L'étranger! C'était lui! Elle se souvenait maintenant!

C'était un appel à l'aide! Un cri de désespoir!

Un bougeoir à la main, elle se rua dans l'escalier pour se rendre jusque dans les caves.

Son cœur ne fit qu'un bond lorsqu'elle aperçut le garde affalé sur le dallage de pierre. Elle passa près de lui et entra dans la section réservée aux cachots pour constater que celui du mage étranger était vide.

Octavian!

Sânziana retourna à l'étage et courut dans le corridor jusqu'aux appartements d'Octavian. Après avoir déposé sur le sol son bougeoir dont la chandelle s'était éteinte pendant sa course, elle colla l'oreille à la porte pour tenter de saisir un quelconque indice qui aurait confirmé ses craintes.

Elle n'entendait rien.

L'angoisse la rongeait. Elle s'appliquerait à tirer au clair le cas de cet homme qu'elle ne connaissait pas, mais qui lui semblait pourtant si familier. Pendant quelques instants elle avait même cru qu'il était venu pour elle. La belle Tzigane était parvenue jusqu'ici à maintenir l'étranger en vie; personne n'avait encore daigné vouloir l'interroger. La méthode était simple. On laissait croupir quelque temps le prisonnier dans un cachot obscur et humide. Puis un bon matin, il était tiré de là sans crier gare et balancé à la lumière du jour. On menaçait ensuite de l'empaler au bout d'un pieu de trois mètres. Affaibli comme il l'était, il crachait toute la vérité… ou encore tout ce que ses bourreaux voulaient entendre.

Ensuite, de toute façon, il était empalé.

Sânziana rejeta ses longs cheveux noirs en arrière et souleva le loquet qui retenait la solide porte de bois franc. Elle se faufila à l'intérieur avec l'agilité et la discrétion d'un félin et avança vers le laboratoire du mage qu'elle savait se trouver dans la pièce du fond.

Le feu mourant dans la cheminée projetait une ombre dansante sur les murs tout autour. Lorsqu'elle leva les yeux vers le plafond, elle s'aperçut que l'ombre projetée avait presque une forme humaine. Un frisson la traversa et elle courut jusqu'au laboratoire. Au passage, elle constata que la couche d'Octavian était vide.

Ses doutes furent confirmés dès qu'elle entra dans la pièce.

L'étranger flottait à cinquante centimètres du sol, les bras ballants et les yeux dans le vague, juste devant Octavian qui semblait s'agiter au cœur d'une transe chamanique.

L'ombre se glissa dans la pièce, envahissant le plafond, se nourrissant de la lumière des lampes et des chandeliers dégoulinants de cire figée. La pièce devint tout à coup plus fraîche, plus humide. Plus loin, les pages jaunâtres d'un livre noir ouvert sur un grand lutrin se mirent à frémir en un bruit de feuilles mortes charriées par le vent d'automne.

La poudre blanche sur la figure et les vêtements de l'étranger attira son attention.

Elle devait venir à sa rescousse.

Tout de suite.

Habile, William Black bloqua la lame d'Octavian et le frappa violemment à l'estomac d'un brutal coup de pied. L'autre perdit l'équilibre en s'accrochant les pieds dans les rochers et chuta sur le dos. L'Anglais entreprit de frapper à répétition avec son sabre, plus pour terroriser l'autre que pour le blesser. Il riait à chacun des coups qu'il portait, ajoutant un peu plus de poids à la pression qu'il jetait sur Octavian, qui se mouvait tant bien que mal sur le sol de roche en bloquant les coups.

Le tonnerre roulait toujours entre les gros nuages noirs chargés de tempêtes. Au bas de la colline, la ville de

Jérusalem semblait abandonnée, désertée par tous ses habitants. Le toit doré de la Coupole du Rocher[1] paraissait terni dans ce monde sombre et vide arraché à des bribes de souvenirs.

Octavian fut frappé dans les côtes avant même qu'il ne parvienne à se relever. Il bascula vers le flanc de la colline et roula un peu plus bas, s'échouant brutalement contre un rocher. Son épée lui glissa des mains et se retrouva à plus d'un mètre de lui.

Quand il ouvrit les yeux, il vit venir les bottes noires du mage anglais qui arrivait à sa hauteur.

L'une de ces bottes éloigna l'épée au pommeau gravé des armes de la Valachie. La lame s'ébrécha contre la roche en un bruit désolant.

Black saisit Octavian par les cheveux et le remonta au sommet de la colline, au pied des croix. Le tonnerre rugissait comme dans un spectacle de fin du monde sans parvenir à rompre le voile de nuages qui obscurcissait le ciel.

Octavian était comme une plaie béante. Il tenait à peine debout. Au loin, il pouvait voir Laberge flotter au-dessus du sol, dans la position où il avait cru bon de le figer pour qu'il ne lui crée aucun problème. La situation croulait sous l'ironie. Il était en train de se faire tuer par un fou furieux qui sortait tout droit d'un souvenir cauchemardesque de l'homme qu'il voulait piéger.

---

1. La Coupole du Rocher, en arabe *Qubbat al-Sakhra*, est une mosquée de Jérusalem érigée en 691 sur l'emplacement du temple de Salomon. Encore imprégnée de la tradition byzantine, c'est le plus ancien monument de l'Islam.

Black le frappa encore avec la poignée de son sabre et le mage tomba sur les genoux, crachant le sang sur le roc devant lui.

— Tu n'étais vraiment pas de taille à te mesurer à moi, Dracula, lui dit le Britannique sans même le regarder. Mais je n'avais rien contre toi, il s'agissait d'une question de survie. Tu ne sentiras rien, je te le promets.

Sânziana s'apprêtait à poser un geste qu'elle n'avait jamais fait auparavant.

Elle regarda fixement son poing fermé pendant quelques instants avant de le balancer de toutes ses forces à la figure d'Octavian.

Après avoir pivoté sur un demi-tour, le grand mage buta contre un tabouret de bois et tomba à la renverse, entraînant dans sa chute quelques objets posés sur un plan de travail.

Il regardait tout autour de lui, mais ne semblait pas comprendre ce qui se passait.

La Tzigane, qui tenait sa main contre son corps pour tenter de chasser la douleur, le sermonna vertement sur un ton qui n'acceptait pas de refus.

— Sors-le de là tout de suite, Octavian, cria-t-elle en montrant Laberge du menton, ou je te jure que tu en répondras devant le voïvode!

Black saisit la poignée de son sabre à deux mains. Il prit le temps de jeter un coup d'œil à la lame et en admira encore la trempe. Elle ne portait aucune marque malgré les coups qu'elle avait bloqués et donnés.

Il se retourna prestement avec la ferme intention de viser le cou d'Octavian pour en finir rapidement.

Le mage au sol achevait de se dématérialiser; son corps s'était transformé en une fine poussière noire entraînée par le vent.

Black frappa avec fureur dans ce corps qui achevait de disparaître, en vain. Il cria de rage, comme à son habitude, incapable de retenir sa folie meurtrière.

Puis il dévala la colline pour rejoindre Laberge. Le curé ne devait pas disparaître!

Mais d'un seul coup, les chairs métamorphosées en cette poussière couleur de charbon tombèrent, se faufilant entre les fissures des rochers.

Black piétina le sol et jeta son sabre au loin en direction de la cité.

Les ténèbres envahirent la colline puis cachèrent la ville à son regard. La pluie se mit à tomber à verse au moment où il leva les yeux au ciel. Il écarta les bras, sentant l'eau lui couler entre les doigts, et hurla sa haine, alors que ses membres disparaissaient graduellement, effacés par l'orage dévastateur.

— *I'll be back! I swear the Devil! I'll find the way! You brought me back once, you will do it again! You will bring back Black again*[1]*!*

---

1. Je reviendrai! Je le jure devant le Diable! Je trouverai le moyen! Tu m'as rappelé une fois, tu le feras encore! Tu rappelleras Black encore! (Angl.)

Il redevenait quelque chose dont on voulait oublier jusqu'au souvenir.

Son cri se perdit dans le néant en un dernier souffle.

Laberge se sentit chuter.

Libéré de son état de sustentation, il ferma les yeux avant de toucher le roc du Golgotha.

Lorsqu'il les rouvrit, il se trouvait dans les bras de Sânziana.

Il tenta de se relever et finit par y parvenir en s'appuyant sur elle. Il voyait difficilement, ses yeux étant exagérément mouillés, mais il parvint néanmoins à distinguer la silhouette d'Octavian qui se tenait devant eux.

La Tzigane entraîna Laberge hors des appartements. Avant de sortir, ce dernier se retourna pour rencontrer le regard noir de celui qui, quelques heures auparavant, avait tenté de percer la chambre forte de ses secrets.

Étendu sur un divan trop confortable, Laberge avait du mal à garder les yeux ouverts. Il se sentait complètement vidé et, malgré la femme magnifique qui s'apprêtait à soigner sa cheville qu'il s'était tordue en tombant, ses forces voulaient l'abandonner. Ressentant toujours quelques effets différés du puissant hallucinogène qu'il avait respiré, il observa Sânziana s'installer sur un banc au pied du divan et prendre délicatement sa cheville douloureuse dans sa main gauche. Puis elle approcha de l'articulation une grosse améthyste brute qu'elle tenait dans son autre main. Laberge sentit bientôt des picotements traverser sa cheville.

— Que faites-vous? s'informa-t-il d'une voix faible.

— Qu'en pensez-vous? Je répare votre cheville.

Elle avait parlé doucement, mais sur un ton assuré.

— Je me nomme…

— Sânziana, je sais…

— Et vous? Comment vous appelez-vous?

— Je m'appelle Édouard.

— Édouard… C'est un nom franc, n'est-ce pas?

— Français, en effet. Mais dites-moi, Sânziana… Pourquoi êtes-vous venue à mon secours? Pourquoi avez-vous fait cela pour moi?

— Qu'est-ce qui vous porte à croire que je l'ai fait pour vous?

— Quel est votre intérêt alors?

— Même affaibli, vous réfléchissez vite, cher Édouard. Est-il vrai que vous êtes un mage qui vient du futur?

— C'est exact, en effet. Et je suis un prêtre catholique romain.

— Vous êtes prêtre? Mais c'est impossible!

Laberge n'avait pas la force de tout lui expliquer. Mais le seul fait de sentir son talon au creux de la main de la géomancienne le rassurait. Sânziana avait un charisme indéniable qui le subjuguait. Il n'avait pas ressenti pareil renversement au fond de son être depuis très longtemps.

Depuis des années. Depuis Hélène.

Il ne connaissait absolument pas cette femme, mais ressentait pourtant un besoin tout naturel de simplement se retrouver avec elle. Il avait beau tenter de refouler ces pensées, mais elles revenaient sans cesse à la surface, tout aussi naturellement que cette envie qu'il avait de partager du temps en sa compagnie.

Les vêtements qu'elle portait détaillaient sans subtilité ses formes sculpturales. Un pantalon d'un tissu noir qui lui collait à la peau révélait la courbure parfaite de ses hanches. Ses longues jambes plongeaient dans une paire de bottes de cuir noir qui, elles, lui montaient jusqu'aux genoux. Une blouse blanche aux manches amples recouvrait sa généreuse poitrine qui attirait l'attention. Quand Sânziana se tourna vers lui, elle surprit son regard. Elle lui lança néanmoins une œillade compatissante.

Ils conversèrent encore pendant quelque temps. Laberge lui raconta de long en large ce qui l'avait conduit jusque-là. Puis, voyant la fatigue sur le visage de son compagnon, la Tzigane s'approcha pour l'aider à se lever. Les boucles noires de ses cheveux effleurèrent le visage du curé qui frémit bien malgré lui.

— Vous passerez le reste de la nuit ici, Édouard, déclara-t-elle en le dirigeant vers son propre lit. Vous serez en sécurité.

— Je ne voudrais pas que vous ayez des problèmes à cause de moi… Il vaudrait peut-être mieux que…

— Ne vous en faites pas. Le voïvode sera personnellement informé de ce qui s'est passé cette nuit, ainsi que de la provenance du livre noir. Il ne faudrait quand même pas laisser une arme pareille se retourner contre nous.

— Je ne suis pas très propre… Jamais je n'oserai me coucher dans votre lit.

— Vous sentez-vous vraiment la force de discuter avec moi? demanda-t-elle sur un ton de défi avec un brin de malice dans les yeux.

— Pas vraiment…

C'est à peine s'il trouva la force de sourire en s'effondrant sur le lit.

Elle rabattit sur lui les couvertures de laine et alla s'installer sur le divan.

L'aurore ne tarderait pas à poindre.

Il sentit d'abord les doigts fins effleurer son dos.

Puis les ongles délicatement gratter sa peau.

Il savoura ce moment de détente extrême jusqu'à ce qu'il réalise vraiment ce qui lui arrivait.

Le souffle chaud de la bouche aux lèvres ardentes remontait le long de sa colonne vertébrale, lui procurant des frissons d'un type qui lui était inconnu jusque-là.

Les mains expertes lui massèrent le dos en mouvements lents et étudiés. Chacune des poussées contre ses flancs l'amenait à s'abandonner un peu plus.

Édouard Laberge ne savait s'il devait se retourner ou conserver sa position qui lui permettait d'enfoncer son visage dans un coussin tout en le serrant très fort.

Les sensations oubliées refaisaient surface comme autant de bouées de signalisation entre deux vagues de tempête. Deux solutions s'offraient maintenant à lui. Attaquer et se risquer à couler, ou tout abandonner et filer. Sa condition de prêtre de l'Église catholique le mettait en fâcheuse posture et le risque de briser ses vœux devenait de plus en plus grand. Il était aussi fortement tourmenté par sa vocation que par les mains qui lui massaient le dos.

La fuite était encore possible. Il n'avait qu'à repousser Sânziana et à sortir de ses appartements. Mais pour aller où? La Tzigane était pour l'instant sa seule protection, son seul moyen de rester en vie – du moins jusqu'au matin.

Par ailleurs, se retourner pour lui faire face et sombrer dans ce désir aveugle lui poserait un problème de conscience jusqu'à la fin de ses jours.

Mais peut-être pas...

L'amour de Dieu se compare sans contredit à un océan, dans le sens où l'on voit quand il commence mais jamais quand il finit. Toutefois, celui d'une femme peut vous plonger au cœur même de cet océan. Il vous ravive, vous rafraîchit, vous transporte et vous rend plus léger. On peut contempler tout l'amour de Dieu, comme l'étendue de l'océan infini à partir d'une plage. On peut sentir celui d'une femme, tout comme l'eau qui glisse sur notre peau.

Il se tourna lentement et se poussa jusqu'à la tête du lit

Quand elle approcha son visage tout près du sien, il sentit toute la fermeté de ses seins glisser contre sa poitrine. Sa bouche était si proche qu'il en ressentait la chaleur sur ses lèvres sèches. Son cœur battait rapidement et la sueur lui coulait le long de l'épine dorsale. La cheminée dispensait une efficace chaleur qui remplissait la chambre d'une odeur de bois fruitier. Cette chaleur qui consumait aussi Sânziana, au même titre que son désir qui soulevait en mouvements précipités sa poitrine offerte et haletante. N'y tenant plus, Laberge l'effleura du bout des doigts, affichant le peu de retenue qui lui restait.

— Mais qui es-tu donc? lui murmura-t-elle, le souffle court. Mage, est-ce toi qui produis en moi cette envie irré-pressible? Devrais-je te craindre ou t'aider?

— C'est plutôt moi qui devrais te craindre en ce moment, lui répondit-il en glissant ses mains sur les hanches vigou-reuses de la Tzigane. Mais tu dois m'aider. J'ai besoin de toi.

— Mais maintenant, dit-elle en lui retirant sa chemise, as-tu besoin ou envie de moi?

— Pourquoi me tortures-tu ainsi?

— Il ne peut en être autrement. Je l'ai su dès notre premier regard…

Sa chemise de nuit tomba sur le sol en même temps que les inhibitions de Laberge.

Elle le domina en se plaçant au-dessus de lui. Toujours sur le dos au creux de ce lit qui avait la forme d'une demi-lune, il se prêta à ce nouvel interrogatoire sur les raisons de sa venue.

— Je préfère nettement tes méthodes à celles d'Octavian, glissa-t-il avec un sourire.

— Tu n'en as pas encore fini avec moi. Je n'ai pas encore accepté de t'aider.

Puis, le prenant par surprise, elle l'embrassa fougueusement, lui enserrant les reins de ses jambes fuselées. Il répondit à son baiser, perturbé par le sentiment qu'il éprouvait envers cette femme qu'il connaissait à peine. Et en même temps depuis toujours.

Comme si elle avait deviné ses pensées, elle saisit son visage entre ses mains et le regarda longuement, plongeant en lui à travers ses yeux, cherchant à s'assurer de sa sincérité.

— Je voudrais rejeter ce désir et cette envie d'être avec toi, lui dit-elle, car je n'arrive pas à en comprendre la raison.

— Je crois que c'est Chateaubriand qui disait que c'est une méchante manière de raisonner que de rejeter ce qu'on ne peut comprendre…

— Je ne connais pas cet homme.

— Non, bien sûr, pardonne-moi… Il n'existe pas encore…

Elle se blottit contre lui et lui embrassa la poitrine avec une sensualité troublante qui fit s'évanouir toute idée tangible de résistance.

Il finit par se perdre en elle, gonflé d'une envie réprimée depuis trop longtemps.

Depuis des années.

Leur communion fut complète, les conduisant ensemble à un plaisir intense, à la limite du supportable.

Lovée contre lui, elle chercha le sommeil entre ses bras.

— Il y a si longtemps que je t'attendais, susurra-t-elle à son oreille. Tu as traversé le temps pour me retrouver…

— Je suis perdu dans un univers qui se trouve là où nul ne sait…

— Tu t'es forgé une place dans cet univers en bravant le temps même.

— Et que reste-t-il dans les forges du temps… sinon des cendres froides…

Tels deux mercenaires oubliés, ils furent tirés par la fatigue vers un sommeil irrégulier, où l'on pouvait entendre au loin des coups répétés et des voix familières.

Laberge se crut à l'aube du matin en entendant l'environnement s'animer. C'était la première fois depuis longtemps qu'il se sentait bien. Et ce, malgré le danger qui le menaçait dehors.

Les coups répétés se firent plus insistants et il s'éveilla en sursaut, le souffle lourd.

Sânziana se tenait près de la porte de ses appartements, la main sur le loquet de fer forgé. Elle regardait Édouard avec regret et compassion, n'ayant d'autre choix que d'ouvrir à ceux qui venaient le chercher.

J'ai rêvé! J'ai rêvé d'elle!

L'émotion gagna ses yeux qui s'embuèrent alors qu'il réalisait ce qui lui manquait tant.

Il pouvait voir la tristesse infinie dans le regard de la géomancienne qui s'apprêtait à le livrer bien malgré elle. Ainsi suspendus pendant quelques instants, ballottés l'un contre l'autre par les flots du temps, ils échangèrent à travers ce regard toute la compréhension de ce qu'ils ressentaient l'un pour l'autre, puis toute l'ampleur de cette situation qui les dépassait.

Le visage de Sânziana se transforma pour afficher une détermination farouche au moment où elle souleva le loquet de la porte.

Tihomir se pencha légèrement pour passer l'embrasure. Il ne demanda nullement la permission d'entrer. Il jaugea Laberge d'un regard acéré avant de se tourner vers la Tzigane, pour qui il éprouvait un respect sincère.

— Je suis venu seul, Sânziana. Tu dois me remettre l'étranger.

— Que feras-tu de lui?

— Pour l'instant, je le ramènerai en basse-fosse[1].

— Promets-moi qu'il ne lui sera fait aucun mal. Je dois parler au voïvode. Octavian aura des comptes à rendre. Je ne le laisserai pas mettre notre vie à tous en danger!

— Mais de quoi parles-tu?

— Du livre de magie qu'il garde dans son laboratoire.

— En quoi cela nous concerne-t-il?

— Parce que les forces en présence de ce livre proviennent d'un autre monde et ne sont pas à la portée d'un mage qui n'a jamais eu la chance de se familiariser avec pareille science occulte. Ne vois-tu pas ce qui nous arrive à la cour? Ne vois-tu pas les tensions qui règnent entre tous les gens qui vivent ici ou même entre les chevaliers de l'Ordre? Ne me dis pas que tu n'as rien vu! Ne laisse pas ton obséquiosité envers le voïvode aveugler ton raisonnement!

— Je dois ramener le prisonnier. Excuse-moi.

---

1. Cachot souterrain d'un château fort.

Laberge se dirigea vers la porte. Lorsqu'il passa devant Sânziana, il fit glisser jusqu'à elle sur le lien qui les unissait déjà une énergie bienfaitrice et rassurante qui l'enveloppa comme la caresse d'un soleil de printemps.

— *Mulţumesc*[1], dit-il simplement en passant entre Sânziana et le chef des gardes qui sortit à son tour avant de refermer derrière lui.

Restée seule dans la pièce, elle demeura immobile, savourant toujours cette douce chaleur qui calmait tout son être.

Elle savait exactement ce qu'elle allait faire.

---

1. Merci. (Roum.)

14

Forêt de Dâmboviţa.
Passé minuit, le dimanche 6 octobre 1444.

Éclairé par les reflets violacés de l'astérie fixée au sommet de son bâton de châtaignier, Octavian marchait prudemment à mesure qu'il s'enfonçait au cœur de la forêt.

Une fois de plus, il se voyait contraint de mettre rapidement en place un nouveau plan d'action face au revirement subit de situation qui lui tombait dessus.

Sânziana avait tout raconté au voïvode Vlad Dracul. Celui-ci l'avait immédiatement fait convoquer dans la salle des chevaliers afin de les confronter, lui et la Tzigane. Le résultat avait été catastrophique. Il avait dû tout avouer. Octavian avait toujours été fidèle et loyal à Vlad Dracul. Il s'était senti terriblement mal à l'aise face au regard chargé de reproches de son maître qui l'auscultait jusqu'au plus profond de son être.

Le verdict de Vlad Dracul avait été impitoyable. Sous bonne escorte, Octavian avait dû faire enchaîner l'*Agrippa* dans une pièce abandonnée du palais avec, évidemment, l'interdiction formelle de l'approcher et encore moins de l'utiliser. Le voïvode avait conclu qu'il était plus prudent de maintenir le livre à l'abri des tentations du mage. Octavian pourrait le récupérer le moment venu, lorsque la grande croisade qui se préparait contre l'ennemi ottoman serait déclenchée. Pour cette raison seule, la magie serait utilisée afin de démembrer les garnisons turques. Vlad entendait bien montrer le pouvoir de cette arme secrète aux croisés lorsqu'il mettrait en déroute l'armée du sultan Mûrad II. Il n'attendait que cette occasion pour prouver à l'ennemi sa puissance et ainsi mettre fin à la vassalité de tout le pays roumain. Son rêve de réunification des États de Valachie, de Moldavie et de Transylvanie serait à portée de main une fois les Ottomans écrasés. Il n'aurait nul besoin d'utiliser la force avec les Européens. Le seul fait de connaître le secret dévastateur dont il disposait les amènerait à la table de négociations. Loin de lui les rêves de gloire et de conquêtes. Certes, il avait déjà caressé de telles ambitions, mais sa vision avait changé. La devise de l'Ordre du Dragon y avait été pour quelque chose.

Justus et paciens, juste et paisible…

Tout ce qu'il souhaitait maintenant, c'était reconstituer le pays de ses ancêtres daces, tel qu'il était avant que les Romains conduits par Trajan ne le morcelle en 107 après Jésus-Christ pour s'emparer de l'or des mines.

Octavian avait chevauché une partie de l'après-midi avant d'arriver à la forêt de Dâmboviţa. Il s'était arrêté dans une auberge pour se restaurer et se reposer un peu, ressassant dans sa tête les arguments qui lui seraient nécessaires pour présenter sa supplique. Il avait dormi une partie de la soirée, sachant fort bien que ceux qu'il s'apprêtait à rencontrer ne sortaient que la nuit venue.

Le trouble du mage augmentait à mesure que ses pas le conduisaient un peu plus loin, au cœur de cette forêt perdue. Il fut conscient d'entrer sur le territoire des sombres habitants de cette région sauvage lorsqu'il croisa les premières souches sculptées à l'image d'inquiétants génies des bois. Le chemin qui, jusque-là, avait serpenté dans les herbages, aboutissait sur une piste nette et dégagée, visiblement empruntée de façon régulière.

Octavian s'arrêta contre le flanc d'une colline qui laissait apparaître de massifs murs de roc rouge veiné de jaune. Même si l'entrée de la gorge n'était pas très loin, il jugea préférable de ne pas s'y aventurer pour le moment. Il n'aurait pas à attendre très longtemps avant que l'on ne vienne le chercher.

Dans le but de se rassurer et aussi de voir un peu mieux où il se trouvait, il se concentra sur la pierre enchâssée au bout de son bâton et lui tira un canal d'énergie supplémentaire de la grande force universelle qui alimentait toute chose en ce monde. Il suffisait de penser comment le cœur pouvait seulement pomper continuellement sans jamais s'arrêter, pour obtenir l'évidence qu'une force d'énergie extérieure se devait d'alimenter tout organisme vivant à la surface de la Terre. C'était indéniable.

La lumière accrue fit apparaître un léger brouillard s'échappant de l'entrée de la gorge en courant au sol pour venir dans sa direction. Il recula, le dos au roc, et posa la main sur la poignée de son épée, comme il avait instinctivement l'habitude de le faire lorsqu'il se sentait menacé.

Le brouillard s'étendit entre les grands arbres en un macabre comité d'accueil. Il se savait connu, aussi était-il convaincu que l'on poserait les questions avant de passer à l'attaque. N'eût été de sa relation avec le chef de clan, ses tripes pendraient déjà aux branches d'un arbre.

— Je suis Octavian, mage et conseiller à la *Curtea Domnească*[1] de Târgovişte, siège du voïvode de Valachie, Vlad Basarabi Dracul. Et je viens voir Brosh, votre chef.

Ils se manifestèrent d'abord de façon subtile, telles des ombres à travers le brouillard. Puis leurs pas les firent émerger lentement du voile naturel jusqu'à ce qu'ils arrivent à sa hauteur. Certains portaient de faibles torches, conférant une allure fantomatique à l'environnement.

Leur façon de marcher était aussi étrange que particulière. On aurait presque pu croire qu'ils souffraient d'un certain handicap, mais pourtant il n'en était rien. Octavian savait qu'ils étaient rapides, forts et qu'ils pouvaient se révéler des tueurs efficaces et sanguinaires. Leurs oreilles allongées, leur chevelure sale et clairsemée, leurs doigts démesurés aux ongles durs comme des griffes, leurs dents brunâtres se terminant en pointe ébréchée, leurs yeux perçants encadrés de sourcils froncés et leurs habits usés et anachroniques faisaient d'eux le clan d'hommes maudits le plus rejeté, le plus repoussant et le plus détesté d'entre tous.

---

1. Cour royale. (Roum.)

Le clan de l'Ombre. Le clan des Fils des Ténèbres.

Le clan des Nosferatu.

Leur nom même n'était-il pas tiré du roumain *nu sfîrşit*, signifiant littéralement non fini, non mort ou encore mort-vivant?

Brosh surgit du brouillard comme un rayon de lune derrière une bande de nuages. Il s'avança lentement vers le mage en le foudroyant du regard.

— Tu as vraiment du culot de te présenter ici, Octavian, lui dit-il, menaçant.

— J'ai mis du temps à retrouver les rochers de couleur pourpre, lui répondit l'autre dans une tentative pour changer de sujet.

— Cherchez les lieux les plus sombres et faites-les vôtres, nous a-t-on répété maintes et maintes fois. Nous avons trouvé les lieux sombres qui nous protègent et les avons fait nôtres. Personne ne se risque par ici.

— Personne sauf moi…

— Sauf toi, Octavian.

L'homme et la créature s'étudièrent un bon moment, comme si leurs souvenirs communs revenaient tout à coup les hanter.

D'une certaine façon, Brosh faisait toujours aussi pitié à voir, toujours aussi crasseux, vêtu de cuirs et d'un haubert de mailles court, probablement arrachés à un homme qu'il avait tué en un inégal combat. Une petite dague très pointue, que les Italiens avaient coutume d'appeler *stiletto*, était enfilée dans un fourreau à sa ceinture tandis que la poignée d'un sabre droit porté en bandoulière dépassait de derrière son épaule droite. Octavian connaissait ce type de lame à simple tranchant et au bout pointu extrêmement dangereux. Les Nosferatu qui en possédaient usaient généralement d'un poison foudroyant pour y tremper la pointe, ce qui rendait l'arme encore plus redoutable.

Octavian rompit le silence qui s'était installé. Un jour, par pitié, alors qu'il avait été témoin d'un combat de clans, il avait sauvé la vie de Brosh. Ou comme il se plaisait à le dire, il lui avait sauvé la mort.

De ce jour, Octavian avait négocié une alliance avec les Nosferatu qui épargnait les habitants du *judeţ*[1] de Târgovişte de toute attaque nocturne et inutile.

Et personne n'en avait jamais rien su.

La tranquillité d'esprit que procurait ce pacte avait toutefois un prix. On lui demandait de l'aide. Une aide qu'il n'avait jamais fournie. Pourtant, cette fois, en échange d'un dernier service, il était tout disposé à offrir au chef et aux siens le secret qui pourrait assurer leur suprématie sur les autres clans.

— Je suis venu te proposer un marché, dit-il enfin.

— Un marché... Je ne t'ai pas vu depuis des lunes, Octavian, et tu apparais tout à coup comme ça, au beau milieu de la nuit, dans ma forêt, pour me proposer un marché! Longtemps j'ai espéré que tu viennes me prêter main-forte! Et où étais-tu?

— C'est que je n'avais pas ce que j'ai aujourd'hui...

---

1. Département. (Roum.)

— Et qu'as-tu donc de si merveilleux pour que tu viennes ainsi gratuitement me l'offrir?

Le clan au complet devait maintenant se trouver devant le mage qui se tenait toujours adossé au rocher, par simple prudence. L'incroyable pouvoir de dématérialisation des Nosferatu qui leur permettait de se déplacer sous la forme d'un brouillard avait toujours fait l'envie d'Octavian. Mais cette nuit, devant tout un clan en présence, il gardait ses yeux bien ouverts. La confiance n'était jamais de rigueur avec ces créatures.

— J'aurais besoin d'un des membres du clan, annonça Octavian. Demande-lui de se placer ici, entre nous deux, afin que tous puissent le voir. J'en ai besoin sous sa forme de brouillard.

Brosh fit signe à l'un des siens qui s'approcha. Octavian fut de nouveau impressionné de voir le vampire se décomposer sous ses yeux en un état vaporeux. Il se tint là, en une brume compacte, réagissant sur place comme un nuage à peine tourmenté par le vent.

Octavian inséra doucement l'astérie lumineuse dans le brouillard pour lui communiquer sa lumière bleutée avant d'y faire apparaître les images d'un bord de mer. On pouvait y apercevoir une construction solitaire en pierre où venait s'écraser les vagues.

— Quelle est cette magie? s'écria Brosh en même temps que les membres du clan se pressaient autour de lui et du mage.

— Je veux simplement vous démontrer toute l'ampleur de ce nouveau pouvoir que je possède. Ce pouvoir peut être vôtre, en échange d'un petit service et d'un peu de patience.

— Parle toujours, Octavian, répliqua Brosh. Tu connais ma patience. Tu sais qu'elle atteint rapidement ses limites.

— Il y a de cela quelques semaines, raconta le mage sans relever la remarque du chef des Nosferatu, je me suis rendu très loin, guidé par une entité que j'avais contactée dans un but très précis : m'emparer d'un livre. Celui-ci, connu sous le nom d'agrippa, car c'est ainsi que les hommes l'ont nommé, est un recueil de magie d'une puissance inégalée. Il est doté d'une volonté propre et habité par un gardien d'un autre monde qui se fait appeler Eurynome. Ce démon m'a permis d'étudier l'*Agrippa* jusqu'à ce que j'en maîtrise assez rapidement certaines des lois et proportions qui sont principalement concentrées sur le contrôle du temps. Il reste beaucoup à faire, c'est certain, mais les pouvoirs que confère ce livre à son porteur, en autant qu'il sache bien l'utiliser, sont quasi illimités.

— Tu as beau dire, Octavian, je n'ai toujours rien vu.

— J'y arrive. Il y a quelque temps, une cinquantaine de chevaliers et moi nous sommes rendus sur les rives de la mer Noire, à proximité de la petite citadelle frontalière que les Turcs ont érigée à la suite du traité de paix signé il y a à peine quelques mois. Cette citadelle, qui se voulait au départ un comptoir de commerce, prenait plutôt des allures de système de défense, malgré la rapidité avec laquelle elle avait été construite. Nous avons attaqué cette citadelle avec les pouvoirs du livre ouvert, et ce, à cinquante contre trois cents. Aucun Ottoman n'a survécu et le châtelet a été réduit en cendres. De notre côté, nous n'avons subi aucune perte.

— Vlad Dracul gravit les échelons de mon estime, affirma Brosh avec un sourire carnassier. Il a attaqué et tué des soldats avec lesquels un traité de paix était signé!

— Je crois que le roi de Pologne, Ladislas III, qui est aussi régent de Hongrie, dont nous sommes les vassaux, a décidé de mettre fin bien abruptement à ce traité. Il a déjà regroupé une armée de coalition qui se mettra en route très bientôt pour rejoindre les rivages de la mer Noire afin de provoquer les Ottomans. Il se dit inspiré de Dieu et croit fermement en la possibilité d'une bataille décisive qui anéantirait une fois pour toutes l'armée ottomane.

— Mais ne crois-tu pas que tout cela soit pure folie? suggéra Brosh qui avait perdu son sourire hideux.

— Ça l'est, en effet.

— Vous serez détruits et votre terre avec vous!

— Non pas. Car je possède l'*Agrippa*, le livre noir des magies occultes les plus dévastatrices que tu puisses imaginer. Vois ce qu'il est advenu de la garnison peuplant la citadelle de bord de mer…

Les Nosferatu observèrent en silence la descente des cinquante chevaliers vers la citadelle ottomane. Les yeux fermés, Octavian faisait suivre le cours de ses souvenirs à travers un canal qu'il visualisait comme un rayon de lumière blanche. Le brouillard alimenté par l'éclat de l'astérie servait d'écran à ce qu'il se remémorait. La vision de ces créatures entourant cette image teintée de violet, suspendue dans le brouillard au cœur de cette forêt millénaire, paraissait sortir tout droit d'une page d'histoire de l'antique humanité. Celle qui avait vu l'homme grandir avec la nature et tous les autres êtres qui la peuplaient.

Une fois la démonstration terminée, Octavian retira la pierre du brouillard et recula de deux pas. La brumaille s'étira verticalement avant de s'éclaircir pour laisser émerger la créature à forme humanoïde.

— Si je suis ton raisonnement, précisa Brosh, tu viens ici cette nuit afin de me proposer le pouvoir de ce livre.

— Une partie de son pouvoir.

— Et quel est donc ce service dont tu parlais plus tôt et qui me garantirait l'usage de ce pouvoir?

— Quelque chose qui ne te demandera aucun effort.

Un sourire discret se fraya un chemin sur son visage avant qu'il ne reprenne la parole.

— La mort d'un homme.

Octavian raconta en long et en large l'arrivée du mage entre les murs du château. L'homme représentait une menace de plus en plus grandissante et il voulait s'en débarrasser au plus vite. Le voïvode ne devait en aucun cas savoir qu'il y était mêlé. Une fois cet homme éliminé et la croisade contre les Turcs gagnée, Octavian pourrait sûrement récupérer l'*Agrippa* afin d'en poursuivre l'étude comme bon lui semblerait. Son prince ne serait pas en position de lui refuser cette faveur. À ce moment, il pourrait fournir aux Nosferatu la possibilité de prendre la place qui leur revenait dans ce monde. Une place qui ne se limiterait pas seulement aux ombres et aux ténèbres ou à la froideur des grottes froides et humides. Une place qui leur assurerait le respect des autres clans plus forts qu'eux. Pour l'instant.

Ils prirent arrangement après que le mage eut expliqué à Brosh où se trouvait l'homme à éliminer. Un seul Nosferatu pouvait facilement se glisser dans l'enceinte du château comme une brume de nuit, entrer par un soupirail, tuer l'homme et quitter l'endroit sans être vu.

C'était la seule requête d'Octavian en échange de la force occulte du livre noir.

Il quitta le territoire des Nosferatu, satisfait de l'accord qu'il y avait passé.

Brosh tournait en rond sous le regard de tous les membres du clan qui l'observaient silencieusement. Quand il réfléchissait, tous gardaient impérativement le silence.

Lorsqu'il cessa son manège, il releva la tête et fit signe à Dragosh, son bras droit, sévèrement balafré à la figure, de s'approcher. Celui-ci s'exécuta et attendit les commentaires de son chef.

— Dis-moi, Dragosh, demanda doucement Brosh, qu'as-tu pensé de la magie d'Octavian?

— Il est un mage puissant, c'est certain, confirma l'autre. Mais la magie qu'il cache au château semble encore bien plus puissante.

— Crois-tu sincèrement que ce livre occulte lui ait été retiré comme il l'affirme?

— Personnellement, je crois qu'il ment. Il veut simplement s'assurer que nous tuerons l'homme avant de réclamer notre part du marché.

— Il aurait pu apporter le livre pour nous démontrer son vrai pouvoir, mais il ne nous a fait qu'apparaître des images! Il n'a aucune confiance en nous, mais peut-on l'en blâmer…

— Comptes-tu quand même envoyer quelqu'un au château de Târgovişte pour y éliminer l'homme enfermé?

Le méprisant sourire de Brosh se tailla une place sur son visage cendreux. Il fit signe à ceux qui l'entouraient de venir un peu plus près. Lorsqu'ils furent tous autour de lui, avec la lueur des torches révélant leurs faciès émaciés, il dicta son plan. Fort simple, en effet.

— Oui, mon frère, dit-il à Dragosh, nous allons accéder à la demande du mage et tuer le fauteur de troubles. Sauf que j'en ai assez de ce lien mensonger! Je ne supporte pas l'arrogance des hommes qui croient encore que le monde leur appartient!

Il fixa un instant son assemblée en serrant les poings avant d'aller au bout de son idée.

—Je vais vous dire ce que nous allons faire… Nous irons tous! Nous nous emparerons de force du livre occulte! Êtes-vous avec moi, Fils des Ténèbres?

Les Nosferatu ne furent pas difficiles à convaincre. Ils crièrent leur approbation dans la nuit.

S'il le fallait, ils suivraient leur chef jusqu'en enfer.

15

$\mathfrak{P}$alais de Târgoviște, principauté de Valachie.
En fin de soirée, le samedi 12 octobre 1444.

Assis sur le banc de bois qui lui servait également de
lit, Édouard Laberge laissait vagabonder ses pensées vers
Sânziana. Il espérait de tout cœur qu'elle pourrait en ressentir
toute la portée. Le rêve qu'il avait fait le déstabilisait
toujours et le sentiment qu'il en tirait faisait en sorte qu'il
se sentait encore plus près d'elle. Comme si tout cela s'était
réellement produit. Ces pensées lui procuraient quelques
problèmes de conscience mais il se rassurait, fortement
convaincu que Dieu, dans toute sa bonté et sa grandeur
infinie, saurait comprendre et pardonner.

Cris et mouvements attirèrent son attention à l'extérieur.
Il tira le grand banc sous le petit soupirail bloqué par deux
barreaux de fer coulés dans le mortier, afin de mieux voir ce
qui se passait dehors.

Après avoir jeté au sol le reste de la paille qui lui servait
à bloquer l'ouverture en prévision des nuits fraîches, il

accorda quelques secondes à ses yeux pour s'habituer à la lumière des torches qui éclairaient la cour intérieure du château.

Une activité soudaine animait les gardes en faction et il ne fallut pas grand temps pour que Tihomir apparaisse dehors après qu'on l'eut envoyé chercher.

— Qu'est-ce qui se passe? cria-t-il aux gardes qui se trouvaient en haut de la tour d'entrée.

— Vous devriez peut-être venir voir, lui répondit le garde, visiblement inquiet, alors que ses deux compagnons abaissaient la herse.

Tihomir grimpa les marches menant au chemin de ronde deux par deux. Il déboucha à l'air libre alors que les pointes de la grande grille s'enfonçaient dans la terre battue.

— Regardez…

— Par tous les démons de l'enfer! s'exclama Tihomir, les yeux rivés sur la plaine qui allait jusqu'à la forêt un peu plus loin. Il y avait si longtemps… Sonne l'alerte maintenant, mon garçon.

Le jeune homme alla aussitôt frapper la vieille cloche suspendue à la charpente de la toiture de la tour pour donner l'alarme.

Appuyé contre le garde-corps, Tihomir pouvait voir venir, bien au-delà du pont, un brouillard dense qui courait au sol. Provenant de la forêt, il se dirigeait doucement vers l'ensemble de la fortification. Éclairé d'une lune partielle, le brouillard était parfaitement visible de là où se trouvait le chef de la garde du voïvode.

Les Nosferatu…

Il se rua encore dans l'escalier. Quand il arriva dans la cour, il fit face aux plus vieux de ses soldats qui se mirent aussitôt à sa disposition, attendant ses ordres.

— Aussi surprenant que cela puisse paraître, messieurs, nous allons bientôt subir un siège.

Les gardes sourcillèrent, mais se gardèrent de tout commentaire.

— J'ai bien peur que nous ayons à nous préparer dans les plus brefs délais à une attaque de Nosferatu. À moins que ce ne soit une visite de courtoisie, il risque d'y avoir de l'action. Je compte sur vous pour informer les plus jeunes, choisir des positions stratégiques et sortir les flèches incendiaires, torches et filets[1]. J'espère que vos lames sont affilées! Allons-y!

Les soldats prirent leur position. Les archers s'installèrent sur le chemin de ronde couronnant les murailles tandis que d'autres grimpaient en haut de la tour Chindia. On installait partout des braseros et on allumait des feux, on entendait le bruit des pierres d'affûtage glisser sur le tranchant des lames et le cri d'excitation des hommes avant le combat.

Laberge, debout sur son banc de bois au fond de son cachot, serrait à deux mains les barreaux de fer rouillés qui bloquaient le soupirail. Son regard portait juste au niveau du sol et il n'avait rien manqué des ordres donnés par Tihomir.

Qui sont les Nosferatu?... Et puis quoi d'autre encore! Il faut que je trouve le moyen de sortir d'ici!

---

1. Il n'y avait que deux façons possibles de se débarrasser d'un Nosferatu : l'incendier ou lui couper la tête. Toutefois, le filet servait en quelque sorte de « piège à esprit », car le vampire qui y pénétrait se voyait obligé d'en compter tous les nœuds. Il se perdait alors entre les mailles du filet.

Il fut arraché à ses pensées par la voix de Sânziana qui lui criait derrière la porte.

— Édouard! Il faut que tu sortes de là. Il y a possibilité d'attaque!

— Ne serions-nous pas plus en sécurité à l'intérieur du cachot? suggéra Laberge à la blague.

— Ce n'est pas le temps de dire des sottises! Le garde a quitté son poste et je n'ai pas la clé pour te sortir de là! Tu es un mage, nom de Dieu! Ne peux-tu donc rien faire?

— J'y travaille, donne-moi un instant!

— Les Nosferatu sont des vampires cruels, violents et primitifs.

— Continue, ça m'aide à me concentrer!

— Ils sont liés à la nature et ont la capacité de se déplacer avec le brouillard. Ils peuvent donc s'infiltrer partout. Vite, dépêche-toi!

— Tu ne devrais peut-être pas rester là. Ne peux-tu pas trouver un endroit où tu serais en sécurité?

— Je ne veux pas te laisser, il faut qu'on te sorte de là!

Laberge eut soudain une idée qui raviva sa détermination : celle de reprendre l'*Agrippa* et de repartir à travers la porte de transplanation dans la salle des chevaliers. Malgré le danger imminent, il devait agir maintenant car pareille occasion pourrait bien ne jamais se représenter.

Appuyé contre la porte, il s'adressa de nouveau à la belle Tzigane.

— Sânziana, écoute-moi bien. Sais-tu où se trouve le livre noir, celui qu'Octavian a volé?

— Oui! Il se trouve enchaîné dans une pièce retirée du palais, avec un garde qui en interdit l'accès.

— Crois-tu que ce garde soit encore à son poste?

— Sûrement pas, non!

— Pourrons-nous récupérer le livre si je sors d'ici?

— Je sais ce qu'on va faire, hurla-t-elle à travers la porte alors que le bruit des préparatifs s'intensifiait dehors. Je vais tenter d'aller tout de suite récupérer le livre. Puis je l'apporterai dans la salle des chevaliers, par où tu es arrivé. Tu n'auras qu'à venir m'y rejoindre quand tu auras réussi à sortir.

— Non, attends! N'y va pas toute seule!

Dehors, l'énervement était à son comble. Il y avait longtemps qu'une attaque contre le palais n'avait eu lieu et qu'un pareil branle-bas de combat avait été organisé en si peu de temps.

Épée au poing, Octavian déboucha en trombe dans la cour du palais. Il interrompit Tihomir qui expliquait la situation au voïvode, que deux hommes étaient en train d'armer sur place.

— Que se passe-t-il? Qui nous attaque?

— Tu es bien impertinent de nous déranger ainsi, l'admonesta Vlad Dracul.

Puis il expliqua :

— Ce sont ces maudits Nosferatu! Ils arrivent tel le brouillard d'automne, en suivant le sol même par une nuit sans vent! Prépare-toi à combattre, Octavian!

Le mage s'éloigna, complètement anéanti. Lorsqu'il vit le brouillard traverser la herse et passer par-dessus les murailles, il comprit que Brosh l'avait trahi. Il se précipita à l'armurerie pour se procurer un haubert de mailles, qu'il enfila prestement avant de se ruer dehors. Il se retrouva face à cette brume qui inondait la cour.

Des hommes couraient en tendant de grands filets qu'ils traînaient à travers le brouillard, ce qui contraignait les créatures à se matérialiser pour compter la multitude de nœuds que l'on trouvait dans les tramails. Des soldats s'approchèrent avec de la poix[1] et d'autres avec des torches pour enflammer sans délai les ennemis.

L'affrontement commençait.

Des Nosferatu se jetèrent sans ménagement sur les hommes à leur portée. Ces derniers devaient s'y mettre à deux ou à trois pour éliminer un vampire, à cause de sa force et de la nécessité de le brûler ou de le décapiter. Les créatures frappaient de leur sabre droit ou mordaient les chairs à découvert. Lorsqu'elles le pouvaient, elles s'attaquaient directement au cou de leurs victimes, leur déchirant les artères, se régalant du sang versé.

Collé à la porte de son cachot afin d'y retenir Sânziana, Laberge sentit un souffle froid lui glisser dans le dos. Lorsqu'il se retourna, un brouillard dense et fumeux traversait lentement le soupirail en provenance de l'extérieur.

— Sânziana! Le brouillard entre par le soupirail! Éloigne-toi de la porte, je vais l'enfoncer!

Il se jeta à genoux sur la pierre alors que la brume laiteuse longeait le mur très lentement pour rejoindre le sol.

---

1. Mélange à base de résines et de goudrons végétaux qui s'enflammait facilement.

— Golem, dit-il nerveusement à voix basse en nettoyant une grande pierre de ses mains nues et en y appliquant toute son énergie, je suis ton créateur. Et je te conjure, esprit de cette pierre et quelque puissance qui t'ait été donnée par Dieu, je te contrains et te commande, bon gré mal gré, sans faillance ni tromperie, de te déchaîner de ce lieu! Au nom de Jésus qui est Alpha et Oméga, je te l'ordonne!

La grosse pierre cimentée dans le sol s'altéra, pour ensuite s'élever doucement, gagnant en dimension, projetant de tout petits éclats autour, ce qui obligea le curé à se plaquer contre le mur.

Le brouillard, lui, avait atteint le sol et rampait vers Laberge.

— **Golem, je te l'ordonne!** hurla celui-ci.

La fine brume s'élevait maintenant au même rythme que la pierre qui prenait une allure humanoïde. Laberge, toujours appuyé contre le mur humide, s'énerva.

— **Vite, Golem, vite!**

Il entendait Sânziana frapper contre la porte, le suppliant de lui répondre. Les deux formes qui s'élevaient devant lui devenaient de plus en plus concrètes et précises. Il pouvait déjà voir les yeux du Nosferatu se repaître de la proie qu'il deviendrait pour lui dans quelques secondes.

— Édouard! s'impatienta Sânziana en frappant contre l'huis, que fais-tu?

— Éloigne-toi! Tout de suite!

Le Nosferatu se matérialisa complètement à moins de deux mètres de Laberge.

Et au même moment, juste derrière le vampire, la tête d'un puissant Golem de pierre atteignait la voûte du cachot.

— Ahhh! Le prisonnier! dit le Nosferatu pour lui-même en dévisageant le curé.

Laberge s'accroupit au sol au moment où le Golem frappa le vampire. La massue de pierre qui lui servait de poing démembra la créature et lui écrasa la tête contre le mur où se trouvait le soupirail, la décapitant du même coup.

Laberge se releva et constata avec dégoût que le sang du vampire avait éclaboussé la cellule. Il s'adressa au Golem de la façon la plus autoritaire possible, sachant trop bien comment ces pauvres êtres réagissaient parfois de façon imprévisible.

— Enfonce la porte, Golem! lui ordonna-t-il en la montrant du doigt tout en restant adossé au mur. Enfonce-la! Tout de suite!

La primitive créature tirée de la pierre regardait dehors par l'ouverture du soupirail. Elle restait là, immobile, son attention se portant sur l'agitation des combats dans la cour. Laberge commença à s'inquiéter.

Sânziana lui cria de nouveau de se presser.

— Golem! s'énerva Édouard. Je suis ton créateur et tu dois m'obéir car j'ai besoin de toi immédiatement! Enfonce cette maudite porte que je sorte d'ici!

Le Golem, qui rasait le plafond du cachot, tourna la tête d'un mouvement brusque vers le curé. Instinctivement, celui-ci eut un mouvement de recul et son dos rencontra le mur derrière lui.

Le monstre de pierre lança son poing massif dans le soupirail, arrachant les barreaux de fer qui s'y trouvaient fixés. Il s'acharna ensuite à agrandir l'ouverture, déterminé à sortir dans la cour où la bataille faisait rage.

Tant bien que mal, Laberge tenta de se protéger des éclats de pierre et de mortier qui volaient dans la cellule en se couvrant la tête de ses bras.

Le Golem finit par se frayer un chemin vers l'extérieur et sortit dans la cour.

Le curé se rua contre la porte pour rassurer la géomancienne qui s'inquiétait du bruit provenant du cachot.

— Sânziana, je vais sortir par la cour, je n'ai pas le choix. Mais je dois retrouver l'agrippa! Tu dois me conduire où il se trouve!

— Rejoins-moi à la salle des chevaliers, ordonna-t-elle. Je vais aller chercher le livre.

— Non, ne fais pas ça! Tu ne dois pas entrer seule dans cette pièce!

— Rejoins-moi là-bas! J'y serai bientôt!

— Non! Attends!

Mais ses mots furent inutiles et se perdirent entre les basses-fosses.

La Tzigane courait déjà vers l'escalier.

Laberge sortit prudemment dans la cour à travers la brèche pratiquée par le Golem. Le spectacle qui s'offrit à lui était complètement irréel. Partout dans la cour les hommes combattaient de féroces et hideuses créatures avec une énergie farouche, qui ne laissait aucun doute sur la nature du danger que pouvait représenter ces monstres.

Il n'avait pas une grande distance à parcourir pour rejoindre les marches qui le mèneraient devant la porte de la salle des chevaliers. Il devait retrouver Sânziana le plus vite possible. Il marcha vers l'entrée, toujours stupéfié par la violence de l'affrontement.

C'est à ce moment que deux Nosferatu vinrent vers lui.

Laberge courut se réfugier contre le Golem, qui le reconnaissait au moins comme son créateur à défaut de bien suivre ses instructions.

— Vois, Golem! déclara-t-il, vois ces deux créatures! Tu dois les arrêter! Ils veulent tuer le créateur! Arrête-les!

Le Golem réagit aussitôt, percutant d'un seul coup les deux Nosferatu qui furent projetés plus loin. D'autres vampires s'approchèrent pour lutter contre la masse de matière brute derrière laquelle Laberge s'était retranché.

— Tu dois protéger le créateur, Golem! À tout prix!

Le Golem repoussait avec force les attaques des Nosferatu, ce qui avait pour effet d'éloigner Laberge de l'entrée du logis principal. Il aperçut, près d'un petit bâtiment construit face à la tour d'entrée, le voïvode armé de pied en cap, qui se battait sauvagement avec une épée courte dans une main et une torche dans l'autre.

Un hurlement sinistre et inhumain, suivi d'un rugissement effrayant, jeta un froid sur les combattants qui détournèrent momentanément la tête pour tenter d'entrevoir la source d'un cri aussi inquiétant.

Octavian était debout, dans le milieu de la cour. Un puissant Manticore se tenait à ses côtés.

Laberge frappa le dos de pierre du Golem du plat de la main. Celui-ci se retourna avec le corps broyé d'un Nosferatu dans chacune de ses grosses mains.

Le Manticore rugit encore de toutes ses forces, terminant sur une longue plainte s'apparentant au son d'un groupe d'instruments à vent.

Laberge se pencha pour ramasser une épée bâtarde abandonnée sur le sol. Il se tourna vers le Golem et le regarda droit dans ses yeux vides, désignant le Manticore de la pointe de son épée.

— Le créateur t'ordonne de détruire cette créature, Golem. Tu m'entends? Tu ne lâcheras pas ce monstre avant que la vie ne l'ait quitté! Tu comprends?

Laissant tomber les cadavres qu'il serrait de ses énormes mains crevassées, le Golem, qui avait déjà légèrement augmenté en volume, fonça vers Octavian et le Manticore. Ce dernier s'élança avec sa férocité surnaturelle. Le combat soulevait la poussière tout autour. Le Manticore, prudent, attaquait sauvagement et se retirait aussitôt afin de ne pas se retrouver captif des bras massifs de son ennemi. Le Golem repoussait les attaques en frappant la créature et en tentant de lui mettre la main dessus.

Un vampire se jeta sur Laberge et l'attaqua au sabre droit. Le curé déjoua habilement son adversaire et lui ouvrit le ventre d'un coup de taille qui le fit tomber. À son grand étonnement, le Nosferatu se releva et lui fit face de nouveau, affichant un sourire haineux et repoussant. Il ne vit pas venir Octavian qui, d'un puissant coup d'épée, lui détacha la tête du tronc presque complètement. Il s'écroula aux pieds du curé.

— Je ne laisserai pas l'un de ces Nosferatu m'enlever le plaisir de te tuer! vociféra le mage à Laberge.

Ce dernier baissa les yeux vers le corps décapité à ses pieds.

— Prépare-toi, mage Édouard, annonça Octavian. Cette fois, les fantômes de ton esprit ne sont pas là pour te protéger.

Puis il attaqua dans un cri rauque qui fit frémir Laberge.

Les lames des deux hommes s'entrechoquèrent avec la force et le bruit du marteau frappant l'enclume.

Lampe à la main, Sânziana s'approcha de la porte de la pièce où était enfermé l'*Agrippa*.

Le garde assigné à la surveillance avait évidemment quitté son poste pour aller défendre le palais. Elle percevait les bruits des combats et souhaitait de toutes ses forces que les Nosferatu n'atteignent pas le corps de logis.

Elle souleva la bobinette et la porte s'ouvrit en opposant une résistance provoquée par le temps. Cette salle vétuste n'était pas utilisée depuis plusieurs années et on y avait entassé toutes sortes de vestiges arrachés aux appartements au fil des ans. La pièce se situait au premier, à l'avant du logis principal, son unique fenêtre donnant sur la cour.

Sânziana chercha rapidement des yeux le livre noir. Il était un peu plus loin, éclairé subtilement par les reflets projetés sur les carreaux de la fenêtre par les feux qui brûlaient dans la cour. Enchaîné et suspendu à un gros clou forgé cloué dans un support de charpente, le livre frémissait de désespoir, privé qu'il était de l'homme qui l'avait sorti de sa longue attente.

Elle prit une bonne inspiration et fit quelques pas dans la direction du livre, qui s'immobilisa aussitôt.

Alertée par le grincement des gonds de la porte qui se refermait derrière elle, la Tzigane se précipita pour arrêter celle-ci juste à temps, avant que la bobinette ne s'enclenche de l'extérieur. Elle saisit le tisonnier, toujours appuyé contre le manteau de la cheminée, et s'en servit pour bloquer la porte.

Une ombre glissa dans la pièce.

La géomancienne se tourna si brusquement que la mèche de sa lampe faillit s'éteindre.

L'*Agrippa*, toujours immobile, semblait la surveiller.

Elle posa sa petite lampe sur une table poussiéreuse et s'approcha du livre, bouleversée par le tumulte lui parvenant de l'extérieur et l'atmosphère lourde régnant dans la pièce.

C'était facile.

Il n'y avait qu'à décrocher le livre et à le sortir d'ici pour aller retrouver Édouard à la salle des chevaliers. Un sentiment de tristesse l'envahit toutefois à la pensée de voir cet homme, qu'elle croyait aimer déjà, disparaître à jamais vers une époque lointaine.

Elle fut surprise par la voix d'Édouard, nette et paisible, à l'image de l'homme qui la possédait. Elle se tourna pour se retrouver face à lui.

— Je suis là, ma belle amie…

— Édouard…

— Croyais-tu vraiment que j'allais te laisser toute seule?

— Non, je… Mais comment as-tu fait pour me retrouver si vite?

— J'ai fui les combats pour te retrouver…

— Que vas-tu faire?

— Enfuyons-nous d'ici, je t'en prie…

— Mais pour aller où?

Le ton de sa supplique était inquiétant, car elle ne reconnaissait pas l'homme calme et détendu qui se trouvait devant elle.

— Qu'en sais-je! Nous prendrons le livre de magie avec nous et nous irons là où personne ne pourra nous retrouver.

— Mais… ne dois-tu pas retourner chez toi? Ne dois-tu pas mettre le livre noir hors de portée de quiconque?

Laberge sourit et s'approcha d'elle alors que l'ombre glissait sur le mur à sa gauche.

— Ne sais-tu pas tout le pouvoir que cet agrippa pourrait nous apporter? murmura-t-il.

Sânziana recula. Derrière elle, le livre se remit à frémir tandis que l'ombre sur le mur grandissait de plus en plus, dansant sous le reflet de la lumière brasillant à travers le verre trouble de la fenêtre.

Dénouant l'attache de sa cape d'un mouvement vif, elle jeta le vêtement sur le livre suspendu et l'enroula tout autour.

Le grimoire trembla entre ses bras mais l'ombre sinistre qui rôdait sur le mur disparut, tout comme l'apparition de Laberge. Elle décrocha la chaîne et tint le livre animé de soubresauts tout contre sa poitrine.

Donnant de l'épaule dans la porte pour l'ouvrir, elle se dirigea à pas accélérés vers le grand escalier.

Octavian était une fine lame et Laberge constata qu'un escrimeur du XXe siècle pouvait difficilement se mesurer à un homme du Moyen Âge. Les coups portés, tout comme les parades, différaient de beaucoup avec ce qu'il avait appris. Parmi les quatre distances identifiables en combat à l'épée, il tentait de n'en appliquer qu'une seule : la longue distance. Il avait ainsi plus de temps pour voir venir les attaques afin de les parer ou de s'esquiver. Octavian, lui, tentait toujours de réduire la distance entre eux et frappait non seulement avec la lame, mais aussi avec les quillons ou le pommeau. Laberge surveillait aussi les mains du mage, craignant qu'il tire sa dague pour tenter de le poignarder.

Ils passèrent à la magie, se repoussant par l'énergie entre deux coups d'épée. Un Nosferatu vint s'interposer entre eux et ils le frappèrent ensemble, le projetant dans un grand brasero de fer rempli de charbons ardents. Le vampire s'enflamma. Puis, s'arrachant au brasero, il courut droit devant lui, passant plus loin à la portée du Manticore qui le sectionna en deux de ses griffes acérées avant de se jeter de nouveau dans le dos du Golem.

La fatigue gagnait Laberge plus rapidement qu'il ne l'eût cru. Les paroles de son maître d'armes lui revinrent en mémoire, lui qui disait qu'en plus de la technique, l'attitude du vainqueur était primordiale. Il fallait frapper sans remords, sans hésitation.

L'attention des escrimeurs se devait d'être partout à la fois, afin de voir venir les coups. Laberge bloqua un soldat valaque qui tentait de venir en aide à Octavian. Il le frappa d'un coup de pommeau au visage en se retournant et le catapulta dans les bras de son adversaire avant de les repousser tous deux d'un mouvement lent de sa main ouverte chargée d'une invisible impulsion qui les jeta au sol.

Octavian se releva, fou de rage, et frappa le soldat qui l'avait fait trébucher. Après avoir tranché la tête d'un Nosferatu en feu dans le but d'abréger ses souffrances, le curé ramassa une main gauche[1] qu'il soupesa un instant sans jamais quitter Octavian du regard.

Plus loin derrière le mage, Édouard pouvait voir Tihomir armé de sa grande épée combattre aux côtés du voïvode, entouré de ses hommes. Un cri horrible le fit sursauter. Le Golem avait blessé gravement le Manticore en lui brisant le dos. La créature se déplaçait difficilement tout en conservant une bonne distance entre elle et le grand homme de pierre qui avait encore gagné en dimension. Le curé était stupéfait de la taille de sa création qui devait bien atteindre les trois mètres. Il songea un moment au moyen qu'il devrait utiliser pour l'annihiler.

---

1. La main gauche était une dague à la garde recourbée qui permettait de bloquer et de retenir la lame d'une épée adversaire pendant un combat.

C'est alors qu'il entendit son nom à travers le bruit de carnage qui régnait tout autour. Après avoir fait un tour sur lui-même, il découvrit Sânziana, qui se tenait sur le grand passage couvert qui longeait le corps de logis, non loin de l'entrée de la salle des chevaliers. Elle tenait quelque chose entre ses bras, enveloppé dans sa cape-manteau. Le cœur de Laberge ne fit qu'un bond dans sa poitrine quand il se sentit soudain emprisonné au centre d'une tornade qui soulevait poussière et odeurs de corps morts.

Octavian, qui le retenait ainsi, s'approchait, l'épée haute.

Un Nosferatu ralentit sa progression, ce qui donna le temps à Laberge de se tirer de cette mauvaise posture. Il ramena ses mains sous le menton, tenant ses armes plaquées le long de son corps. Gardant les yeux fermés, prenant une fois de plus le risque d'être confronté à la mort sans même la voir venir, il se laissa tomber à genoux et visualisa le gonflement de l'ensemble de ses corps énergétiques, s'appuyant contre leur ove protecteur, le faisant gonfler jusqu'à l'éclatement de la tornade.

C'est ce qui se produisit. Cela projeta une onde de choc qui jeta tout être vivant à la renverse sur dix mètres à la ronde.

Il vit Sânziana lui jeter un regard implorant, la main sur la grosse poignée de la porte de la salle des chevaliers. Elle s'activa à l'ouvrir en voyant un Nosferatu courir vers elle. Sans perdre une seconde, Laberge lança de toutes ses forces la main gauche en direction de la créature, l'atteignant dans le bas du dos. Le vampire tomba en pleine figure. Deux soldats s'acharnèrent aussitôt à l'achever avant même qu'il ne puisse songer à se relever. Sa tête roula dans le sang et la poussière.

La porte se referma sur la Tzigane qui s'enferma dans la pièce.

Laberge laissa tomber la technique, soulevé par une attitude violente qui poussa en lui à la vitesse d'un roseau dans un fossé plein d'eau. Il courut vers Octavian, frappa de l'épaule un soldat qui avait eu le malheur de se trouver sur son chemin, dévia la lame du mage surpris par sa soudaine attaque, et lui planta un quillon dans la joue, lui arrachant un cri de douleur qui alla se mêler à ceux de son Manticore, qui subissait toujours les assauts de l'insensible Golem.

Frappé sournoisement par-derrière, il tomba sur ses genoux, perdant un instant tous ses moyens. Lorsque les lueurs éclatantes provoquées par la douleur disparurent, il put voir Octavian faire signe à quelqu'un de rester en retrait.

— L'étranger est à moi! cria-t-il rageusement.

Il s'approcha de Laberge et lui lança son pied sur le côté du visage, le renversant au sol.

— Il ne te servait à rien de me résister, mage Édouard. Je finis toujours par gagner. Cette nuit, ni Dieu ni Diable ne peuvent t'aider!

Il éleva la lame de son épée pour l'abattre sur Laberge toujours à terre. Mais avant qu'elle n'atteigne ce dernier, une autre lame, tachée par le temps et le sang, vint la bloquer implacablement.

La lame de Brosh, le chef des Nosferatu.

Brosh attaqua le mage sans autre préambule.

L'à-propos…

Les mots du maître d'armes Vallot trottaient dans la tête du curé comme un cheval attelé à un boghei Runabout[1]. *L'à-propos* auquel Laberge songeait portait sur la capacité d'un individu à saisir les opportunités qui se présentaient à lui, voire même à les créer.

Il laissa Octavian aux prises avec Brosh et fonça comme un damné vers le corps de logis principal qui abritait la salle des chevaliers. Le sol trembla sous ses pieds et le gros Golem s'interposa entre lui et le bâtiment, tenant le corps ballant du Manticore, complètement brisé. Laberge se forgea un air autoritaire et montra le Golem du doigt, énervé par le temps qui filait.

— Agenouille-toi devant ton créateur, Golem! Maintenant!

La pièce de roc tomba à genoux, secouant la terre tout autour, écrasant encore un peu plus le corps mort du Manticore qu'il ne voulait pas lâcher.

Laberge s'approcha et toucha le front du monstre de pierre, surveillant toujours Octavian qui se frottait au chef des vampires.

— Golem, je te conjure, par la force et la vertu qui m'ont été données par le Dieu tout-puissant, créateur de toutes choses, de m'être fidèle, doux et obéissant, y compris pour ta propre destruction. Retourne à la terre, matière première, je te l'ordonne.

---

1. Voiture hippomobile à quatre roues et à deux places, possédant un toit rétractable en toile, fabriquée entre 1900 et 1930.

Le prêtre se recula de quelques pas alors que la créature de pierre s'effritait et se répandait sur le sol de terre battue.

— Et merci pour ton aide, ajouta-t-il avec un brin d'émotion dans la voix.

Sânziana avait refermé la porte de la salle des chevaliers et avait tourné la grosse clé qui se trouvait dans la serrure intérieure pour s'assurer que personne ne pourrait essayer d'entrer. Elle courut jusqu'au fond de la salle, gravit les marches menant à l'estrade et déposa l'agrippa, toujours enveloppé dans son manteau, au pied du mur où devait se trouver la porte de transplanation. Elle retourna ensuite vers l'entrée, soulagée de s'être débarrassée du livre infernal et bascula une petite plaque de métal donnant sur une ouverture aménagée au milieu de la porte, qui lui permettait de voir ce qui se passait dans la cour. Au moment où Édouard Laberge retournait son Golem à la terre, l'impressionnant Tihomir vint vers lui avec d'évidentes intentions hostiles.

Elle cria de toutes ses forces pour le prévenir.

Sans même savoir de quoi il retournait, Laberge se jeta en avant en une roulade qui l'amena juste assez loin pour éviter la lourde lame de la grande épée qui fendit l'air derrière lui en un bref sifflement.

— Pourquoi m'attaques-tu? hurla le curé afin de surmonter le bruit environnant. Laisse-moi partir! C'est tout ce que je désire. Je ne veux que ramener le livre!

— Il est hors de question que tu nous ravisses ce livre, répliqua Tihomir, couvert de sang et visiblement essoufflé. Une grande armée de croisés mobilisée par le roi Ladislas III sera bientôt ici.

— Et qu'est-ce que l'*Agrippa* vient faire là-dedans?

— L'*Agrippa* est l'arme secrète qui nous permettra de vaincre les Ottomans et de réduire leur armée à néant! Quand les croisés européens auront vu la puissance que nous confère le livre de magie, ils se soumettront à toutes nos demandes, aux seules fins de nous garder alliés de l'Europe. Nous pourrons ainsi réunifier notre pays et vivre en paix, sans craindre d'attaques ni subir de vassalité aucune. Nous serons libres! Seulement libres!

Laberge, toujours en position défensive avec cette épée qui lui avait gardé la vie sauve jusqu'ici, comprenait trop bien les motivations de Tihomir. L'homme se serait trouvé au Québec quatre siècles plus tard lors de la rébellion des Patriotes de 1837 qu'il aurait tenu le même discours optimiste.

Mais il ne pouvait pas laisser faire ça. Il ne devait pas.

Il lança contre Tihomir une attaque composée en se rappelant l'*à-propos*. Il effectua quelques coups feintés puis frappa rapidement la lame à quelques reprises dans le but d'étudier la réaction de son adversaire. Il se recula hors de portée mais dut vivement bloquer la lame rouillée d'un Nosferatu qui tentait de le frapper. Tihomir embrocha aussitôt le vampire par le flanc, l'immobilisant le temps que Laberge lui tranche la tête. Lorsqu'il retira sa longue lame, le corps mort s'effondra avant même que sa tête eût fini de rouler un peu plus loin.

— Je regrette, Tihomir, déclara Laberge encore tourmenté par ce qu'il devait faire, mais je ne peux laisser ce livre entre vos mains et risquer d'altérer le cours de l'Histoire.

— Et moi, je ne regretterai pas de te savoir mort, répliqua l'autre. Tu n'as pas ta place ici! L'Histoire, nous la ferons! Et les générations futures seront les seuls juges de ce que nous aurons fait!

L'attaque fit suite aux paroles comme si elle pouvait remplacer la fin d'une phrase.

Laberge plongea dans une nouvelle roulade en évitant de justesse la pointe de la lame de Tihomir qui s'enfonça dans le sol juste derrière lui. Ayant dépassé son adversaire, Laberge le frappa d'un coup de tranche à l'arrière du genou, lui faisant par le fait même perdre tous ses moyens. Sa grande épée lui échappa des mains et il s'effondra dans un irrépressible cri de peur et de frayeur.

Pour la première fois de son existence, Édouard Laberge avait délibérément handicapé un homme.

De sang froid, il avait usé de l'imparable botte d'Aurillac.

— Pourquoi m'as-tu obligé à faire ça? cria-t-il, hors de lui, après s'être relevé. Pourquoi? Ne pouvais-tu pas essayer de comprendre au lieu de t'obstiner à vouloir me tuer?

Il recula et vit les Nosferatu se jeter sur l'homme à terre sans pouvoir les en empêcher. Tout s'était passé trop vite. Il fut envahi d'un absolu sentiment de culpabilité.

À travers un nouveau cri déchirant qui submergea le tumulte, il reconnut la voix de Sânziana.

Sa gorge se serra.

Rageur, Laberge s'élança vers le corps de logis, gagné par l'émotion. La mort de Tihomir lui laissait un goût amer qu'il avait du mal à réprimer.

Il pouvait voir le visage de Sânziana à travers le regard aménagé dans la solide porte qui fermait l'accès à la salle des chevaliers.

Un soldat interrompit sa course en lui plantant une hallebarde dans les jambes. Le curé trébucha pour s'affaler de tout son long, sentant une douleur cinglante lui monter le long du tibia. Abandonnant pour la première fois son épée, il rampa vivement dans la poussière pour éviter une seconde fois la pointe de l'arme longue. Il sursauta lorsqu'un Nosferatu percuta de côté le soldat qui ne l'avait pas vu venir, pour le plaquer au sol avant de lui arracher le cou.

Réprimant un haut-le-cœur, Laberge se releva et poursuivit sa course tant bien que mal, pour finalement grimper les marches qui le menèrent devant la porte de la grande salle de réunion.

Il pouvait entendre Sânziana se démener nerveusement sur la serrure encastrée afin de lui ouvrir la porte.

— Fais vite, Sânziana! rugit-il en voyant deux Nosferatu foncer sur lui alors que le pas de course d'un soldat arrivant sur sa gauche résonnait sur la grande galerie couverte.

Il pouvait sentir le sang chaud lui couler le long de la jambe, certain d'avoir été blessé par le coup de hallebarde. Appuyé contre la porte qui s'ouvrit brusquement derrière lui, il bascula en perdant l'équilibre pour se retrouver sur le sol dallé de la salle. Sânziana referma la porte de toutes ses forces et eut à peine le temps de donner un tour de clé avant qu'un choc brutal ne vienne l'ébranler. Un bruit de rage folle mêlé à des cris d'horreur se fit entendre aussitôt après : le soldat subissait l'impitoyable assaut des vampires.

Toujours assis par terre, Laberge inspecta sa blessure. Il ouvrit son pantalon déchiré et constata une coupure peu profonde le long du tibia. La douleur était cuisante. Il pouvait sentir l'élancement se répercuter à travers tout son corps, au même rythme que ses battements cardiaques. La Tzigane se pencha vers lui.

— C'est grave? demanda-t-elle.

— Pas trop. La coupure semble peu profonde. Mais comme elle est près de l'os, elle est douloureuse.

— Viens, il y a de l'eau là-bas. Je vais te nettoyer ça.

Elle l'aida à se relever, puis lui proposa un siège le long du mur.

Secoué d'une brève convulsion, il réalisa à quel point il avait passé près de mourir.

Encore une fois.

La géomancienne le ramena à la réalité lorsqu'elle vida l'eau froide sur sa blessure.

— Je l'ai. Il est ici, dit-elle simplement.

— Où est-il? questionna Laberge en essuyant le sang qu'il avait sur les mains.

— Là-bas, enroulé dans ma cape.

Elle termina un bandage de fortune afin de contenir le saignement et lui indiqua de la main l'estrade en pierre au fond de la salle où l'on pouvait voir l'étoffe enserrer le livre.

Le tissu bougeait, sous les tentatives répétées et infructueuses du grimoire qui, malgré ses chaînes, s'obstinait à essayer de s'ouvrir.

— Il n'y a rien à craindre, dit Sânziana. Il est enchaîné.

— L'*Agrippa* est toujours à craindre, fit remarquer Laberge, enchaîné ou pas. As-tu encore de l'eau?

— Non, j'ai utilisé tout ce qu'il y avait dans le pichet pour nettoyer ta plaie.

Laberge longeait la table pour se rendre à la partie surélevée du fond de la salle lorsqu'il aperçut la vasque de pierre enclavée au milieu du meuble massif. Elle était pleine d'eau.

— Puis-je utiliser cette eau?

— C'est l'eau de divination, précisa Sânziana, celle qui me sert à voir le futur.

— C'est donc vrai, tu es véritablement géomancienne.

— Je le suis en effet.

Un silence s'installa entre eux, troublé seulement par le tumulte provenant de l'extérieur. Laberge s'approcha d'elle et se décida à poser la question qui lui brûlait les lèvres.

— Dis-moi, géomancienne, déclara-t-il en la prenant doucement dans ses bras, avais-tu prévu ma venue? Savais-tu que je surgirais dans ta vie comme j'ai surgi à travers ce mur?

— Non. Je ne t'avais jamais vu avant.

— Ne t'en fais pas, murmura Laberge en lui caressant la joue du bout des doigts. On a toujours dit de moi que j'étais imprévisible…

Elle approcha son visage du sien, attirée par ce soudain rapprochement. Leurs lèvres se touchèrent brièvement.

— Je ne te connais point, avança-t-elle, mais je ne peux m'empêcher de t'aimer.

Laberge était déchiré à un point tel que son cœur bondissait de douleur dans sa poitrine en un élancement qui s'accordait parfaitement à celui qu'il ressentait dans sa jambe.

Il recula lentement, reprenant le contrôle de lui-même.

— Je ne suis pas un homme que l'on peut aimer, dit-il sur un ton de regret. Je ne te mérite nullement. De plus, tout comme les moines, j'ai choisi de vivre dans l'abstinence, privé de l'amour d'une femme.

— Peux-tu m'affirmer en me regardant droit dans les yeux que tu ne ressens rien pour moi?

Laberge sombra dans ses yeux verts déjà au bord des larmes.

— Je te mentirais, avoua-t-il, si je te disais ne pas être attiré, ou encore ne pas déjà aimer la femme merveilleuse que tu es. Mais en plus de l'Église, il y a le temps qui nous sépare…

Des coups dans la porte les firent sursauter.

— Et le temps presse justement, dit-elle. Tu dois vite t'enfuir!

— Je dois d'abord faire de cette eau, une eau lustrale[1], expliqua-t-il pendant que Sânziana allait retirer la grosse clé toujours fichée dans la serrure.

Laberge mit peu de temps à procéder à la bénédiction de l'eau de la vasque. Pressé par les coups qui redoublaient

---

1. L'eau bénite *lustrale*, que l'on nomme aussi *grégorienne*, sert à la consécration des autels ou des églises. On l'utilise aussi dans des buts de purification ou de réconciliation de lieux sacrés profanés.

derrière la porte, il opéra probablement la plus rapide bénédiction qu'il eût jamais faite dans toute sa vie de prêtre.

Sans perdre de temps, il alla récupérer l'agrippa sous la cape de Sânziana. Le saisissant à deux mains, il souleva le livre qui, conscient de ce que le curé s'apprêtait à faire, se mit à vibrer de façon surprenante, transférant son mouvement à tout le corps de Laberge. Ce dernier, qui peinait à tenir le grimoire entre ses mains, se dirigea non sans mal jusque devant la vasque remplie d'eau bénite. Il l'y plongea carrément, ce qui fit renverser de l'eau sur la table tout autour, en de gros bouillons écumants. La température de l'eau se mit à augmenter, mais le curé résista à l'envie de retirer ses mains. Il tint fermement l'agrippa au fond de la pierre creuse, jusqu'à ce que tout mouvement cesse. Puis il le tira lentement hors de l'eau. Il le supporta ainsi pendant quelques secondes, dégoulinant juste au-dessus de la vasque, se disant qu'il n'aurait pas procédé autrement s'il avait voulu noyer un homme.

— Tu dois te préparer à partir maintenant, mage! lui lança Sânziana. Sinon, il sera trop tard…

Le corps décapité de Brosh gisait sur le sol en une position grotesque aux pieds d'Octavian.

La mort inopinée du chef de clan avait jeté une douche froide dans les rangs des Nosferatu et ralentit considérablement leur ardeur à la bataille.

La voix forte et courroucée du voïvode avait retenti au-delà du vacarme des combats, enjoignant hommes et créatures de la nuit à arrêter cet inutile affrontement. Curieusement, son charisme avait agi une fois de plus, faisant cesser toute attaque des deux côtés. Les vampires se regroupèrent plus loin, autour de Dragosh, qui récupérait tout naturellement, sans l'avoir voulu, le titre de nouveau chef de clan. Ils s'adossèrent à l'ombre de la haute palissade de bois qui ceinturait la cour à l'intérieur des douves, non loin de la tour d'entrée.

Les soldats se réunirent au centre de la cour, entourant leur prince, gardant un œil sur les vampires dépités.

Les deux groupes étaient mal en point, couverts de sang, de terre et de blessures. Partout des cadavres jonchaient le sol, certains brûlant encore, répandant dans l'air une odeur infecte. Un bâtiment de bois qui se trouvait dans la cour avait également été incendié et des hommes transportaient de l'eau afin de commencer à circonscrire les flammes pour ne pas qu'elles s'étendent à la palissade.

Vlad Dracul fit impérativement signe à ses hommes de le suivre. Il marcha directement vers le groupe de Nosferatu qui s'animèrent aussitôt, pressentant une nouvelle attaque. Dragosh leva la main, à la fois pour les contenir et pour signifier sa bonne volonté. Il s'avança à la rencontre du voïvode.

Ils s'arrêtèrent l'un devant l'autre, à un bras de distance.

Comme s'il avait deviné ce que voulait savoir le voïvode, Dragosh s'expliqua sans attendre.

— Tout est la faute du mage Octavian, accusa-t-il d'entrée de jeu. Il est venu nous trouver afin de faire éliminer un étranger que vous gardez dans les cachots du palais. Il disait posséder un livre puissant de magie noire et pouvoir nous garantir une partie de sa force en échange de ce service.

Vlad Dracul bouillait littéralement. Il se contenait de toutes ses forces, tenté qu'il était de tirer son épée pour décapiter d'abord le vampire qui se trouvait devant lui et, ensuite, Octavian.

— Mais pourquoi, finit-il par articuler entre ses dents serrées par l'envie de tuer, pourquoi diable avez-vous attaqué en pareil nombre? Cette ville est pacifique, continua-t-il en élevant graduellement la voix. Les garnisons de soldats ne se trouvent pas à Târgovişte. Nous ne sommes pas en guerre à ce que je sache. Il n'y a eu aucun trouble entre nous depuis des années! Et si par Dieu tout-puissant vous teniez absolument à éliminer un seul prisonnier, était-il nécessaire de tuer tous mes hommes et de détruire mon château?

Il avait terminé sa phrase en criant, n'en pouvant plus de se contenir.

— C'est Brosh, notre chef, qui a voulu s'emparer du livre magique.

La figure crispée par la colère, Vlad Dracul désigna Dragosh du doigt.

— Votre chef a de la chance d'être mort…

— Je te répète que si tu as quelqu'un à blâmer, accusa Dragosh derechef, c'est ton mage. Sache que je ne veux plus jamais croiser sa route. Si cela devait se produire, je te jure que tu ne le reverrais jamais.

— Trouvez-moi Octavian où qu'il soit, ordonna le voïvode à ceux qui restaient de sa garde personnelle. Et amenez-le-moi.

— Je crois que tu n'auras pas à chercher longtemps, constata Dragosh. Ton homme est là-bas.

Quand Vlad Dracul se retourna en direction du bâtiment principal abritant les logis seigneuriaux, ce fut pour voir au loin Octavian commencer à frapper avec une barre de fer la serrure de la porte d'entrée de la grande salle des chevaliers.

Sânziana fit l'erreur d'ouvrir le regard en fer de la porte pour savoir ce qui se passait à l'extérieur. La main d'Octavian s'engouffra vivement dans l'ouverture, comme le vent de novembre à travers une fenêtre ouverte. Il saisit Sânziana par les cheveux avant même qu'elle n'ait eu le temps de reculer et lui tira violemment la tête contre la porte.

Alors qu'elle criait pour attirer l'attention de Laberge qui se trouvait à l'autre bout de la salle pour préparer son départ, le mage lui glissa à l'oreille ces quelques mots.

— Toi, tu ne prendras pas mon livre! Je sais que le mage est avec toi! Je ne vous laisserai pas faire! Ne crois-tu pas ma magie suffisamment puissante pour ouvrir cette porte?

Retenant toujours la géomancienne par les cheveux, Octavian appuya son doigt contre le trou de la serrure, se concentrant sur l'image d'une clé qui se serait parfaitement adaptée au mécanisme de l'appareil de fermeture.

Sânziana, qui tenait toujours la clé dans ses mains, s'activa à chercher le trou de la serrure de son côté de la porte. Malgré l'angoisse et la douleur qui l'envahissaient, elle finit par faire glisser la clé dans la serrure au moment même où Octavian faisait tourner son doigt pour manœuvrer le mécanisme. Elle arrivait péniblement, en serrant la grosse clé de toutes ses forces, à retenir les efforts du mage qui s'évertuait de son côté à faire basculer le pêne.

Laberge arriva près de la Tzigane avec une dague qu'il avait saisie au passage sur un grand présentoir où étaient exposées des armes anciennes. Il la planta dans la main du mage et vit la lame s'enfoncer entre le pouce et l'index. La main lâcha sa prise et se retira aussitôt. Le curé fit basculer la petite porte de fer condamnant le regard et en bloqua l'ouverture à l'aide du petit fermoir qui y était installé.

La voix puissante du voïvode retentit de l'extérieur.

Octavian était mis aux arrêts.

Édouard Laberge serra longuement Sânziana dans ses bras. Il enregistra l'odeur subtile de l'abondante chevelure de la Tzigane afin de la fixer dans son esprit.

— Te reverrai-je un jour? demanda-t-elle sans trop savoir quelle réponse elle pouvait espérer.

— Je n'en sais rien. Les chances sont peu probables.

— Je ne t'oublierai jamais.

— Mes prières t'accompagneront aussi longtemps que je vivrai.

— Je sais qu'il te serait impossible de rester ici…

Des coups répétés furent frappés contre l'huis et la voix de Vlad Dracul traversa le bois franc bardé de fer.

— Sânziana! Ouvre cette porte, je te l'ordonne! L'étranger doit se rendre, il n'a nulle part où aller! Qu'il se livre immédiatement et j'accepterai peut-être de le laisser mourir rapidement!

La géomancienne et Édouard se sourirent un moment.

— Si je me fie à ce que je viens d'entendre, constata ce dernier, il vaudrait mieux que je parte.

— Pars maintenant, lui glissa-t-elle. Le voïvode ne tardera pas à obtenir une seconde clé pour entrer dans la salle. Il ne me fera rien, ne t'inquiète pas.

Laberge acquiesça de la tête et, après avoir récupéré l'agrippa, il se rendit jusqu'à la partie surélevée au fond de la salle, pour atteindre le mur de pierre où se trouvait la porte de transplanation.

Il s'appuya dos au mur, alors que coups et menaces continuaient de fuser de l'extérieur.

Sans jamais quitter la belle Tzigane des yeux, il prononça posément la formule qui permettrait d'ouvrir la porte sur le temps.

— *Uşă, deschide-te, şi ghidează-mă până la destinaţie!...*

La composition du mur se modifia derrière lui et tout autour, ce qui lui flatta le dos comme s'il se fût agi de petites vagues agitées par un vent léger. Il se plut à comparer le temps à un océan infini.

Les flots du temps...

Il eut à peine le temps de sourire une dernière fois à Sânziana avant d'être brutalement aspiré par une bouche énorme. Il dévala un tunnel parsemé d'étoiles filantes et d'aurores boréales. Il réalisa qu'il n'était rien. Une infime parcelle de matière dans un univers infini.

Il serra le livre contre lui et se rattacha à la dernière vision qu'il avait embrassée du regard avant d'être enlevé par le temps.

Celle de Sânziana qui lui rendait son sourire, les yeux remplis de larmes.

16

alais de Târgovişte, principauté de Valachie.
En fin d'après-midi, le vendredi 1ᵉʳ novembre 1444.

Dépossédé de tout depuis la fameuse nuit de l'attaque nosférate, Octavian comparaissait depuis plus de trois heures devant Vlad Dracul et tous les chevaliers de l'Ordre du Dragon.

Pour ce faire, le voïvode avait revêtu l'uniforme et s'était installé sur le haut trône, au centre de la partie surélevée de la grande salle de réunion des chevaliers. Derrière lui, les quatre membres survivants de sa garde personnelle étaient debout, assurant comme toujours sa protection rapprochée. Sur sa droite était assis Mircea, celui que l'on surnommait le Jeune, le premier de ses fils[1].

Sânziana était également présente, assise tout près de la porte.

---

1. Le plus vieux des fils de Vlad Dracul était appelé Mircea le Jeune afin de ne pas le confondre avec son grand-père, Mircea l'Ancien.

— À la lumière des événements exposés et des témoins entendus, constata Vlad Dracul, force nous est d'affirmer que tes agissements, Octavian, ont mis la sécurité du palais – et même de la ville de Târgovişte – en grand danger. Je te rappelle que cinquante et une personnes ont perdu la vie durant la nuit du samedi 12 octobre, parmi lesquelles notre ami Tihomir. J'ai personnellement négocié la fin des hostilités et le départ des Nosferatu. Tu t'en es pris à Sânziana. Si nous n'étions pas arrivés à temps, qui sait quelle folie tu aurais pu encore commettre? De plus, par ton obsession à vouloir la mort du mage étranger, celui-ci a eu la possibilité de s'enfuir avec le livre noir, cet objet sur lequel nous comptions pour nous assurer la victoire auprès des Ottomans. La position de la Valachie est maintenant compromise. Les premières garnisons de l'armée des croisés campent déjà aux portes de la ville pour se rendre à la mer où l'affrontement est imminent. Le roi Ladislas de Pologne me somme toujours de joindre la croisade. Mais nous savons qu'elle est perdue d'avance! Nous croulerons sous le nombre! Et une fois que nous serons vaincus, rien ne pourra empêcher les Turcs de se venger et nous serons les premiers sur leur chemin. Je te le répète, Octavian, ta folie nous a menés au bord du gouffre. Et nombreux seront les volontaires pour nous y pousser.

Le voïvode laissa échapper un long soupir.

— Je ne sais quoi faire de toi.

— Alors je vais te le dire, intervint Octavian.

Tous les participants présents dans la salle tournèrent les yeux vers lui.

— Laisse-moi participer à la croisade, continua-t-il. L'étude de l'*Agrippa* m'a permis de découvrir des moyens d'acquérir de nouvelles forces. Et même sans le livre en ma possession, il me serait possible de créer des influences. Je ne peux toutefois affirmer avec certitude pouvoir mettre les Ottomans en déroute mais, malgré leur supériorité numérique, je pourrais tenter de les ralentir par divers moyens, afin de permettre à nos armées de décimer leurs rangs. Et si j'échoue, je me battrai et je mourrai dignement aux côtés des miens.

Le voïvode l'avait écouté, le menton appuyé au creux de sa main. Il était vrai que la tension qui avait regné dans l'enceinte du château depuis un certain temps semblait être disparue en même temps que le livre noir. Peut-être au fond était-ce préférable que le livre ait quitté cette terre. Qui sait jusqu'où la démence qu'il provoquait pouvait conduire? Mais pour l'instant, l'heure était grave. Les temps à venir seraient déterminants pour le pays roumain. Peut-être en voyaient-ils tous les derniers jours…

— Soit, dit-il enfin pour approuver la requête d'Octavian. Tu iras combattre sur les rives de la mer Noire. Et que Dieu ait pitié de ton âme parce que moi, je n'en ai aucune. Dans quelques jours, l'armée des croisés atteindra le lieu de l'affrontement qui se situera autour de la forteresse bulgare de Varna, puisque l'armée ottomane y débarque déjà. Certains éclaireurs rapportent que cent vingt mille Turcs, appuyés de leurs vassaux arabes, s'y seraient amassés. Il semble bien que le roi Ladislas III se soit fait prendre de vitesse, lui qui comptait aller battre les

Turcs sur leur terrain! Mûrad II, qui se trouvait en Anatolie avec son armée pour écraser une rébellion, a sûrement versé de généreux pots-de-vin aux armateurs vénitiens et génois pour transporter ainsi ses troupes par le Bosphore. L'armée de la coalition prend beaucoup trop de temps à s'assembler!

Le voïvode s'arrêta pour prendre une ou deux gorgées de vin dans le but de s'éclaircir la voix. Il avait encore beaucoup de choses à dire.

— Nous savons pertinemment que la Bulgarie subit l'oppression turque depuis des années, reprit-il, et que ceux-ci n'ont qu'une idée en tête : soumettre l'Europe tout entière sous la bannière de l'Islam. Mais que Dieu me pardonne, nous ne sommes pas encore prêts à les affronter. Le seul moyen utilisé jusqu'à maintenant pour garder l'intégrité de notre terre se trouvait dans les accords commerciaux. Cette partie de l'armée chrétienne qui passe à notre porte est composée principalement de Polonais et de Hongrois, mais plusieurs détachements de Bulgares, de Croates, de Tchèques, de Bosniaques et de Russes viennent l'appuyer. Pressé par le roi et le gouverneur général Jean Hunyadi de remplir mon devoir de vassal de la Hongrie et de chevalier de l'Ordre du Dragon, je n'aurai d'autre choix que de fournir un détachement. Mais je vous le dis, je ne joindrai pas les rangs de ce détachement et je ne commanderai pas ces hommes. Il me faut encore une fois jouer le tout pour le tout afin de tenter de sauvegarder l'avenir de la *Ţara Românească*[1]. Mon

---

1. Le pays roumain. (Roum.)

fils Mircea prendra ma place et se mettra sous les ordres de Hunyadi.

Des murmures s'élevèrent d'un peu partout dans la grande salle. Le voïvode laissa le temps aux hommes présents d'exprimer leur surprise.

— Le massacre que nous avons perpétré à la petite forteresse près de Constanța ne nous place plus dans les bonnes grâces du sultan. Je suis coincé de tous côtés, messieurs, et je n'ai d'autre choix que d'envoyer des hommes au combat. J'espère seulement que mon absence et le nombre restreint des effectifs que je fournirai à l'armée des croisés rendront le sultan clément après la fin de cette croisade.

L'un des chevaliers de l'Ordre se leva pour faire une remarque.

— À t'écouter parler, Grand Voïvode, tu sembles déjà prédire notre défaite! Pourquoi t'exprimes-tu ainsi?

— Je vous ai signifié un peu plus tôt, répliqua aussitôt Vlad, que l'armée ottomane débarquée à Varna se chiffrait à près de cent vingt mille soldats. Malheureusement, notre coalition en compte beaucoup moins. En incluant nos troupes, nous serons un peu moins de trente mille…

De nouveaux murmures se firent entendre, suivis d'un silence sépulcral.

— J'espère que vous comprenez mon inquiétude, messieurs, ajouta le voïvode. Nous nous battrons à quatre contre un. En résumé, nous allons droit au suicide.

Certains détachements de l'armée de la coalition avaient défilé à Târgovişte pendant des jours, s'arrêtant à tour de rôle pour camper une nuit autour de la ville, faire ferrer les chevaux, ou encore faire le plein de vivres et d'eau potable. Le gros de l'armée avait franchi le Danube plus au sud pour passer en Bulgarie et prendre toutes les forteresses ottomanes avec l'aide de la population bulgare.

Monté sur son cheval de bataille, Octavian marchait au pas avec les cinq mille cavaliers valaques qui formaient le détachement commandé par Mircea le Jeune. Il songeait à la forme que prendrait son aide dans ce combat à l'issue encore imprévisible. Il croyait fermement que les chrétiens pouvaient l'emporter, avec leur courage et son aide. Tout dépendrait de la situation dans laquelle se rencontreraient les deux armées. L'avantage du terrain y serait aussi pour beaucoup. Octavian connaissait peu cette région. Aussi s'obligea-t-il à travailler sur son plan plutôt que d'anticiper le pire.

Il devrait s'en tenir à une action simple. Il ne pourrait gérer l'ensemble d'une bataille. Il se concentrerait donc sur l'ennemi. Créer des illusions et des délais dans le temps. Ce serait suffisant. S'il pouvait arriver ainsi à retarder le mouvement des troupes du sultan, les croisés pourraient peut-être leur infliger suffisamment de pertes pour les mettre en déroute.

Il devrait vite trouver un endroit surélevé qui lui permettrait d'avoir une vue d'ensemble sur le champ de bataille. On lui avait parlé de deux collines : les collines de Planova. S'il arrivait à se faufiler au sommet de l'une d'elles, il aurait trouvé sa vue.

Et peu lui importait de mourir là-bas. Tout ce qu'il voulait, c'était se venger.

L'armée des croisés arriva près du port de Varna, dans la soirée du 9 novembre. Mais surpris peu de temps après par l'armée du sultan, ils furent acculés entre l'ennemi, la mer Noire et le lac de Devnya. Ils durent oublier l'avantage du terrain, les troupes ottomanes s'étant installées sur les hauteurs.

En constatant l'étendue et l'énormité de l'armée islamique qu'il croyait rassemblée beaucoup plus loin, Julien Cesarini – le légat papal –, pris de panique, avait proposé un retrait immédiat. Mais une fuite à travers les collines signifierait une désorganisation complète qui se traduirait par une poursuite et une destruction totale de leurs forces, sans même combattre.

Jean Hunyadi, le général en chef qui, par le passé, avait infligé plus d'une défaite aux Turcs, avait aussitôt rejeté cette option. Certes, les Turcs étaient supérieurs en nombre. Il ne fallait donc pas adopter une attitude défensive, mais plutôt foncer en assauts répétés et déterminés afin de surprendre l'ennemi. Ils étaient coincés au bord de la mer, il n'y avait pas d'autres solutions. Il avait conclu sa stratégie et convaincu ceux qui l'entouraient avec une phrase qui passerait à l'Histoire.

— S'échapper est impossible, avait-il scandé, se rendre est impensable. Combattons avec bravoure et honorons nos armes!

Le roi Ladislas III l'avait rejoint sous les applaudissements et les vivats, pour le conforter comme commandant
de l'armée chrétienne.

Toute la nuit, Hunyadi avait travaillé à concevoir les
formations de combat des différents détachements qui
composaient l'armée des croisés.

Au centre, il plaça deux compagnies de deux mille
hommes chacune, l'une d'elles étant dirigée par le roi
Ladislas. Derrière ce centre, il plaça les cinq mille cavaliers
valaques de Mircea le Jeune. À l'aile droite, il situa cinq
contingents de mille hommes chacun et fit de même pour
l'aile gauche avec des guerriers hongrois, transylvaniens
et bulgares. D'autres soldats réservistes se retrouveraient
derrière l'armée et on disposerait aux angles des canons,
bombardes et tireurs avec des bâtons à feu.

Au milieu de la nuit, Octavian, accompagné de Mircea
le Jeune, s'approcha de Hunyadi.

— Monsieur, dit-il en l'interrompant dans son travail,
je me nomme Octavian. Je suis un mage au service de
Mircea, le fils de Vlad Basarabi Dracul.

— Tiens donc! Un mage!

— Oui, monsieur. Je demande la permission de quitter
le camp à la faveur de la nuit afin de me rendre sur la
colline.

— Et que comptes-tu faire sur cette colline, mage?

— Vous aider, monsieur. Le temps file et je ne saurais
vous expliquer, mais je pourrai confondre partiellement les
armées du sultan afin de donner une chance aux nôtres.

— Il dit vrai, appuya Mircea, je réponds de lui.

Hunyadi se pencha sur ses cartes, puis fit signe aux deux hommes de disposer.

— Fais ce que tu veux, dit-il à Octavian sans même le regarder.

Octavian tourna les talons et sortit avec Mircea. Il savait que Jean Hunyadi et Vlad Dracul entretenaient une relation plutôt tendue. Il n'était donc pas surpris par l'attitude du commandant des armées.

Il se tourna vers Mircea et lui tendit la main.

— Adieu, dit-il simplement.

À l'aube, Octavian était parvenu au sommet de la colline. Il avait laissé son cheval libre de partir ou de rester avec lui. Plus rien n'avait d'importance.

Il constata que sur la seconde colline face à lui, au relief beaucoup plus désertique, était rassemblé un corps de janissaires prêt à fondre sur la plaine. La tente du sultan y était aussi installée, entourée de gardes. Caché entre les arbres, Octavian étudia l'ennemi à la lumière du jour naissant. Sa formation de combat avait été méticuleusement préparée et les corps d'infanterie couvraient la colline de haut en bas. Au pied de la colline, des milliers de mercenaires arabes étaient en première ligne. Excellent avantage sur les plans défensif et offensif.

Un homme solide et de bonne taille qui sortait de la tente du sultan attira l'attention du mage.

Yazidzy Togan, mon vieil ennemi…

Octavian n'était absolument pas étonné de voir Togan diriger encore l'infanterie janissaire du sultan. Il n'avait sûrement pas digéré la décimation de la petite forteresse près de Constanța.

Si Octavian avait su à ce moment que Yazidzy Togan avait croisé le bateau que les hommes du voïvode avaient envoyé au large en y brûlant les cadavres de tous les Turcs qu'ils avaient massacrés, il aurait eu encore bien plus de raisons de le craindre.

Au matin du 10 novembre, les armées étaient prêtes à s'affronter.

Les *buciums*[1] roumains résonnèrent pour déclarer le conflit et appeler les hommes au combat.

Les Ottomans attaquèrent néanmoins les premiers, tentant une percée dans l'aile gauche des croisés, qui se défendirent avec l'énergie du désespoir contre la cavalerie légère et les mercenaires arabes. Les tirs de bombardes et de bâtons à feu les arrêtèrent momentanément et Hunyadi lança aussitôt une attaque sur le flanc gauche des Turcs, obtenant un certain succès.

Au centre, les cavaliers roumains et hongrois défoncèrent la ligne ennemie et parvinrent jusqu'au milieu des rangs ottomans. Pris de panique, ceux-ci battirent en retraite.

---

1. Long tube recourbé en forme de corne qui trouvait appui sur le sol, utilisé d'une part pour signaler les conflits militaires, et aussi par les bergers comme instrument de communication dans les montagnes.

Les cavaliers les poursuivirent jusqu'à leur camp, pillant et saccageant tout sur leur passage avant de revenir sur le champ de bataille.

Sur sa colline, Octavian tenta d'aider l'aile droite de l'armée chrétienne qui faiblissait, en subissant les assauts sauvages et répétés des *spahi*[1]. Appuyé contre le tronc d'un orme centenaire, il puisa toute l'énergie qu'il put de l'univers qui le dominait et des profondeurs de la terre par les racines du gros arbre. Les bras tendus devant lui, le visage contorsionné par l'effort et la concentration, il insuffla aux contingents turcs la peur de l'homme, la vision de la fin inéluctable, la terreur de la mort, et même la trahison des leurs.

En voyant la mauvaise posture du flanc droit, Hunyadi avertit le roi de l'attendre et fonça avec ses troupes pour aller aider les Hongrois et les Bulgares qui commençaient malgré tout à sentir une certaine déroute chez l'adversaire. La compagnie du centre de Hunyadi attaqua donc les *spahi* sur sa droite. Ceux-ci semblèrent tout à coup complètement désorganisés. Ils s'enfuirent en tous sens, et leur égarement fut tel qu'ils se battirent même entre eux. Poursuivis par les cavaliers, ils furent mis en pièces.

Octavian travaillait sur les flancs. Il créait des paniques illusoires collectives qu'il projetait comme autant de mauvais sorts lancés par une sorcière. Sa tête lui faisait mal, mais il ne relâchait pas ses efforts, catapultant au loin malheurs et visions d'horreur avec une fureur de vengeance insatiable.

---

1. Cavalier turc.

Le combat fit rage pendant des heures et Hunyadi tarda à retrouver sa position centrale dans la formation de combat.

Dans la surprise la plus totale, l'armée chrétienne entrevit soudain la possibilité d'une victoire complète et inespérée.

Le sultan, effrayé par la débandade de sa gigantesque armée et le courage des croisés, décida d'abandonner la colline. Ses conseillers le retinrent presque de force, l'empêchant de quitter les combats et d'ainsi provoquer la chute de ses propres troupes.

C'est à ce moment précis que le vent fit tourner la girouette du destin dans une direction inattendue.

Emporté par la victoire possible qui se profilait à l'horizon, fouetté par une pulsion vive provoquée par une poussée d'adrénaline, et surtout, négligeant les conseils de Jean Hunyadi, le jeune roi Ladislas, à la tête de cinq cents chevaliers polonais, chargea les dix mille fantassins turcs qui se trouvaient dans le centre, face à lui. La cavalerie polonaise, menée par le jeune souverain de vingt et un ans, abattait l'infanterie janissaire. Monté sur son cheval, son bras armé d'un long sabre, le roi fauchait les vies avec plus de force que la mort elle-même en encourageant ses hommes. Ceux-ci tuaient sans relâche soldats, mercenaires et chefs militaires, réussissant à ouvrir en deux l'armée ottomane. Apercevant le sultan qui descendait la colline, Ladislas, accompagné de ses soldats, lança son cheval au galop, déterminé à prendre Mûrad II comme prisonnier.

L'issue de la bataille se trouvait là, à portée de main.

Yazidzy Togan attrapa un archer par le col et le traîna à sa suite.

— Suis-moi, dit-il sur un ton sans réplique. J'ai besoin de toi.

Ils chevauchèrent pour contourner les lignes arrière de leur propre armée et passèrent du même coup derrière les chevaliers du roi Ladislas qui entouraient déjà le sultan Mûrad II. Ils s'approchèrent du pied de la colline boisée. Même si le jour était déclinant, Togan pouvait très bien voir l'homme appuyé contre le gros arbre. Il avait reconnu le mage valaque, une vieille connaissance.

— Archer, tu vois cet homme là-haut? Tu dois l'abattre! Tout de suite!

Octavian avait littéralement poussé les cavaliers polonais à travers les lignes ottomanes. Il avait construit un véritable bouclier énergétique devant le jeune roi qui chevauchait à la tête de ses hommes, puisant toute l'énergie qu'il pouvait de cet air saturé de rage meurtrière qui entourait le champ de bataille. Un air aussi chargé en énergie qu'un orage par une chaude nuit d'été.

Il suivait les cavaliers qui se préparaient maintenant à entourer le sultan et sa garde. Nul doute que celle-ci combattrait jusqu'à la mort avant de livrer Mûrad II. Pour ces janissaires formés depuis l'enfance, toute reddition était impensable.

Il poussa loin devant lui sa main droite, visant entre ses doigts ce groupe d'hommes prêts à mourir pour leur maître. Il ne vit plus qu'eux.

La fuite… Tous, vous fuyez…

— Tire, archer! Je te l'ordonne! hurla Togan pour couvrir le tumulte.

— Mais je n'y vois presque rien! répondit l'autre alors qu'il s'efforçait de viser sa cible qu'il arrivait difficilement à différencier d'avec le gros arbre contre lequel elle était appuyée.

Togan pouvait voir au loin les gardes du sultan reculer, tout en protégeant leur maître du raz-de-marée provoqué par Ladislas III qui s'apprêtait à déferler sur eux avec ses chevaliers polonais.

— Tire, te dis-je!

L'archer banda un peu plus son grand arc, retint son souffle, corrigea son tir à la hausse, puis lâcha la corde entre deux battements de cœur. La longue flèche, spécialement conçue pour parcourir de grandes distances, se ficha dans la cuisse gauche d'Octavian, la traversant de part en part, pour clouer l'homme au tronc du gros orme.

Son cri survola le champ de bataille pour aller se perdre dans la mer.

Il reprit son souffle et cria encore.

Octavian s'obligea à recouvrer ses esprits et à surmonter la douleur. Il fouilla des yeux le bas de la colline pour finalement apercevoir l'archer ottoman tirer une seconde flèche de son carquois. Les yeux noirs de Yazidzy Togan, eux, lançaient des éclairs.

Cloué à l'arbre, Octavian tenta de se recroqueviller le plus possible en s'appuyant sur sa jambe droite. La douleur était fulgurante.

Une seconde flèche se ficha dans l'arbre juste au-dessus de lui.

Il avait abandonné le roi et ses chevaliers; il les cherchait des yeux mais ne pouvait voir qu'une mer humaine aux couleurs de l'empire ottoman approcher maintenant du versant de la seconde colline où s'était installé le sultan Mûrad II pour diriger ses troupes.

Le mage devait absolument se dégager. Mort, il ne servirait plus à rien. Une soudaine rage de vivre s'empara de lui. Il appuya sa main gauche autour de la flèche contre sa cuisse, puis brisa la hampe d'un coup sec en une plainte déchirante. Il glissa ses deux mains derrière sa jambe coincée, puis l'extirpa de la flèche en se tirant en avant, pour ensuite s'affaler de tout son long sur le sol couvert de feuilles mortes.

Une troisième flèche vint se planter dans l'orme en un sifflement perçant.

Toujours couché au sol, alors qu'il tentait de retrouver le roi parmi les combattants, il entendit sonner la retraite du côté des croisés. Un plein détachement de ceux-ci était en train de prendre la fuite, des milliers de Turcs sur les talons.

— Non! implora-t-il alors que sa voix était pourtant hors de portée. Nous pouvons encore les vaincre…

Ce dernier mot, ce verbe pourtant si important, mourut au bord de ses lèvres.

Il entendit derrière lui le bruit des branches sèches brisées sous le pas des janissaires.

Puis une froideur rebutante s'appuyer contre sa nuque.

La froideur d'un fer de lance.

Le jeune roi Ladislas III avait poussé l'audace, de même que ses chevaliers, jusque derrière la ligne de l'infanterie ottomane.

Ils avaient jusque-là foncé droit devant, comme des chauves-souris échappées de l'enfer. Rien ne semblait pouvoir les arrêter. Et tout à coup, les Turcs avaient semblé surgir de partout à la fois pour les encercler.

Ladislas III, roi de Pologne et de Hongrie, fut assailli par le doute. Il perdit un instant sa concentration alors que son cheval était toujours lancé au galop.

Il ne vit jamais le fantassin sur sa droite planter la hampe longue d'un porte-étendard dans les pattes de son cheval.

Le manche de bois éclata immédiatement avec le bras du soldat qui ne l'avait pas lâché à temps. Le cheval du roi croula dans son élan comme s'il avait eu les pattes de devant coupées net. Projeté brutalement au sol, Ladislas roula sur plusieurs mètres et se démit une épaule. Les chevaliers qui le suivaient juste derrière ne purent éviter le cheval tombé et chutèrent à leur tour, entraînant par la suite leurs pauvres compagnons d'armes.

Lorsque le roi se releva, le visage couvert de terre et soutenant son bras, il se trouva face à face avec un simple soldat dont le nom allait rester dans l'Histoire à la suite du geste qu'il posa.

Kodja Hazâr, puisque c'est ainsi qu'on l'appelait, fit voler la tête du roi de Pologne en un seul et précis coup de sabre.

Découragés par ce qui venait de se passer, les chevaliers polonais tentèrent de fuir, effrayés et désorganisés à cause de la mort de leur roi qu'ils considéraient comme un demi-dieu. Mais l'étau formé par les dix mille fantassins turcs se resserra pour les écraser.

Aucun d'eux ne survécut.

On planta la tête de Ladislas III au bout d'un long bâton tenu par un soldat en première ligne. L'armée turque avança en direction des croisés qui, décontenancés à la vue de la tête sans vie de l'homme qui les avait menés jusque-là, abandonnèrent le combat.

Alors qu'on l'emmenait, poings liés, Octavian put contempler du haut de la colline la déroute de l'armée chrétienne.

Ses larmes se mêlèrent au sang qui tachait son visage.

La nuit était tombée et les troupes de l'armée chrétienne s'étaient retranchées derrière l'une des collines de Planova. Jean Hunyadi avait rassemblé les chefs de guerre survivants afin d'organiser une réunion où il exposerait ce qu'il convenait dès lors de faire. Au fond, il n'y avait que deux choix possibles. Reprendre les combats au matin avec des hommes blessés, épuisés, démoralisés et inférieurs en nombre ou battre en retraite à l'aube vers la frontière de la Valachie. Il faudrait faire vite, car si l'armée ottomane décidait de les poursuivre, il risquerait fort d'y avoir autant d'hommes massacrés durant la fuite qu'il y en avait eu au cours de la bataille.

Le commandant en chef se massait le front du bout des doigts à la recherche d'une idée qui leur permettrait tous de survivre encore un jour. Un silence claustral régnait parmi les hommes réunis autour du maigre feu qui leur servait de lanterne à défaut de pouvoir les réchauffer.

Ses pensées allaient sans cesse vers le jeune roi, qui avait payé de sa vie et de celles de ses chevaliers l'impatience de la victoire illusoire.

Quand Hunyadi était revenu du flanc droit avec ses hommes, il avait été incapable de retrouver Ladislas et il avait dû aussitôt organiser la défense du centre contre une attaque massive des janissaires. Il avait ensuite été informé de la folle tentative du roi d'aller capturer le sultan, puis de son échec quand les Turcs étaient revenus avec sa tête fichée au bout d'une perche.

Il avait tenté plusieurs contre-attaques afin de récupérer le corps du souverain, mais en vain.

Les pertes humaines de l'armée croisée se chiffraient pour l'instant à environ douze mille morts, à la suite d'une évaluation sommaire. Toutefois, si les Turcs décidaient de donner l'assaut encore demain, ce chiffre risquait fort d'augmenter drastiquement. Tenter une retraite en pleine nuit était de la folie. De plus, les hommes étaient épuisés et abattus à cause de la mort du roi Ladislas.

Hunyadi était conscient d'avoir infligé de lourdes pertes à l'armée ottomane. Les chefs de guerre avançaient des chiffres qui frôlaient les trente mille morts, mais le commandant se demandait s'il devait croire une pareille estimation.

Il leva les yeux vers Julien Cesarini, le légat du pape.

— Vous approuverez sûrement ma décision, cher Cesarini, dit-il calmement. Nous allons organiser la retraite.

Octavian fut brutalement projeté au sol face contre terre au pied du sultan Mûrad II, dit le Conquérant. Ce dernier, assis sur une chaise devant sa tente, affichait un sourire satisfait. Sur une petite table placée à sa gauche se trouvait la tête du roi Ladislas III de Pologne. Sur sa droite, Yazidzy Togan s'apprêtait à lui servir d'interprète.

Une armée de janissaires faisait cercle autour d'eux, éclairée par des torches plantées dans le sol et de grands braseros en fer montés sur des trépieds.

Mû par l'orgueil, les mains toujours attachées dans le dos, le mage se leva pour faire face au sultan.

— Vous avez démontré bien du courage, dit ce dernier. Je ne parle pas de toi, mage, mais de toute votre petite armée qui avait mis tant d'effort pour se mobiliser. Comment toi et les tiens pouviez-vous croire un seul instant être capables de renverser le pouvoir de l'Empire ottoman? Êtes-vous donc à ce point inconscients?

Plongeant ses yeux noirs dans ceux d'Octavian, Togan procéda à la traduction dans un roumain approximatif.

Les deux hommes se connaissaient depuis longtemps déjà, ayant eu l'occasion par le passé de croiser le fer ensemble. Malgré le monde de différences qui les séparaient, ils se portaient un respect mutuel teinté de crainte. Togan admirait la prestance, l'habileté, l'audace et les pouvoirs du mage, tandis qu'Octavian appréciait la force, le charisme, la détermination farouche et même la connaissance des langues du chef de guerre ottoman. Et pourtant, en cet instant précis, chacun d'eux souhaitait la mort de l'autre.

— Je crois que notre petite armée, comme vous l'appelez, répondit Octavian, a plutôt infligé une sévère dégelée à la vôtre, beaucoup plus imposante. Et n'eût été de la mort du roi, que je regrette fort, ou de l'appui promis par Constantinople qui n'est jamais venu, vous seriez déjà sur le chemin du retour.

Un sourire matois glissa sur le visage de Togan avant qu'il ne traduise avec justesse les mots du mage pour le sultan et à qui voulait bien les entendre.

Mûrad, lui, ne montra pas l'ombre d'un sourire lorsqu'il répondit à Octavian. Ses paroles furent tranchantes comme la lame d'un sabre.

— Peut-être devrons-nous refaire nos forces, mage, dit le sultan sur un ton abrupt, mais aujourd'hui nous sommes vainqueurs! J'ai mille cinq cents prisonniers que je ferai décapiter ou que je vendrai comme esclaves, selon mon bon plaisir. Et je puis te jurer que je ferai empailler la tête de Ladislas ainsi que ton corps mort afin qu'ils deviennent grande attraction dans notre capitale! Ton maître, le voïvode Vlad Dracul, t'a abandonné! Il joue bien son rôle, mais la chance finira par le délaisser. Demain matin, je poursuivrai les chrétiens retranchés près de la colline et je leur ferai payer cher ce qu'ils ont fait à mon armée.

Après que Togan eut complété sa traduction, une idée germa rapidement dans l'esprit d'Octavian. S'il devait mourir, mieux valait tenter le tout pour le tout.

— En tant que noble conquérant et dirigeant d'un empire, exposa Octavian, je tiens à invoquer ici, devant toi et tous tes hommes, l'Ordalie[1].

Le sultan éclata de rire, de même que les hommes d'armes massés tout autour quand ils apprirent le souhait du mage. Les commentaires fusèrent de toutes parts, laissant Octavian de glace. Il continua néanmoins.

— Tu ne peux me refuser le jugement de Dieu, ou d'Allah, peu importe comment tu le nommes. Il est le seul en mesure de déterminer le bien-fondé de l'affrontement qui a eu lieu ici aujourd'hui. Laisse-moi affronter Togan maintenant, laisse-le être le digne représentant de ton empire! Le sang a assez coulé! Si je sors vainqueur de l'Ordalie, tu t'engageras à libérer les prisonniers, moi y compris, et à ne pas poursuivre notre armée qui se retirera. Si je suis vaincu, que Dieu me pardonne et qu'il ait pitié de mon âme, je ne pourrai plus rien contre toi. Tu feras selon ta volonté.

---

1. Épreuve judiciaire dont l'issue, réputée dépendre de Dieu ou de toute autre puissance surnaturelle, établit la culpabilité ou l'innocence d'un accusé.

Le sultan se tourna vers Togan qui tardait à traduire, fixant encore Octavian. Il se décida enfin, parlant lentement, pesant chaque mot qu'il utilisait.

Cette fois, le silence était tombé, cinglant comme le fouet d'un charretier.

Le sultan montra Octavian du doigt.

— Tu ne manques pas d'audace, mage, dit-il avec sérieux, ni de courage. Même blessé, tu tiens à te battre pour les tiens. Ta demande est loyale et honorable, j'en conviens. Mais comment oublier que vous avez mobilisé une armée pour nous combattre alors qu'il y a à peine quelques mois, un traité de paix pour une période de dix ans avait été signé?

Octavian reçu la traduction de Togan, mais sa réponse était toute prête.

— Je te ferai remarquer, déclara-t-il, que la tête de l'homme qui a pris cette décision gît à tes côtés. De ce fait, tu as ta vengeance. Laisse-moi maintenant sauver les miens, ainsi que leur honneur.

Yazidzy Togan fit la traduction. Puis, sans attendre la réplique du sultan, il se porta volontaire pour l'Ordalie. Il attendit sans regarder son maître, les mains jointes derrière son dos.

— Que la volonté d'Allah soit faite, déclara Mûrad II. Il y aura Ordalie.

Les janissaires applaudirent sa décision.

Togan retira son manteau et demanda un nouveau sabre fraîchement affilé sous les cris et les encouragements de ses hommes.

Octavian retira sa cape et en déchira un pan pour entourer la blessure qu'il avait à la cuisse ainsi que son genou juste en dessous.

Le sultan s'exprima de nouveau.

— Le combat se doit d'être loyal, précisa-t-il, le mage valaque est blessé. Peut-être Allah dans toute sa grandeur m'inspire-t-il ces paroles, mais tu lui dois un handicap, Togan. Qu'on lui attache les chevilles à un pas de distance! Ainsi, vous serez à forces égales!

Togan se laissa attacher les chevilles sous les vivats et les applaudissements. Son visage demeura impassible malgré la surprise. Il devrait se concentrer sur ses déplacements et rapidement tester la distance dont il disposerait pour cet affrontement. Les enseignements de son maître d'armes, qui le frappait à coups de cravache lorsqu'il sortait de son cercle de parade, lui revinrent en mémoire. Il savait combattre dans des milieux restreints. Il n'aurait qu'à faire de même pour vaincre Octavian. Le mage était blessé, il ne saurait tenir bien longtemps.

Le sultan fit remettre à Togan l'un de ses propres sabres, à la poignée d'argent ornée de pierres précieuses.

Devant Octavian, on jeta au sol une épée arrachée à la main d'un chevalier polonais mort au combat. On le jugeait indigne de combattre avec un sabre turc à la main. Le mage mit un genou à terre, tenant son épée par la lame entre ses mains, plantée dans le sol juste devant lui telle une croix. Il se recommanda à Dieu et se releva, en ignorant la douleur.

— Inutile de tenter d'utiliser ta magie, fit remarquer Togan. Des archers te viseront tout au long du combat.

Je te le répète, si tu tentes quoi que ce soit, ils t'abattront sans pitié.

— Mon combat est déjà gagné, répondit-il les dents serrées en foudroyant l'autre du regard.

Les hommes qui les entouraient criaient des encouragements. Le bruit rendait la concentration difficile pour les deux belligérants, mais ils se trouvaient aussi à égalité sur ce point.

C'est Octavian qui attaqua de front, décidé d'en finir rapidement pour ne pas consommer toute sa réserve d'énergie. Il dressa ses remparts tout autour de son esprit pour tenter de s'isoler des cris des soldats. De l'issue de son combat dépendrait la survie de mille cinq cents prisonniers. Il souhaitait seulement que le sultan tienne parole.

Togan ne recula même pas devant l'attaque. Bien campé sur ses pieds, il bloqua la lame de l'épée et repoussa Octavian de tout son corps. Projeté quelques pas en arrière, le mage revint à l'attaque, tentant une feinte sur la préparation de son opposant, qui contra une fois de plus ses efforts. Le rapport d'expérience entre les deux hommes était manifeste. Il faudrait constamment changer le rythme pour contrarier les actions adverses et essayer de prendre l'avantage.

Ils échangèrent quelques bons coups, tournant sur eux-mêmes, limitant leurs déplacements, modifiant leur technique, donnant autant du poing que de la lame, offrant aux hommes qui avaient la chance d'assister à ce duel épique une confrontation dont ils se rappelleraient toute leur vie.

La fureur du combat avait jeté son dévolu sur les deux hommes. Rien ne pouvait désormais les arrêter.

Alors qu'il bloquait la lame de Togan, Octavian se saisit de la petite garde du sabre et retint le guerrier contre lui.

— Ce n'est pas la vitesse qui te permettra de me vaincre, lui dit-il le souffle court en se rappelant les enseignements de son maître d'armes.

— Je sais, admit Togan. C'est le changement de vitesse !

Ce dernier repoussa puissamment son adversaire puis tomba sur ses genoux, perdant l'équilibre. Octavian lui-même chuta au sol. Ils se relevèrent sans perdre une seconde.

— Dommage, fit remarquer Octavian, les temps de déséquilibre sont des moments privilégiés pour former une attaque !

— C'est une bonne chose qu'on m'ait attaché les chevilles, rétorqua Togan. Il vaut mieux opter pour les petits déplacements rapides et bien équilibrés. Les grands déplacements nous ralentissent !

Octavian attaqua de plusieurs coups de tranche qui firent siffler l'air tout près de Togan, qui parvint tout de même à les éviter habilement. Il ne faisait aucun doute que les deux hommes qui s'affrontaient étaient grandement expérimentés. De plus, l'enjeu de taille rendait leur détermination encore plus farouche.

Coups et parades se succédèrent ainsi de longues minutes, causant une fatigue évidente aux combattants qui ne tarderait pas à se traduire par une erreur fatale de l'un des deux.

C'est Yazidzy Togan qui fit la première erreur. Avant même qu'il ne puisse l'éviter, il sentit la morsure de l'épée d'Octavian dans son dos. Dans une plainte aussi déchirante que la blessure qu'il venait de subir, Togan roula au sol, ses chairs se déchirant sous le fil de la lame d'acier trempé.

Les cris des hommes cessèrent, ce qui jeta sur l'assemblée un silence oppressant.

Togan se releva aussitôt pour contre-attaquer, poussé par un ressort invisible qui ne lui donnait toutefois aucune force. Il s'écroula de nouveau, évitant sans le vouloir la lame d'Octavian qui lacérait l'air juste au-dessus de lui. Le mage éleva son épée pour frapper une autre fois, mais Togan roula sur le sol pour éviter le pire. Il cria en accrochant sa blessure, mais il parvint tout de même à se relever pour faire face à Octavian qui apercevait au loin la possibilité de s'en sortir vivant. Celui-ci attaqua encore, mais le Turc recula d'un pas pour esquiver son coup. Se trouvant déséquilibré par la corde qui enserrait ses chevilles, il dut faire plus d'un demi-tour pour éviter de chuter. Octavian en profita pour lui coller au dos et lui enserrer la gorge de son bras valide tout en se préparant à lui enfoncer son épée dans le flanc, juste sous les côtes.

C'est alors que la technique du changement de rythme prit tout son sens, déterminant l'issue du combat.

Conscient de ce qui risquait de lui arriver, Togan ne perdit pas une seconde et posa un geste à l'aveuglette. Il fit pivoter son sabre dans l'air juste sur sa droite, suivant le mouvement de l'arme d'un regard impassible. Lorsque la poignée passa près de sa main, il la saisit pour la tirer vers lui, le bout de la lame le frôlant tout juste, pour traverser implacablement l'abdomen d'Octavian derrière lui. Le mage relâcha instantanément sa prise sur le Turc qui se libéra brusquement pour avancer de quelques pas en titubant.

Les janissaires crièrent en une hystérie collective qui agaça Togan. Son dos le faisait horriblement souffrir et il ne put réprimer un cri de douleur lorsqu'il se retourna pour faire face à Octavian.

Les yeux du mage étaient écarquillés de peur et de surprise. Il regardait le sang jaillir autour de la lame qui le traversait de part en part juste sous les côtes. Ses jambes fléchirent tout à coup, refusant de le supporter davantage, et il bascula sur le côté.

Togan tenta de s'avancer vers lui mais buta dans la corde retenant ses chevilles. Il tomba sur les genoux. Il porta les mains à ses oreilles, ne supportant plus les cris de victoire des soldats de l'infanterie turque. Il pouvait voir le sultan, qui avait bondi sur ses pieds, l'applaudir et remercier Allah pour son jugement divin. Il pourrait disposer selon son bon vouloir des prisonniers qu'il gardait déjà et, au matin, peut-être massacrerait-il ce qui restait de l'armée désorganisée des chrétiens.

Au moment de sombrer dans la solitude de la mort, Octavian offrit au sultan, qui s'approchait de lui, un visage paisible et presque souriant.

Il rassembla les dernières idées qui gardaient sa conscience et les projeta dans le courant impétueux du grand fleuve d'énergie au cœur duquel il avait tant puisé.

Il s'y abandonna sans retenue, perdant son identité dans le temps et l'espace, pour se transformer en un songe romanesque dont les troubadours chanteraient un jour la mémoire.

17

Massif des Carpates occidentales roumaines.
Avant la tombée de la nuit, le samedi 17 novembre 1928.

Les deux cavaliers chevauchaient de front sur un haut plateau des Carpates occidentales, fonçant comme s'ils avaient le diable à leurs trousses, leurs chevaux donnant tout ce qu'ils avaient, pour le simple plaisir d'ouvrir la machine dans une plaine interminable à l'herbe rase.

Le bruit des sabots tonnait comme une symphonie de marteaux jusque dans la poitrine des deux hommes qui se jetaient de furtifs coups d'œil, se souriant brièvement en tentant de prendre de l'avance l'un sur l'autre.

Le jour déclinait rapidement et leur galop endiablé les rapprochait, à travers le vent frais de novembre, d'une colline surmontée des ruines d'un château, tout à l'autre bout de la plaine.

Ils attaquèrent le côté le moins incliné de la colline, en donnant du talon dans les flancs de leurs chevaux, grimpant vers une large brèche dans les murs de pierre qui leur donnerait accès à l'intérieur.

Édouard Laberge fut le premier à mettre pied à terre.

— Je ne sais toujours pas si ce voyage à travers les montagnes était réellement nécessaire, dit-il à Christian Cartarescu, mais peu importe, il en vaut vraiment la peine!

— Je t'avais dit que les paysages étaient magnifiques, dit son compagnon en attirant son cheval entre trois murs à demi effondrés où l'herbe poussait en abondance. J'adore traverser les Carpates à cheval. Il n'y a vraiment aucun autre moyen pour en admirer toute la beauté sauvage et en saisir tout le mystère. Traverser les Carpates, c'est traverser son propre esprit! C'est une forme de méditation intérieure, une introspection profonde, une observation de sa propre conscience.

Laberge attachait son cheval avec une corde longue après lui avoir retiré la selle. Il souriait tout en analysant les paroles de son ami.

— Tu te sens l'âme d'un philosophe ce soir, dit-il en riant. Le souper sera intéressant! Mais je saisis très bien ton point de vue et je dois admettre qu'il n'est pas dénué de sens. La comparaison entre les Carpates et notre propre esprit est tout à fait logique pour les voyageurs solitaires que nous sommes.

Christian enfila son vieux sac à dos et ramassa sa selle avant de se diriger vers un escalier de pierre usé par le temps qui les amènerait manifestement à l'intérieur même de l'enceinte. Visiblement, il connaissait les lieux et Laberge lui emboîta le pas en saisissant ses propres effets. Parmi ceux-ci, il y avait un sac de cuir tout neuf qui renfermait l'*Agrippa*.

— Penses-y bien, renchérit Christian qui gravissait les marches inégales devant Laberge. Les Carpates sont comme les méandres de notre esprit! Visions merveilleuses ou inquiétantes, plaines verdoyantes mamelonnées de collines boisées à perte de vue, montagnes abruptes et inaccessibles, sculptées et indomptables. On s'y sent à la fois en sécurité et en danger. Oui vraiment, en ces lieux, j'ai l'impression de me retrouver à l'intérieur de moi-même.

Ils atteignirent l'intérieur de l'enceinte et Christian déposa la selle au sol, au pied de ce qui avait été jadis un imposant donjon. Laberge leva les yeux pour constater l'apparition de petites étoiles dans le firmament. Il passerait la nuit à la belle étoile entre les murs en ruine d'un château des Carpates.

C'était magnifique.

Le vieil escabeau de bois résista quelque peu avant de s'ouvrir entre les mains d'Albert Viau. Il le posa juste sous la trappe aménagée dans le plafond qui donnait accès au grenier de sa maison. Le moment était propice, Emma se trouvait au village et les enfants jouaient dehors.

Il grimpa dans l'escabeau branlant et poussa sur la trappe pour dégager l'ouverture. Il s'y engouffra sous la lumière terne diffusée par le petits oculus percé dans l'un des pignons de pierre de la maison.

Grimpé sur une grosse poutre, Albert avança à quatre pattes vers l'objet de sa recherche. Le coffre de fer était encore là, seul et abandonné, après avoir servi le monde au cours de la Grande Guerre une dizaine d'années auparavant.

Il tira de sa poche la moitié d'une bougie et craqua une allumette pour mettre le feu à la mèche. D'une prudence extrême en ce lieu construit de bois plus que centenaire, Albert mouilla l'allumette de sa salive avant de la remettre dans sa poche. Il laissa tomber quelques gouttes de cire sur la poutre transversale qui passait près du coffre et y planta rapidement la chandelle afin de la fixer en place. Les codes militaires apparurent sur la peinture verte parsemée de rouille et Albert tira les fermetures pour libérer le couvercle qu'il souleva doucement, avec solennité.

Il retira la toile jaunie qui recouvrait le matériel pour découvrir ce qui restait des biens de son oncle Thomas, à travers ces objets qui lui avaient appartenu. Le coffre était arrivé des États-Unis environ deux ans auparavant à la mort de l'homme. Cet homme qui avait pris soin de lui pendant sept ans et qui lui avait tout appris.

Après avoir retiré vêtements et autres objets personnels, il parvint au fond du grand coffre métallique. Il tira du bout des doigts sur les pans de la toile huilée pour les repousser vers les bords du coffre. La Winchester 94 était là, en bon état, accompagnée d'une carabine Ross de calibre .303 marquée Mk III 1910 sur le canon. Puis, bien à l'abri dans son étui de cuir, le revolver de Thomas. Celui qu'Albert admirait tant et avec lequel il avait appris à tirer : le Remington New Model Army de 1858.

Albert le tira du coffre. Il ne se souvenait pas qu'il fût si lourd! Il fit sauter du pouce l'attache de sécurité et extirpa l'instrument de son étui. Dieu qu'il était beau! Jamais il n'aurait cru en être un jour le propriétaire légitime. Pourtant il lui revenait de droit, il l'avait nettoyé si souvent alors qu'il avait à peine plus de dix ans.

Il posa le revolver sur le sol et tira aussi la Winchester du coffre, cherchant ensuite les munitions appropriées.

La petite boîte de bois dans le coin du coffre retint encore son attention. Cette boîte dont il ne pouvait comprendre les écrits et qu'il n'avait jamais pris le temps d'ouvrir. Il avait apporté avec lui un tournevis, se souvenant comment le couvercle en était retenu. Albert approcha la caisse de bois plus près de la bougie et commença à enlever les vis. Lorsqu'il retira le couvercle, il ne put réprimer un juron. Dans la boîte se trouvaient trois grenades à manche allemandes datées de 1915. Il avait beaucoup entendu parler de ces projectiles dont il avait regardé les croquis reproduits dans les journaux, mais c'était la première fois qu'il en voyait.

Si je présume bien, il s'agit du fameux modèle 15. Mais comment diable Thomas est-il entré en possession de ces engins?

Il devait sortir ces grenades de la maison. C'était beaucoup trop dangereux.

Il avait trouvé bien plus que ce qu'il était venu chercher. Au fond, tout ce qu'il voulait c'était le Remington. Et peut-être aussi la Winchester. Et pourquoi pas la Ross tant qu'à faire. Il valait mieux être prêt. Remettre cet équipement en état et se préparer. Dans son for intérieur, Albert savait que sa route finirait un jour par croiser de nouveau celle des

Êtres de la Lune. Non seulement il le savait, mais il le souhaitait. Il devrait d'abord attendre le retour d'Édouard et voir ce qu'ils pourraient faire pour enrayer ce fléau. Édouard serait de bon conseil. Il ne tolérerait pas que ce groupe de fous sacrificateurs viennent terroriser les habitants de la région. Il fallait trouver le moyen de les chasser.

Il rangea le tout et descendit doucement la boîte de grenades ainsi que les armes avant de refermer la trappe d'accès. C'était préférable de mettre tout ça dans la remise. Albert frissonna à la seule pensée d'avoir couché sous une boîte de grenades à manche au cours des deux dernières années. Il leur trouverait une place dans la grange, suffisamment loin de la maison.

Pendant quelques secondes le doute l'envahit.

Et si Édouard ne revenait pas?

Il chassa aussitôt cette pensée morbide. Édouard revenait toujours. Il savait se sortir des situations les plus inextricables.

Et comme l'avait dit Coppegorge, le fluide magique coulait dans ses veines.

En entrant dans la grange avec la boîte de grenades dans les mains, il revit en pensée le groupe des enchanteurs qui formaient le clan des Êtres de la Lune, ainsi que le visage masqué de leur chef, Fenrir.

Soudainement, le fait d'avoir trouvé ces grenades ne lui déplaisait plus autant.

Pourquoi les hommes devaient-ils toujours chercher le moyen d'asservir leurs semblables? Si nous sommes tous égaux, à quoi bon se faire la guerre et se craindre? Que serait donc l'humanité si tous les hommes coopéraient ensemble dans le simple but d'améliorer le sort du monde? Pourquoi toujours combattre et s'opposer?

Une réplique de Laberge lui vint à l'esprit.

« Il n'y a que l'inutilité du premier Déluge qui empêche Dieu d'en envoyer un second. »

Pendant qu'Édouard Laberge alimentait le feu, Christian Cartarescu déposait un tas de branchages dans l'ouverture qui donnait sur l'enceinte du château. De cette façon, une bête qui tenterait d'entrer ne manquerait pas de les réveiller.

Il revint aussitôt s'adosser contre le mur près du feu, s'enroulant dans sa couverture de voyage. Il tira de sa poche un tout petit livret.

— Ne me dis pas que tu traînes encore ton petit livre de poèmes? lui demanda Laberge à la blague, s'assoyant à son tour de l'autre côté du feu.

— Toujours, mon cher, il ne me quitte jamais. Et ça me relaxe de lire des poèmes. J'ai d'ailleurs sélectionné ce recueil spécialement pour toi, car il s'agit d'une traduction française.

— Tu veux rire…

— Pas du tout. Mais il ne vise qu'un poète unique : Mihai Eminescu.

— J'ai déjà entendu parler de l'homme, mais je ne suis pas familier avec ses écrits.

— Ils sont pourtant fort appréciés en France, mon ami! C'est d'ailleurs là-bas que j'ai trouvé cette petite édition de mes poèmes préférés traduits dans la langue de Molière.

Laberge souriait, déjà convaincu de pouvoir entendre quelques poèmes cités par son compagnon. Le feu ravivé les réchauffait tout en éclairant les murs protecteurs vieux de plusieurs siècles. Il ne put s'empêcher de penser que quelques jours auparavant, alors qu'il se trouvait perdu quelque part dans le temps, il aurait pu visiter ce château dans son intégralité, même habité par son propriétaire.

— Tu sais, Christian, s'exclama-t-il soudain, je crois qu'il n'y a vraiment aucun plaisir comparable à celui de retrouver un vieil ami.

— Excepté peut-être celui de s'en faire un nouveau...

— Je te remercie encore d'avoir veillé à ce qu'il y ait quelqu'un au château à mon retour. Quand je t'ai vu, avec les Tziganes, quand j'ai réalisé que tu m'avais attendu et guetté tout ce temps, tu ne peux pas savoir le soulagement que j'ai éprouvé.

Laberge avait fait chauffer de l'eau et y avait plongé les herbes poivrées qu'il avait apportées avec lui, grâce aux bons soins de son ami mohawk Francis Fall Leaf. L'odeur émanait du chaudron bosselé, embaumant la nuit fraîche.

Il versa l'infusion dans des tasses de métal également tirées du fourniment de voyage de Christian, puis retourna s'envelopper dans sa couverture.

Les deux hommes s'étaient rapprochés du feu, attirés par sa chaleur bienfaisante et son pouvoir hypnotique. Christian était resté sans mot dire.

— Parle-moi de ce poète, Eminescu, demanda Laberge tout à coup.

— Il y a tant à dire…

— Tu peux sûrement me faire un résumé succinct!

— Bien sûr. Mais je préférerais d'abord te lire un de ses poèmes. Et j'en connais un qui est tout désigné.

— Ah oui?

Laberge se montra curieux pendant que Christian cherchait le texte dans son petit livre. Il déposa deux bouts de bois dans le feu afin de le garder ardent et clair.

— J'ai trouvé, s'écria Christian tout sourire. En roumain, le poème s'intitule *Din Valurile Vremei*, mais en français, on l'appelle *Les Flots du Temps*.

— C'est de circonstance, en effet…

Cartarescu reprit son sérieux. Il était un bon conteur et son accent ne ferait qu'ajouter à l'exotisme de cette lecture qui résonnerait entre ces ruines. Laberge appréciait la poésie. Il lui accorda toute son attention.

— « Parmi les flots du temps, ma mie, tu m'apparais.
Aux bras marmoréens, aux longs cheveux dorés,
Et ton visage pâle coulé en blanche cire,
Se plie sous quelque tendre chagrin, mais ton sourire,
Caresse mes yeux et sa douceur m'enflamme.
Ô femme entre les astres, étoile entre les femmes,
Ton moindre geste peut me faire verser des pleurs,
Et dans tes yeux je vois mon seul bonheur.
Mais des ténèbres froides, comment t'en arracher,
Pour que l'on soit ensemble, cher ange adoré?
Je veux que mon visage sur le tien se couche,

Sous mes baisers ardents j'étoufferais ta bouche.
En réchauffant ta main frileuse sur mon cœur,
En la tenant plus près, plus près de moi encore…
Mais tu n'es pas du monde d'ici-bas, hélas!
Et tu te perds, une ombre dans le brouillard de glace,
Et moi je reste seul, les mains pendantes, vides,
Ne retenant du rêve qu'un souvenir languide…
En vain mes bras se dressent pour te saisir, chère ombre :
Des flots du temps passé, je ne peux pas te rompre. »

Le silence régna en maître pendant quelques secondes, à peine troublé par le crépitement des flammes et le bruit des bouts de bois s'affaissant dans les cendres chaudes. Le regard d'Édouard Laberge se fondit dans les braises rougeoyantes au cœur du feu. Il y distinguait le visage de Sânziana dont il avait à peine vu le sourire et qu'il avait abandonnée cinq siècles auparavant.

Le choix de Christian était fort judicieux.

Tout s'était passé bien trop vite. Cette aventure lui apparaissait maintenant comme un rêve altéré par le réveil. Il avait du mal à se convaincre que l'*Agrippa* avait pu rendre possible pareil voyage. La vie était décidément remplie de surprises, et s'il réalisait à l'instant la chance inouïe qu'il avait d'être encore en vie, il remerciait aussi le ciel d'avoir rencontré la belle Tzigane. Il pouvait encore sentir la douceur de ses lèvres et le parfum de son souffle chaud, la justesse de ses mouvements et l'assurance de son toucher. Cette femme avait réveillé un dragon endormi à mille lieues tout au fond de lui. Il ne serait plus jamais le même. La réalité de l'absence absolue de Sânziana lui fit tout à coup terriblement mal.

Elle était morte.

Et ses restes reposaient depuis des siècles, introuvables, quelque part au creux de cette terre roumaine.

Laberge se sentait dériver sur les flots de ce temps insensible, qui l'éloignait chaque seconde un peu plus de la vie, de la jeunesse, ou encore de cette femme qu'il avait immédiatement aimée. Oui vraiment, le temps est un ennemi implacable, qui nous traîne sans que nous puissions nous y opposer vers notre propre finalité. Rien n'arrête la marche du temps.

— Il y a un autre poème que j'aime beaucoup, déclara tout à coup Christian en tirant le curé de sa rêverie. Il s'appelle *Laisse ton Monde*. Et...

— Ça va, Christian, l'interrompit Laberge qui avait aussitôt réagi au titre évocateur du poème. Parle-moi plutôt du poète. Parle-moi d'Eminescu.

— Bon, si tu veux. Que dire d'autre, sinon qu'il est le poète romantique le plus célèbre de notre pays! Il a vécu de 1850 à 1889 et, comme tu peux le constater, il est mort prématurément à l'âge de trente-neuf ans. Il eut toutefois une vie bien remplie, étudiant à Vienne à la Faculté de philosophie tout en continuant d'écrire. Il fut directeur de la Bibliothèque centrale de la légendaire cité de Iasi, puis plus tard éditeur à Bucarest. Il tomba malade en 1883 et, cette même année, parut un recueil de ses poèmes intitulé tout simplement *Poesii*, que j'ai ici avec moi et qui ne me quitte jamais.

Christian avait tiré le petit livre de son sac et le tenait devant Laberge. D'après l'usure du bouquin, il n'y avait pas à douter qu'il s'agissait bien d'une édition originale.

— Eminescu souffrait d'une sévère psychose maniaco-dépressive, poursuivit-il. Mais on lui avait aussi diagnostiqué la syphilis. Sais-tu comment on traitait cette maladie à l'époque?

— Je n'en ai pas la moindre idée.

— Par des injections de mercure.

— Du mercure? Mais c'est un poison!

— Le poète mourut le 15 juin 1889 à l'âge de trente-neuf ans. Et jamais la raison précise de sa mort n'a été avancée.

— J'opterais pour le traitement au mercure…

Le silence des mots les entoura une fois de plus pendant qu'ils goûtaient l'infusion réconfortante. Un vent modéré venait se heurter contre les murailles à demi effondrées, et se lamentait entre les branches des arbres qui entouraient ce qui restait du château. Son souffle frais susurrait contes et légendes d'aventuriers disparus, accompagné du hurlement lointain des loups des montagnes. Le moment, tout comme le lieu, était magique.

— C'est vraiment bizarre, constata tout à coup Laberge. Je viens tout juste de réaliser qu'il existe un lien bien étrange entre Eminescu qui, selon tes propos serait le plus admiré de vos poètes, et un écrivain remarquable vivant chez nous qui a sans contredit donné une figure de proue à la poésie de langue française au Canada. Il s'appelle Émile Nelligan.

— Je n'ai jamais entendu ce nom, répondit Christian. Mais qu'est-ce qui te porte à les comparer?

— Un peu tout, je crois… Leur vision poétique qui trempe continuellement dans l'inaccessible, cette attitude triste et empreinte de nostalgie, ce langage littéraire riche et métaphorique... Mais ce qui les rend doublement comparables, c'est le sort tragique que le destin leur a imposé à tous les deux.

— Qu'est-ce que tu veux dire?

— Attends, allons-y par étapes. Si je te suis bien, Eminescu a sombré dans la dépression. Quel âge avait-il lorsque ses troubles sont apparus?

— Il devait avoir un peu plus de vingt ans, je crois.

— Figure-toi que Nelligan avait tout juste vingt ans quand sa santé mentale déjà chancelante s'est complètement effondrée, mettant fin du même coup à sa carrière littéraire.

— Tu es sérieux?

— Très. L'homme est interné depuis bientôt trente ans.

— C'est assez surprenant. Je me sens d'autant plus rassuré de ne m'intéresser à la poésie que pour la lecture et non pour l'écriture.

Laberge sourit à cette dernière remarque.

— J'espère que tous les poètes ne sont pas aussi tourmentés, conclut-il.

— Tu connais des poèmes de ce Nelligan, Édouard? voulut savoir Cartarescu.

— Oui. J'aime bien lire Nelligan. Surtout lors des journées pluvieuses qui me tire l'humeur morose d'entre les tripes.

— Je te reconnais bien, dit Christian en riant. Toujours ce petit côté noir et sombre qui refait surface de temps à autre!

— Je crois qu'il m'est impossible d'y échapper.

— Voudrais-tu m'en réciter un, s'il te plaît?

— Attends, je dois d'abord rappeler mon petit côté noir…

Le rire spontané des deux hommes résonna entre les murs de la vieille enceinte. Laberge s'avança pour remplir leurs tasses avec ce qui restait de la chaude infusion.

— Si je me souviens bien, continua Laberge en s'enroulant dans sa couverture avant de reprendre sa tasse, le poème s'intitule *La nuit dans la ville*.

— Je t'écoute.

— « Prêtre, je suis hanté, c'est la nuit dans la ville.
    Mon âme est le donjon des mortels péchés noirs,
    Il pleut une tristesse horrible aux promenoirs.
    Et personne ne vient de la plèbe servile.
    Tout est calme et tout dort. La solitaire ville,
    S'aggrave de l'horreur vaste des vieux manoirs.
    Prêtre, je suis hanté. C'est la nuit dans la ville.
    Mon âme est le donjon des mortels péchés noirs.
    En le parc hivernal, sous la bise incivile,
    Lucifer rôde et va raillant mes désespoirs.
    Très fou, le suicide aiguise ses coupoirs.
    Pour se pendre, il fait bon sous cet arbre tranquille.
    Prêtre, priez pour moi, c'est la nuit dans la ville… »

Laberge trempa prudemment ses lèvres dans le chaud liquide. Il leva les yeux vers Christian qui assimilait toujours le lugubre poème.

— Je vois ce que tu veux dire, finit par déclarer ce dernier. On saisit très bien toute la complexité du bonhomme. Tu imagines le genre de conversation qu'Eminescu et Nelligan auraient pu avoir?

— Ouf…

— Peut-être devrions-nous dormir un peu? suggéra Christian. Nous avons encore une longue route à faire demain.

— Je te le répète, je suis content de faire ce voyage avec toi jusqu'à la frontière hongroise. Ça me fait beaucoup de bien. Et qui sait quand nous nous reverrons?

Christian approuva de la tête avec un sourire complaisant.

— Juste un détail, souleva-t-il en s'étendant près du feu. J'ai oublié de te dire que ces terres sont hantées…

— Les Carpates ne sont-elles pas toutes hantées? demanda Laberge à la blague tout en reliant à l'aide d'une corde le sac contenant l'agrippa à l'une de ses chevilles.

— Pas toutes. Seules certaines terres le sont. Mais tu ne dois pas avoir peur. Dors bien.

Laberge vida le reste de sa tasse et déposa le sac de cuir un peu plus loin contre un mur de pierre. Pour une raison que lui-même ignorait, il ne tenait pas à dormir trop près de l'objet de sa quête.

Christian, lui, avait complètement disparu, ayant rabattu l'épaisse couverture de laine par-dessus sa tête.

Couché sur le côté, Laberge ferma les yeux et dirigea son attention sur le feu. Sa chaleur, son crépitement…

Il se réfugia dans un sommeil tranquille.

Un délicat cliquetis de chaînes rejoignit Édouard Laberge à l'orée de son subconscient.

Il l'entendit clairement, mais n'y porta aucune attention. Il flottait dans un monde calme et paisible de rêves idylliques, où le souvenir de Sânziana l'accompagnait au-delà du temps, au-delà de sa fonction de prêtre de l'Église catholique.

Il se souvint enfin où il avait entendu ce bruit pour la dernière fois.

Lorsqu'il avait descendu l'agrippa au fond du sac de cuir neuf qui sentait si bon.

Il le tenait par le bout de la chaîne servant à le suspendre…

Laberge se leva d'un bond, projetant devant lui la couverture qui le recouvrait.

Non loin du mur de pierre se tenait un chevalier roumain armé de pied en cap, tenant l'*Agrippa* au bout de son bras. Ses yeux brillants fixaient Laberge avec autant d'intensité que ceux d'un lion ayant repéré une gazelle.

Après avoir retrouvé son sang-froid, Laberge ajouta sans brusquerie quelques morceaux de bois dans le feu. Il les appuya debout l'un contre l'autre, dans le but de créer une flamme plus vive et plus haute lorsqu'ils s'enflammeraient. Il y verrait un peu mieux.

L'homme restait silencieux. Laberge éprouva un réel malaise à force d'être ainsi examiné. Il fit un pas vers l'étranger avant de finalement lui adresser la parole.

— J'apprécierais, monsieur, que vous déposiez ce livre là où vous l'avez trouvé.

— J'ai bien peur que cela ne soit impossible, répondit le nouveau venu.

— C'est vrai, pardonnez-moi, je n'ai pas dit s'il vous plaît…

Laberge n'avait pu retenir ce dernier sarcasme. Il constata le sourire pâle dans le visage de cet homme émacié et de grande taille aux traits nobles quoique durs. Son teint grisâtre contrastait fortement avec ses cheveux noirs coupés court. Vu de près, son attirail de chevalier paraissait quelque peu abîmé ou négligé. Bien que délavé, le rouge de sa longue cape lui conférait une allure altière qui ne laissait aucun doute sur ses origines.

Toutefois, ce teint bilieux qui tirait sur le gris n'avait rien de naturel. Laberge se remémora les dernières paroles de Christian avant qu'il ne s'endorme.

J'ai oublié de te dire que ces terres sont hantées…

— Mais qui êtes-vous donc? demanda finalement Laberge.

— Je suis le chevalier Azzo de Kitka, annonça l'autre sans retenue. Et vous vous trouvez sur mes terres. Vous avez même pénétré l'enceinte de mon château et vous transportez avec vous un démon dangereux qui se trouve enfermé dans ce livre que je me dois de vous confisquer. Vous êtes complètement inconscient et je suppose que puisque vous pouvez me voir et m'entendre alors que cela n'était pas mon intention, c'est que vous êtes un mage. Ai-je raison et me suis-je bien fait comprendre?

Surpris et encore partiellement endormi, Laberge chercha rapidement une solution qui n'arrivait pas. Il venait de se faire une fois de plus ravir cet agrippa par un survenant qu'il n'attendait vraiment pas.

— Je peux vous affirmer, déclara-t-il, que nous aurons quitté vos terres demain. Nous ne sommes que de passage et nous cherchions un abri pour la nuit.

— Vous êtes vivant...

— Grand Dieu, je l'espère!

— Je suis un spectre.

— Je ne puis rien pour vous. Déposez le livre, s'il vous plaît...

— Vous ne comprenez pas! Parfois j'oublie que je ne suis qu'une entité spectrale et j'agis comme si tout ceci était magnifique et encore sous ma gouverne. Alors que tout n'est que ruine et désolation.

— Profitez donc du fait que vous vous en souvenez pour déposer le livre et vous éloigner.

— Ce livre renferme un démon. Je l'entends, il me parle. Il ne veut pas que je le laisse avec vous.

— Mais que ferez-vous de ce démon? Je ramène ce livre en lieu sûr pour qu'il ne puisse jamais nuire. Vous devez me le laisser.

— Vous êtes entré dans mon château sans vous annoncer! Je devrais vous faire arrêter!

— Soyez réaliste, Azzo de Kitka, il n'y a plus que des ruines ici. Et votre apparition fantastique qui refuse de quitter ces lieux! Pourquoi ne cherchez-vous pas la porte vers l'autre monde qui vous conduira vers la sphère céleste à laquelle vous devriez appartenir? Rien ne vous retient ici!

Alors qu'il parlait, Laberge avait commencé à charger les murailles de pierre d'énergie et à faire un pont entre elles au-dessus de sa tête et de celle du chevalier afin de bloquer toute possibilité de fuite.

Le spectre et son entêtement commençaient à l'inquiéter drôlement et il cherchait toujours le moyen à utiliser pour parvenir à récupérer le livre enchaîné.

Sentant toute cette énergie tirée de l'air ambiant, le chevalier s'agita et se mit en colère.

— Ne tentez rien contre moi, pauvre vivant. Vous ne savez pas à qui vous avez affaire.

— Je n'ai rien contre vous, fit remarquer Laberge. Je ne veux que ce qui m'appartient. Et si vous ne me le rendez pas, je devrai employer les moyens nécessaires pour le reprendre. Allez et errez votre chemin. Je vous l'ai dit, nous aurons quitté vos terres demain.

— Comment osez-vous me parler ainsi? Vous êtes vivant et cela suffit! Vous êtes donc contre moi! Vous devrez prouver votre valeur et vos bonnes intentions si vous voulez reprendre votre bien. Car il n'a pas sa place dans le monde des vivants. La place d'un démon est au cœur de la terre, là où personne ne pourra jamais le retrouver.

Le chevalier Azzo tourna le dos à Laberge et marcha vers le donjon. Après avoir jeté un coup d'œil à Christian qui dormait profondément, le curé emboîta le pas au spectre qui entra devant lui dans la grande tour.

— Et vous? Croyez-vous vraiment avoir une place dans le monde des vivants? Qu'est-ce qui vous retient ici?

Aucune réponse.

Laberge s'arrêta au pied de l'escalier en colimaçon qui se perdait dans le noir. Il ne pouvait s'engager ainsi dans l'obscurité. Il courut vers son sac de cuir abandonné près d'un des murs et en tira une pièce de tissu dans laquelle il avait glissé l'*Agrippa*. Il l'enroula au bout d'un bâton et l'y attacha avec un double nœud bien solide. Il n'eut ensuite qu'à le plonger dans le feu pour créer une source de lumière portable.

Le curé fonça vers la tour alors que sa torche lançait de tout petits tisons qui allaient en voletant s'éteindre dans l'air derrière lui. Il s'engouffra dans l'entrée et entreprit de gravir l'escalier de pierre qui tournait en rond autour d'un pilier central. L'usure des marches lui commanda la prudence pendant l'interminable montée, et Laberge songea à utiliser ce temps précieux pour trouver une solution à ce nouveau problème auquel il se heurtait.

Il déboucha finalement au sommet du donjon, sortant d'une petite construction de pierre où aboutissait l'escalier. Il fit quelques pas incertains sur cette couverture plate et sans garde-fou. À l'horizon pointaient les premières lueurs du jour, qui viendraient bientôt chasser les ténèbres. Cette vision le rassura quelque peu. Tout n'était pas perdu. On ne voit jamais un spectre à la lumière crue.

La voix rauque du fantomatique Azzo de Kitka retentit derrière lui.

— Vous n'auriez pas dû me suivre jusqu'ici, dit-il sur un ton de menace.

— Je vous ai exposé mes raisons, chevalier, fit remarquer Laberge, mais vous semblez ne pas vouloir tenir compte de mes propos. Je vous le demande une dernière fois : remettez-moi le livre de magie occulte et laissez-moi partir.

— Et je vous dis non. Ici est ma porte d'entrée pour l'Autre Monde, et c'est ici que notre contact se rompt. N'avez-vous donc pas peur du noir, mortel?

— Il y a un vieux dicton hassidique qui dit que si un homme porte sa propre lanterne, il n'a pas à avoir peur des ténèbres.

— J'admire votre courage, homme vivant, car bien d'autres ont fui à ma simple apparition.

— Je représente sur terre l'Église de Dieu, spectre, je suis prêtre avant d'être mage. Et par les pouvoirs qui me sont conférés, tant par l'Église que par l'Énergie Universelle qui fait battre mon cœur, j'ai créé devant vous, en prolongement de ce donjon, un canal de lumière. Canal qui vous permettra de trouver la paix et de rejoindre les cieux. Vous êtes mort, Azzo de Kitka et vous devez aller là où vont les morts. Errer sur la Terre ne vous mène… nulle part.

Laberge écarta lentement les bras et cligna des yeux. Il visualisa un tunnel infini formé de lumière aux couleurs de l'arc-en-ciel. Sa vision se matérialisa doucement derrière lui, pour s'étirer jusqu'à l'infini dans les plus hautes sphères du firmament.

Azzo recula instinctivement par peur de la lumière vive, mais son visage semblait fasciné par les couleurs chatoyantes qui se mouvaient dans le tunnel vertical.

— Le temps presse, chevalier! L'aube arrive! Et le tunnel peut vous mener vers votre destination finale! Vous n'avez qu'à me tendre le livre et à entrer dans la lumière.

— Il n'est pas question que je quitte mes terres, cria le spectre. C'est ici chez moi et j'y resterai!

— L'occasion ne se représentera pas! Ou bien vous me donnez le livre et vous partez dans la lumière, ou alors vous devrez fuir encore avant le lever du soleil!

Le spectre s'agita. Le vent jusque-là modéré s'intensifia, donnant l'impression à Laberge que l'imposant donjon balançait sous ses pieds. Le bruit de l'automne les entoura, entre les hautes branches des grands arbres secoués par le vent et les feuilles mortes charroyées de plaine en colline.

Inquiété par l'attitude du spectre et le tressaillement soudain de l'agrippa entre ses mains gantées de noir, Laberge opta pour la force. Usant de sa main droite, il lança impatiemment une vrille d'énergie qui s'enroula autour du spectre. Son esprit se partageait entre l'entretien du tunnel lumineux qui montait vers le ciel et la prise qu'il avait sur le spectre. Il devait récupérer le livre. Il était hors de question que cette apparition de restes de chevalier perdu lui ravisse l'*Agrippa*.

L'intensité surnaturelle qui régnait au sommet du haut donjon était à la fois prodigieuse et dramatique. Elle se percevait comme une vision cauchemardesque d'un rêveur fou ou tourmenté.

Laberge, tel le géant Atlas, semblait tenir le monde sur ses épaules.

Les jambes écartées et le dos arqué vers l'arrière, il maintenait prisonnier, juste devant lui, le spectre du chevalier Azzo par sa main droite, créant autour de lui une vrille énergétique qui se teintait lentement de rouge sombre. De sa main gauche, il soutenait derrière lui la formation du tunnel de lumière qui fonçait vers les étoiles aussi loin que pouvait porter le regard. L'effort le faisait grimacer alors que le vent s'évertuait à le déstabiliser. Sur le sol de pierre, au bord de la tour, sa torche de fortune brûlait toujours, malmenée par les rafales.

Laberge attira Azzo vers le tunnel, le tirant de sa main droite comme s'il l'avait tenu au bout d'un câble, apercevant pour la première fois un semblant de peur sur le visage gris du fantôme. Au loin, l'aube naissante se dessinait sur l'horizon en une couleur rougeâtre et violacée.

— Lâchez le livre, spectre, je vous en conjure!

— Vous ne pouvez me forcer, vous ne pouvez aller contre ma volonté! Vous n'êtes qu'un vivant!

— Et vous, vous n'êtes que l'apparition spectrale d'une pauvre âme perdue qui n'a aucune place dans le monde des vivants!

L'aube rougeâtre passa au rose doré de l'aurore.

Le haut de la tour se mit à trembler légèrement à la suite de cette opposition des forces de la nature. Et au même instant, la partie supérieure du soleil apparut sur la ligne d'horizon.

— Oui, tel je suis, dit le spectre au vivant, et tel vous serez un jour...

Puis il se dématérialisa rapidement, abandonnant la partie pour se cacher du soleil.

Laberge libéra son esprit et se pencha rapidement afin de rattraper l'*Agrippa* avant qu'il ne touche la pierre. Tout était fini. Même le vent froid était tombé.

Un genou à terre, il mit un moment à reprendre son souffle.

AGRIPPA

Le soleil acheva de crever l'horizon pour livrer, à qui voulait bien l'admirer, un spectacle d'une magnificence que seule la nature pouvait concevoir.

Aussi loin que le regard pouvait porter, les montagnes des Carpates se succédaient à travers le paysage. Au fond des vallées, un brouillard dense masquait les champs et les rivières. Les sommets se teintaient d'or sous les puissants rayons de l'astre du jour qui avaient chassé la bise provenant du nord-est.

Debout au sommet du donjon de ce château en ruine, et subjugué par la beauté de ce spectacle lumineux qui s'offrait à lui après tant de jours sombres, Édouard Laberge sentait son cœur battre à tout rompre.

Il souleva le livre enchaîné au bout de ses bras et accueillit la chaleur du soleil sur son visage avec un large sourire.

Il était toujours vivant.

POSTFACE

La bataille de Varna eut bel et bien lieu sur les rives de la mer Noire en Bulgarie, le 10 novembre 1444, et opposa les forces d'une coalition européenne à l'Empire ottoman. Ce jour-là, n'eût été de la témérité du jeune roi Ladislas III qui s'était lancé avec un contingent d'hommes à la poursuite du sultan Mûrad II, la petite armée des croisés aurait peut-être repoussé celle des Ottomans. En l'honneur du souverain, pour sa bravoure et aussi sa hardiesse, deux tombes lui sont dédiées : l'une à Varna en Bulgarie et l'autre dans la cathédrale de Cracovie en Pologne. Mais ces tombes ne sont que symboliques, puisque son corps décapité n'a jamais été retrouvé. Sa dépouille s'est probablement retrouvée dans une fosse commune, avec celles de ses chevaliers, non loin du champ de bataille.

Même si les pertes sévères infligées à l'armée turque ce jour-là empêchèrent celle-ci de poursuivre son avancée vers l'Europe, Vlad Dracul vit néanmoins son vieux rêve de reconstituer sous sa gouverne le royaume de Roumanie anéanti.

Trois ans plus tard, en 1447, le voïvode choisit de faire la paix avec les Turcs, ce qui provoqua l'ire de la Hongrie et aussi celle de Jean Hunyadi.

Vlad Dracul connut une fin tragique; il fut assassiné avec son fils Mircea. Selon certaines sources, il aurait directement blâmé Jean Hunyadi pour la défaite de Varna. Outré, le général en chef aurait lui-même commandé les assassinats. Les boyards et les marchands de Târgovişte se seraient chargés de la mission; Mircea aurait apparemment été enterré vivant.

En 1448, Jean Hunyadi devint le régent du royaume de Hongrie. Laissant libre cours à toute la haine qu'il vouait aux Turcs, il décida avec son armée d'aller reprendre la Serbie et la Macédoine, toujours aux mains de l'Empire ottoman. Alors qu'il marchait sur Kosovo, Mûrad II, à la tête de 60 000 hommes, arriva du nord. Habituée à combattre en infériorité numérique, l'armée de 30 000 soldats de Hunyadi se jeta dans la bataille et parvint à tenir tête aux Turcs jusqu'à la fin du premier jour. Le lendemain, les Hongrois optèrent pour la retraite, alors que les deux armées étaient déjà décimées de moitié. La bataille de Kosovo marqua ainsi la fin des grandes croisades hongroises contre les Ottomans.

Ce n'est que huit ans après ces tristes événements, en 1456, que Vlad III – celui que l'on surnommera plus tard Ţepeş ou l'Empaleur – reprit de force le trône de Valachie pour venger son père et son frère Mircea. Son règne dura jusqu'en 1476. Il inspira, quatre cents ans plus tard, l'écrivain anglais Bram Stocker pour son roman *Dracula*.

La reconstitution de la « Grande Roumanie », la *Ţara Românească*, deviendra une réalité inespérée à la fin de la Première Guerre mondiale. Grâce au traité de Trianon signé en 1920, tous les territoires revendiqués seront enfin réunis.

Mais le rêve de réunification sera de courte durée. La fin de la Deuxième Guerre mondiale verra les communistes portés au pouvoir, ce qui entraînera l'abdication du roi Michel 1er.

Les tragiques journées de la révolution nationale de décembre 1989 aboutirent au renversement du régime communiste. Depuis, la transition est lente et la pente difficile à remonter pour le pays réunifié.

Toutefois, les relations internationales et la relance économique semblent connaître une amélioration notoire. L'entrée du pays au sein de l'Union européenne le 1er janvier 2007 marque un nouveau tournant dans son histoire. Espérons que ce royaume presque trois fois millénaire – qui offre au voyageur averti la beauté des villes médiévales de la Transylvanie, le mystère des monastères de la Bucovine, le charme des villages traditionnels des monts Maramures, l'architecture unique de Bucarest ou de Iasi, les splendeurs naturelles du Delta du Danube, les plages de la mer Noire, les montagnes des Carpates, les mythiques châteaux et quantité de stations thermales – saura renaître et retrouver un second souffle dans cet avenir de mondialisation.

REMERCIEMENTS

Nous souhaiterions encore une fois remercier toute l'équipe des Éditions Michel Quintin pour la réalisation de ce deuxième volet de la collection Agrippa. Leurs efforts sont grandement appréciés et leur collaboration nous est précieuse.

Merci aussi à Maria Anca Grigoriu, pour la traduction, les suggestions et les conseils techniques en ce qui a trait au pays roumain.

Merci enfin à nos trois lecteurs, Nicole Dillenschneider, Linda Descôteaux et André St-Laurent, qui savent si bien nous guider grâce à leurs impressions et commentaires.

TABLE DES MATIÈRES

Note des auteurs 9

Prologue.. 13

Chapitre 1. 17

Chapitre 2. 57

Chapitre 3. 79

Chapitre 4 123

Chapitre 5 149

Chapitre 6 173

Chapitre 7. 187

Chapitre 8 201

Chapitre 9 207

Chapitre 10 235

Chapitre 11 255

Chapitre 12 287

Chapitre 13 307

Chapitre 14 359

Chapitre 15 371

Chapitre 16 405

Chapitre 17 433

Postface 457

Remerciements 461